D0714225

Das Buch

Im Jahre 1832 ist Algier von den Franzosen besetzt. Der berühmte Maler Delacroix malt nach einem Besuch in einem algerischen Harem sein Meisterwerk, die *Frauen von Algier*, das einen Blick auf eine auch heute noch verbotene Welt wirft. Im Jahre 1955, zu Beginn des Algerienkrieges, malt Picasso die Frauen von Algier auf seine Weise, als ›Feuerträgerinnen‹, Heldinnen der Schlacht von Algier. Zwei Jahrzehnte später greift Assia Djebar, die bedeutendste Gegenwartsautorin des Maghreb, das Thema erneut auf: Wieder stehen die Frauen von Algier im Mittelpunkt ihrer Erzählungen, Frauen auf der Suche nach der eigenen Identität, nach einer eigenen Sprache. In den sechs Geschichten dieses Bandes fixiert Assia Djebar jeweils einen bestimmten Zeitpunkt im Alltagsleben dieser Frauen, die in einer Ära des Umbruchs an den starren Traditionen des Maghreb zu zweifeln beginnen und sich auf die Freiheit und die Kraft besinnen, von jetzt an ihr Leben in der islamischen Gesellschaft selbst zu bestimmen. Assia Djebar hat als eine der ersten islamischen Schriftstellerinnen den Ausbruch arabischer Frauen aus der traditionellen Gesellschaft literarisch nachgezeichnet.

Die Autorin

Assia Djebar, 1936 in Algerien geboren, Schriftstellerin, Historikerin und Filmemacherin, ist die bedeutendste Autorin des Maghreb. Ihren ersten Roman *La Soif* veröffentlichte sie bereits 1957. Sie wurde 1989 mit dem Frankfurter Literaturpreis ausgezeichnet.

ASSIA DJEBAR

DIE FRAUEN VON ALGIER

Erzählungen

Mit einem Nachwort
von Clarisse Zimra

Aus dem Französischen
von Alexandra von Reinhardt

Deutsche Erstausgabe

WILHELM HEYNE VERLAG
MÜNCHEN

HEYNE ALLGEMEINE REIHE
Nr. 01/8901

Titel der Originalausgabe
FEMMES D'ALGER
DANS LEUR APPARTEMENT

Redaktion: Rainer-Michael Rahn

ISBN 3-453-07204-9

Ouvertüre

Diese Erzählungen: Marksteine einer Reise des Zuhörens, von 1958 bis 1978.

Fragmente von Unterhaltungen, ins Gedächtnis zurückgerufen, rekonstruiert...

Fiktive Berichte, Gesichter und Gemurmel aus einer imaginären Nähe, aus einer Vergangenheit-Gegenwart, die sich gegen das Eindringen einer neuen Absonderung auflehnt.

Ich könnte sagen: »Erzählungen, übersetzt aus...«, aber aus welcher Sprache? Aus dem Arabischen? Aus der arabischen Umgangssprache oder aus einem femininen Arabisch, sozusagen aus einem Arabisch des Untergrunds.

Ich hätte diesen Stimmen in jeder beliebigen ungeschriebenen, nicht aufgezeichneten Sprache lauschen können, die nur durch Ketten von Echos und Seufzern überliefert wird.

Arabische, iranische, afghanische, berberische oder bengalische Leute, warum nicht, aber stets mit femininem Klang, geformt von Lippen, die unter einer Maske verborgen sind.

Eine gehäutete Sprache, weil sie nie Sonnenlicht erblickte, weil sie zwar manchmal psalmodiert, deklamiert, gekreischt oder auch dramatisiert wurde, aber Mund und Augen dabei stets im Dunkel blieben.

Wie soll ich mich heute als Rutengängerin betätigen, wie soll ich all die vielen Töne aufspüren, die immer noch im Schweigen des Serails von gestern wispern? Worte des verschleierten Körpers, in einer Sprache, die ihrerseits so lange Zeit mit einem Schleier verhüllt war.

Dies hier ist also ein Versuch, durch scharfes Hinhören die Spuren einiger endgültig vollzogener Brüche zu verfolgen, wobei ich mich freilich nur solchen Stimmen annähern konnte, die sich – wenngleich oft zögernd – der Herausforderung beginnender Einsamkeiten stellen.

Früher glaubte ich, daß eine Übertragung aus der arabischen Umgangssprache ins Französische unweigerlich einen Verlust alles wirklich Lebendigen, aller Farbenspiele zur Folge hätte. Damals wollte ich mich nur an die Süße, an die Nostalgie der Worte erinnern...

Sind Frauen trotz dieses gedämpften Tons wirklich lebendig? Der Zwang, über Körper und Geräusche einen Schleier zu breiten, läßt sogar fiktive Personen unter Sauerstoffmangel leiden. Kaum nähern sie sich dem Licht ihrer Wahrheit, da werden ihnen auch schon wieder Fußschellen angelegt, durch die sexuellen Verbote der Realität.

Seit mindestens zehn Jahren bemerke ich – zweifellos infolge meiner eigenen gelegentlichen Rückfälle ins Schweigen einer arabischen Frau –, daß es in immer stärkerem Ausmaß als Übertretung der einen oder anderen Art gilt, über dieses Thema zu sprechen (es sei denn, man ist ein Wortführer oder ein ›Spezialist‹).

Sich nicht anmaßen, ›für‹ oder – noch schlimmer – ›über‹ Frauen zu sprechen, bestenfalls *neben* und, wenn irgend möglich, *dicht neben* ihnen: das ist die wichtigste Solidarität, die jene wenigen arabischen Frauen üben müssen, die Bewegungsfreiheit, Freiheit des Körpers und des Geistes, erhalten oder durchsetzen. Und sie dürfen nicht vergessen, daß jene, die eingekerkert werden, zwar körperlich Gefangene sind, daß ihre Seelen aber beweglicher denn je sind.

Die neuen Frauen von Algier, die sich seit den letzten Jahren frei bewegen, die im ersten Moment von der Sonne geblendet werden, wenn sie die Schwelle überschreiten: befreien sie sich – befreien wir uns – tatsächlich ganz und gar von dem gestörten, schattenhaften Verhältnis, das sie jahrhundertelang zum eigenen Körper hatten?

Und wenn sie tanzen – reden sie dann wirklich und wahrhaftig, können sie das Gefühl abschütteln, wegen des spionierenden Auges ständig flüstern zu müssen?

Assia Djebar, 1979

HEUTE

Die Frauen von Algier
in ihrem Gemach

für Sakina, meine Schwester
in Abu Dhabi

I

Kopf einer jungen Frau mit verbundenen Augen, Hals zurück-
gebogen, Haare straff nach hinten – der Nebel im engen Raum
macht es unmöglich, die Haarfarbe zu erkennen – dunkelblond
oder eher kastanienbraun, könnte es Sarah sein? Nein, nicht
schwarz... Die Haut wirkt durchsichtig, eine Schweißperle auf
der Schläfe... Der Tropfen wird hinabfallen. Diese Nasenlinie,
die Unterlippe mit dieser auffälligen rosa Kontur: Ich kenne sie,
ich erkenne sie wieder! Und das Profil schwankt plötzlich, nach
rechts, nach links. Ein langsames Wiegen ohne die einlullende
Stimme der Amme, die uns im hohen und düsteren Bett der
Kindheit zusammen warm hielt. Es schwankt nach rechts, nach
links, ohne die Tränen eines süßen Schmerzes, die Schweißperle
wird zur Träne, zu einer zweiten Träne. Rauch steigt in Spira-
len auf. Die linke Hälfte des Gesichts mit der Augenbinde (eine
weiße Binde, keine schwarze, sie ist nicht verurteilt, sie muß sie
selbst angelegt haben, gleich wird sie sie abreißen, sie wird
schallend lachen und von Leben strotzen, dort vor mir, sie...),
die linke Hälfte zerfließt in der Stille, vielmehr in dem abgeris-
senen Ton, denn das Schluchzen bleibt ihr wie eine Gräte in der
Kehle stecken; der andere Teil des Gesichts, ein Profil aus Stein,
ferne Statue, die nach hinten entschweben wird, immer weiter
nach hinten.

Abgerissener Ton... Sarah... Nach ihr rufen, zitternd rufen,
um das Opfer zu verhindern, welches Opfer...

Endlich Geräusche aus dem dunklen Zimmer: Männer mit
nacktem Oberkörper, mit der Maske von Sanitätern über dem

Mund (nein, nicht ›meine‹ Sanitäter; diese hier sind athle-
tisch, gut genährt, gelassen...), Männer, die kommen und ge-
hen, ich kann sie nicht zählen... Endlich die Geräusche, eine
Atempause: Dies muß eine ländliche Gegend sein, in unmit-
telbarer Nähe ist ein douar, *unüberhörbar durch die offene*
Dachluke. Das Blöken einer Ziege, danach ein ganzer Hühner-
stall, Musik wie von Pikkoloflöten... Keine Vögel, in der Fer-
ne weinende Kinder, fast fröhliche Klänge, ein ziemlich lauter
Brunnen, eher eine Quelle, deren Wasser das sprießende Gras
benetzt...

Zum Greifen nahe hantiert der Chefsanitäter herum, läßt ei-
nen Motor an, aber das Brunnenwasser überschwemmt alles
mit befreienden Fluten, die Ziege blökt allein in den blauen
Himmel empor, keine Kinder mehr, die singen oder greinen
würden, was ein und dasselbe ist...

Maske der jungen, erstarrten Frau, zur Seite gefallen, vielleicht
ohne Hals, endlich wird der Tisch sichtbar, seitlich davon herab-
hängende Flaschen und Schläuche, irgendwelches Küchenzube-
hör? – ›Mein‹ Tisch, ›mein‹ Saal, nein, ich operiere nicht, denn
ich bin nicht dort im Zimmer, selbst umzingelt, beobachte ich,
aber ich gehöre nicht zu ihnen, wird Sarah aufwachen, die Anäs-
thesie, Anfang oder Ende der Operation, und dieser nahe douar
ohne Frauen- oder Kinderstimmen, ohne Rufe am Horizont, nur
die Ziege, eine weiße Ziege mit hochgerecktem Hals, die Dach-
luke ist größer geworden, ein ganz weißer Himmel, wie gemalt,
ein neuer Himmel, schweigend auch er, der schwer über den Sa-
nitätern – nein, über den Technikern – hängt, der sie vernichten
wird. Nun wieder ein wimmerndes Kind, ganz in der Nähe, oder
sollte das Sarah sein, deren Augen verbunden sind, Löcher an-
stelle von Augen... Der Motor beginnt bedrohlich zu dröhnen,
die gégenne, *dieses teuflische Folterinstrument...*

Ali springt mit einem Satz aus dem Bett.

Das sonnendurchflutete Zimmer, der Balkon, der den

Blick auf einen Winkel der Stadt freigibt und sich den Booten auf der Reede entgegenbeugt. Stille Schiffe.

Sarah geht in der Küche hin und her, benutzt den Toaster. Ali stützt sich einen Augenblick auf das Sims des Fensters, das auf den Balkon hinausgeht, kommt langsam zur Besinnung. Im schillernden Morgenlicht blinzelnd, tritt er etwas zurück, geht ins Bad. ›Wasser‹, denkt er, ›ich brauche frisches Wasser!‹ Er würde sich jetzt waschen, und das würde ihn endgültig von der traumbedingten Nervosität befreien.

Das Telefon. Sarah eilt auf den Flur hinaus.

Sie beugt sich vor, wartet: Die Milch auf dem Herd droht anzubrennen.

»Ich bin's«, beginnt Anne. »Kannst du kommen? Mir geht es nicht gut… (Pause; Sarah ruft, im Flüsterton)… Gar nicht gut«, fügt die einsame Stimme in der Ferne hinzu.

Sarah kehrt kurz in die Küche zurück, unterbricht die Frühstücksvorbereitungen, zieht sich im Schlafzimmer, wo Ali jetzt seine Gymnastik treibt, die Schuhe an, greift nach den Wagenschlüsseln.

»Und Nazim, immer noch nicht da?… (die Männerstimme hinter ihr ist nörgelig) Wir könnten ihn hier brauchen, jetzt, da…«

Die Tür schlägt im Luftzug laut zu. Sarah fährt durch enge Straßen, die ansteigen und abfallen, die sich immer mehr in traumhafte glänzende Korridore verwandeln. Überall türmen sich Abfälle.

Sarah fällt plötzlich ein: ›Dritter Tag des Streiks der Müllmänner.‹ Während der ganzen Fahrt wird sie ein Unbehagen nicht los.

›Ist es nur mit Ali so, ist es mit ihnen allen so?… Wenn die anderen mit mir reden, sind ihre Worte mir irgendwie fremd… sie schweben im Raum, bevor sie mich erreichen! Ist das auch so, wenn ich selbst rede, falls ich rede? Meine Stimme dringt nicht zu ihnen. Bleibt im Innern.

Hingegen Anne am Telefon: Bei ihrer ersten Silbe hat eine Bö der Angst den Apparat förmlich geschüttelt.‹

Sarah parkt das Auto, öffnet die Tür eines mit Mosaiken geschmückten Flurs. Seit zwei Tagen verkriecht sich Anne in diesem alten Gebäude.

Im Bad aus grünlichem Marmor sind Sarahs Gesten präzise, effektiv: Wasserhahn weit aufgedreht, Anne über der Wanne hängend, sich lange übergebend. Sarah bringt alles Notwendige: Wasserkanne, Wischlappen, Schwamm; so viele Schäden sind zu beheben.

Im Spiegel über dem Waschbecken kann sie sich sehen: Sie steht hinter der Französin mit den viel zu langen Haaren. Sarah zieht die schwarze Flut nach hinten. Anne bückt sich, wäscht ihre Wangen, die Stirn, das ganze Gesicht. Stöhnt abgehackt. Ohne sich von der Stelle zu bewegen, flicht Sarah die Haare zu einem Zopf, nimmt eine Flasche Eau de Cologne zur Hand, öffnet sie, gießt etwas davon auf den Nacken der Freundin, tritt einen Schritt zurück. Betupft auch sich selbst mit dem Eau de Cologne, um den Gestank des Erbrochenen zu überdecken... Sie hört Anne nicht zu, die stöhnt: »Entschuldige bitte, wirklich... es tut mir ja so leid!«

In dem großen, niedrigen, halbdunklen Raum, wo die Reisende geschlafen hat, richtet Sarah die Matratze, klopft die Kissen auf, schüttelt die Schilfmatte aus...

›Das Zusammenleben mit einem Chirurgen hat doch sein Gutes. Früher hätte ich unnötigerweise den Rettungsdienst gerufen. Zu viele Tabletten auf einmal; man muß sie erbrechen lassen, ganz einfach.‹

Anne läuft hin und her, zieht störrische Kreise mitten in dem kahlen Zimmer. Sarah setzt sich in eine Ecke, direkt auf die Fliesen. Der Stein tötet alle Gerüche: von Übelkeit ebenso wie von Verzweiflung.

»Eine plötzliche Katerstimmung«, spottet Anne. »Ein richtiges Melodram: Verwirrung einer reifen und verlassenen Frau, verpfuschter Selbstmord! Nur eines ist völlig unklar: wozu eine so weite Reise machen, nur zu diesem Zweck?«

Mit einer abrupten Armbewegung deutet sie auf Kissen und Matratze, die jetzt wieder ordentlich aussehen.

»Ich hätte es dir gestern sagen sollen, als du mich im Hafen abgeholt hast (sie seufzt... findet ihre Sanftmut wieder): Sarah, ich bin hergekommen, um zu sterben!«

Sarah, die in der hintersten, finstersten Ecke kauert, wünscht sich plötzlich, sie könne mit der Dunkelheit verschmelzen.

»Ich habe es gestern im Morgengrauen begriffen, als ich das Deck betrat: Das Schiff näherte sich dem Land. Alle betrachteten die weiße Stadt, ihre scheinbar im Wasser schwimmenden Arkaden, ihre abschüssigen Terrassen. Und ich, für die dieser Anblick nichts Neues war, ich weinte, ohne es zu bemerken, und als ich mir meiner Tränen endlich bewußt wurde, da erst kamen mir diese Worte in den Sinn, trotz der herrlichen Aussicht: ›Mein Gott, ich komme hierher, um zu sterben!‹ Es war eine schlagartige Erkenntnis: in diese Stadt, wo ich anscheinend geboren bin, die ich aber vergessen hatte, sogar als in den Zeitungen andauernd die Rede von ihr war, in diese Stadt kehre ich am Ende meines Lebens zurück...« Dann erzählt Anne eine Geschichte in chronologischer Reihenfolge, ›ihre‹ Geschichte: der Ehemann, die drei Kinder, fünfzehn Jahre eines befremdlichen Lebens, das sich in einer einstündigen Rede zusammenfassen läßt: Ist es banal? Es ist banal.

Schließlich steht Sarah auf, mit steifen Knien, geht zum Fenster, macht das, was sie seit Beginn der Erzählung machen wollte: Mit einer schroffen Geste zieht sie den riesigen rotgestreiften Leinenvorhang zurück.

»Nein!« ruft die andere geblendet.

Sarah dreht sich halb um: den Zopf über einer Schulter,

ist Anne bis zur hinteren weißen Wand zurückgewichen, beide Hände über den Augen, so als wollte sie diese krampfhaft verbinden, und ihre erhobenen Ellbogen zittern heftig. Später, etwas später:

»Ich ertrage das Licht nicht!« schluchzt sie.

Sarah kauert sich auf die Matte, umarmt sie, wiegt sie gleichmäßig in den Armen, während Anne sich fallenläßt, sich dann langsam fängt, von andersartiger Müdigkeit überwältigt.

Zwischenspiel

Der *hazab* des Nachbarhauses in diesem Viertel kleiner, schlecht geweißter Villen, hat zehn Töchter. *Hazab* heißt soviel wie Koranleser in der Moschee. Das hindert ihn nicht daran, Handwerker zu bleiben, zwischen den Gebetsstunden in seine Schusterbude zu gehen, einem Treffpunkt der Gelehrten des islamischen Rechts. Er ist ein alter Mann, der stets eine weiße Toga trägt, jeden Tag eine frische, die seinen knochigen Körper würdevoll umweht. Im Viertel genießt er heute hohes Ansehen, das ist unübersehbar, wenn er durch die Straßen geht.

Vor mehr als dreißig Jahren, während der Unruhen des 8. Mai 1945, war er zum Tode verurteilt worden, weil er versucht hatte, das Arsenal einer kleinen Küstenstadt mit einer Bombe in die Luft zu jagen. Drei Jahre später begnadigt, hatte er geheiratet, war in die Hauptstadt gezogen, hatte vier Töchter bekommen und dann fünf Jahre im Gefängnis ›Barberousse‹ verbracht (gleich zu Beginn der ›Ereignisse‹ in Algerien, beim ersten Verdacht auf Untergrundaktivitäten, war er natürlich verhaftet worden).

Seine Frau hatte ihre erste Brut in großer Armut aufgezogen, aber ihre Hauptsorge war es gewesen, den wöchentlichen Korb für das Gefängnis füllen zu können. »Am Tag nach der Unabhängigkeit« (viele weitaus bedeutendere Geschichten beginnen noch heute mit dieser oratorischen Floskel) hatte sie den Rhythmus der Schwangerschaften wieder aufgenommen. Im vierzigsten Lebensjahr, nach der zwölften Schwangerschaft – darunter einer Fehlgeburt – hatte ihr Allah, gelobt sei Er, endlich den heißersehnten Sohn geschenkt.

Der Erbe des *hazab* hatte gerade sein sechstes Lebensjahr begonnen. In den nächsten Tagen sollte die Beschneidung des Knaben gefeiert werden, das erste Familienfest.

Drei der »vor der Unabhängigkeit geborenen« Töchter (die vierte, die bescheidenste, hatte sich vor kurzem mit einem Bankangestellten verlobt) verursachten gewisse Probleme. Die älteste, vierundzwanzig Jahre alt, betrieb seit ihrer Teenagerzeit Judo und bestand außerdem darauf, nur in Hosen aus dem Haus zu gehen (das war übrigens die einzig mögliche Erklärung für das anhaltende Ausbleiben ernst gemeinter Heiratsanträge). Die zweite legte mit zweiundzwanzig an der Universität ihre Schlußprüfung in Naturwissenschaften ab (und der Vater, der aufgeregt draußen herumlief, versuchte zu verstehen, welcher Zusammenhang zwischen den Naturwissenschaften und einem weiblichen Gehirn bestehen konnte, traute sich aber nicht, darüber zu sprechen; mit zunehmendem Alter war er im Umgang mit seinen Töchtern schüchtern geworden und litt um so mehr, als er das verbergen mußte).

Die dritte schließlich, Sonia, zwanzig Jahre alt – die Erzählerin dieser Mini-Chronik –, widmete ihre ganze Freizeit dem Leichtathletiktraining. Sie hatte vor kurzem beschlossen, Turnlehrerin zu werden. »Ich möchte nur auf einem Sportplatz leben!« erklärte sie leidenschaftlich.

An diesem Morgen betrat Sarah das Haus des *hazab*, nahm sich Zeit, in aller Ruhe die Höflichkeitsformeln mit der Mutter zu tauschen, die mit weit gespreizten Beinen im kleinen Innenhof vor einem eisernen Kohleofen saß und Paprikaschoten und Tomaten grillte, währen zwei ihrer Töchter mit nackten Füßen im Wasser plantschten und sich dabei kichernd stritten. Sonia war unglückseligerweise beim Training. Sarah bat, ihr auszurichten, daß sie nach der Rückkehr vom Sportplatz doch bitte Anne Gesellschaft leisten solle.

Auf der Schwelle traf die Besucherin den *hazab*. Sie küßte ihm die rechte Schulter. Er unterhielt sich kurz mit ihr, entschuldigte sich für die überall herumliegenden Abfälle, betonte aber, daß es ihm gelungen sei, die Nachbarn zum Abdecken der Mülleimer zu bewegen. Sarah hörte ihm zu, bevor sie wieder ins Auto stieg, das sie in der Sackgasse geschickt wendete, vom *hazab* genauso aufmerksam beobachtet wie von Kindern, die wie angewurzelt in den Türen standen.

Zwei Stunden später begab sich die junge Sonia zu Anne. Von dem schmalen Obstgarten, wo sich alle Mädchen trafen, führte ein Portal zu dem Gebäude, wo Anne in einem Studio wohnte, das die umliegenden Terrassen überragte. Sonia schlüpfte ins Haus, leicht gekleidet, Pantoffeln an den Füßen. Anne, die ihr die Tür öffnete, bewunderte leicht gerührt die schlanke und so braunhäutige – ein olivenfarbenes Braun – Schönheit des jungen Mädchens.

»Ich bin die angekündigte Nachbarin«, stellte sich Sonia vor.

Sie bereitete ohne große Umstände den Tee zu, pflückte im Obstgarten eine Handvoll Jasminblüten, die sie in die Zuckerdose legte, erklärte sodann, daß sie gern nähere Bekanntschaft schließen würde.

Und obwohl die Unterhaltung mit der Französin für sie anfangs nur ein Spiel war, verwandelte Sonia sich bald in eine ernsthafte Familienchronistin.

II

»Ihr Vater operiert gerade eine Gallenblase, aber er müßte in zwanzig Minuten herauskommen«, erklärte die Sekretärin, untadelig geschminkt, die Brille in der Hand. Durch den verglasten Teil der Tür beobachtete Nazim einen Moment lang Alis Gesten auf dem Bildschirm eines internen Fernsehgeräts über dem Operationstisch.

Der Saal kam ihm eng vor. In einer Ecke entdeckte er den regungslosen Anästhesisten, dessen Gesicht starr wirkte. Ein anderer Assistent stand hinter einer geometrischen Anordnung von Flaschen und Schläuchen, die dem riesigen Sauerstoffgerät entsprangen.

Die Atmosphäre dieses zur Hälfte hell beleuchteten Raumes hatte aufgrund der Isolation etwas tragisch Unwirkliches an sich. Alis maskiertes Gesicht tauchte wieder auf dem Bildschirm auf...

Nazim drehte sich um, stieß dabei mit der Sekretärin zusammen.

»Warten Sie in seinem Arbeitszimmer auf ihn«, schlug sie vor. »Dort gibt es sogar Kaffee in einer Thermoskanne.«

Sie blickte dem Teenager nach, der den Korridor entlangging.

Er nahm nicht den Aufzug, durchquerte eine überfüllte Wartehalle, von der zwei Säle abgingen, in denen Assistenzärzte Sprechstunde hielten. Eine alte Bäuerin redete ihn auf berberisch an. Nazim blieb stehen. Halb verschleiert, in einem flammenroten Kleid, das ihre üppige Gestalt verhüllte, erregte sich die Frau, während sie auf ein schlafendes Baby in dem schwarzen Umschlagtuch deutete, das ihr die Brust abschnürte.

Der junge Mann machte eine hilflose Geste und drehte sich, um nach einer zweisprachigen Krankenschwester zu suchen. Die Alte überschüttete nun Aïcha, die Sekretärin, mit ihrem Wortschwall, die ihr in demselben groben Ton antwortete. Erleichtert setzte Nazim seinen Weg fort.

In dem Arbeitszimmer mit Klimaanlage und Teakholzmöbeln von glänzendem Braun schaltete er ein weiteres Fernsehgerät ein: auf dem Bildschirm machte der Chirurg, der fast fertig war, einige kurze, gebieterische Gesten in Richtung seiner Helfer, dann waren seine Augen, hellwach wie die einer verschleierten Frau in der Stadt, lange Zeit in Großaufnahme zu sehen.

Der Teenager griff nach einem weißen Blatt Papier, nach einem Bleistift, schrieb wütend von rechts nach links und quer über die ganze Seite einige krumme Zeilen in arabischen Buchstaben.

Er ging hinaus, während das Gesicht seines Vaters vom Bildschirm verschwand und durch das weiße Flimmern der Leere ersetzt wurde.

Ali sprach zwar Arabisch, war aber mit der Schrift nicht vertraut: Die berufliche Belastung in diesem Zentrum für allgemeine Chirurgie, einem der modernsten im ganzen Land, hatte ihm in den letzten Jahren für eine gründliche Schulung in der Landessprache keine Zeit gelassen.

Er rief in der nahegelegenen Zytologie an, ließ sich mit Baya verbinden, einer Laborantin, die aus seinem Heimatdorf stammte.

»Tochter des Aurès-Gebirges«, sagte er mit gespielter Brummigkeit, »ich bedarf wieder einmal deiner Dienste als Übersetzerin, diesmal für ein Literaturerzeugnis der Familie.«

Sie kam schnell. Las mit ihrer kräftigen Stimme – kräftig wie alles an diesem frischen rundlichen Persönchen – vor:

»Ihr habt, so sagt ihr, zu jenen gehört, die ihre unterwürfigen Väter anspuckten und danach ins Gebirge gingen, um ›das Feuer der Revolution zu entfachen‹…« (»Die arabische Sprache ist immer sehr bildhaft«, kommentierte sie, so als wollte sie sich entschuldigen.)

»Ist das alles?« unterbrach Ali.

»Warte, er fährt so fort: Die Söhne spucken heute nicht mehr auf ihre Väter, bevor sie das Abenteuer suchen… Ich gehe, wohin, weiß ich noch nicht… Falls ich später zurückkomme, so nur, um Sarahs Hand zu küssen.«

Schweigen.

»Das ist alles«, murmelte Baya schließlich und zupfte nervös an einem Knopf ihres weißen Kittels.

»Wir haben ihn allzusehr verwöhnt, das habe ich hundertmal gesagt, wir haben ihm zuviel Freiheit gelassen!« knurrte Ali, während er aufstand.

Er war schon immer ziemlich massig gewesen, aber in letzter Zeit hatte er weiter zugenommen. Vor dem Fenster stehend, verdeckte er mit seinem breiten Rücken den Blick auf den Hafen. Mindestens vierzig Schiffe lagen vor Anker; sie mußten oft tagelang warten, bis sie in eine weniger überfüllte Reede einlaufen konnten, und sie erinnerten an fragile Figuren eines Balletts zwischen Himmel und Wasser. Gegen ihren Willen erstarrt, hatten sie, den unsichtbaren Blicken von den Terrassen ausgesetzt, fast etwas Unwirkliches an sich… Ali dachte plötzlich an die Freiheit: Dieses Wort riß vorübergehend ein gewaltiges Loch in das verschwenderische Licht vor dem Fenster. Es ließ ihn erschaudern. Er drehte sich um, und sein Gesicht verhärtete sich wieder.

»Ich überlasse es dir, mit Sarah zu telefonieren.« Er zögerte. »Mach, was du für richtig hältst: Lies ihr die Nachricht vor oder bitte sie vorbeizukommen… Ich muß wieder in den OP – eine Leberoperation, die mindestens drei Stunden dauern wird.«

Er ging hinaus, eine Tasse Kaffee in der Hand. Aïcha beobachtete die junge Frau von der Schwelle aus, fast so, als wäre diese unbefugt eingedrungen.

»Er macht sich Sorgen«, murmelte Baya mit gerunzelter Stirn. »Der Junge ist durchgebrannt... Mit fünfzehn ist so etwas ganz normal!«

Sie hatte oft das Gefühl gehabt, Nazim gut zu verstehen. Für sie war er in erster Linie ein stets zum Scherzen aufgelegter Vetter. An seinem letzten Geburtstag hatte sie ihm sogar einige moderne Tänze beigebracht.

Baya kehrte langsam in die Zytologie zurück und dankte der Kollegin, die während ihrer Abwesenheit ihre Bakterienkultur überwacht hatte. Eine ganze Familie, die aus dem Süden hergekommen war, wartete an diesem Tag angsterfüllt auf den Urteilsspruch: die Bestimmung des Karyotyps. Ihr Kind, das sie bisher als Mädchen erzogen hatten, schien von zweifelhaftem Geschlecht zu sein. Baya machte sich wieder daran, die Karteikarten auf den neuesten Stand zu bringen, denn der Chef würde sie am Ende des Vormittags sehen wollen.

Nazim rannte die Stufen der Auffahrt vor dem Krankenhaus hinab und hoffte, irgendeinen Bekannten zu treffen, um die Rede halten zu können, die er über seinen Vater vorbereitet hatte:

»Was hat er mir denn schon von seinen fünf Jahren in der Widerstandsbewegung erzählt... Wie er den offiziellen Ball im Kreml eröffnet hat, kurz vor Beginn der 60er Jahre (er war einer der ersten fünf *fellaghas*-Studenten gewesen, die mit Hilfe der Untergrundbewegung und der ›Bruderländer‹ in die UdSSR reisen durften)... Und vom ganzen Leben im Untergrund nur ein einziges erbärmliches Detail: wie sie, in Höhlen vergraben, ihre Winterläuse töteten. Einer von Vaters Kameraden aus diesen glorreichen Zeiten hat eines Tages, als er ganz schön beschwipst war, sogar Näheres berichtet: ›Wir haben solche Mengen davon erledigt und es darin zu solcher Meisterschaft gebracht, daß es sich wie richtiges Maschinengewehrfeuer anhörte, wenn wir die Läuse mit unseren Nägeln knackten…‹ Sarah hat mir damals gesagt (sie verhält sich nicht wie eine Stiefmutter, sondern eher wie eine aggressive Spielgefährtin): ›Warum wirfst du ihm vor, daß er sich über diese Zeit ausschweigt? Wäre es dir lieber, wenn Ali sich, wie das so viele Väter tun, dir zuliebe mit einer heroischen Aureole schmücken würde? Das wäre für ihn sehr bequem.‹«

Nazim fuhr in seiner Rede fort, so als wüßte er sie auswendig. Berauscht von seinen eigenen Worten und von seiner Wut, gelangte er – ohne die Straße überhaupt wahrgenommen zu haben – zum alten verlassenen Hafen, dem Binnenhafen der einstigen ›Könige von Algier‹… Er setzte sich auf eine Brüstung. Ein Betrunkener in europäischem Anzug, einen Turban auf dem Kopf – das Gesicht zerfurcht, so als wäre er einer jener Abenteurer früherer Zeiten, berauscht von Macht und Plünderungen –, redete ihn an. Nazim weigerte sich, mit dem Mann zu trinken: Bier widerte ihn an. Der andere schlief ein, und der Teenager wandte seine Aufmerksamkeit einer Reihe alter Fischerhäuser zu, die sich unterhalb einer belebten Avenue höhlenartig zusammendrängten: Entwurzelte Bauern hausten hier derzeit wie in einem unterirdischen Gewölbe. Sie waren zweifellos die einzigen Männer der Stadt, die ihren Töchtern und Frauen erlaubten, so im Freien zu sitzen und einander die langen Haare zu kämmen, mit der Anmut von Zigeunerinnen. Einige lästerten von weitem über den jungen Mann und den alten Säufer, der ihm zu Füßen schlief, zur Kugel zusammengerollt, den Turban tief ins gerötete Gesicht gezogen.

›Nicht mehr ins Krankenhaus zurückkehren…‹, dachte Nazim, von plötzlicher Erschöpfung überwältigt, wäh-

rend er die stufenförmigen Abhänge der Stadt betrachtete, deren Geräusche sich im staubigen Morgennebel auf-
lösten.

Im Krankenhaus traf Ali, umgeben von seinen Assisten-
ten, letzte Vorbereitungen. ›Die heikelste Operation... Eine riesige Leber muß aufgeschnitten werden... sehr ge-
ringe Überlebenschancen für diesen einflußreichen alten
Nationalisten...‹

Drei Söhne des Kranken, hohe Beamte, sehr steif, weniger aus Gram als eingedenk ihrer eigenen Wichtigkeit,
warteten im Arbeitszimmer des Chirurgen. Der vierte,
ein auffällig gekleideter Industrieller, gesellte sich wenig
später zu seinen Brüdern, während Aïcha ihnen schweigend Kaffee servierte.

Ali operierte diesmal in einem zweiten – kleineren –
Saal, einer Art großer Ecke, die sich zum Dreieck verengte-
te. Als er den Raum betreten mußte, angetan mit Maske
und Handschuhen, hatte er sekundenlang gezögert: Ihm
war schlagartig eingefallen, daß dies der Schauplatz seines Traumes der vergangenen Nächte war.

Ein sehr heißer Tag. Die Fahrt im alten Peugeot ermüdete
Sarah deshalb mehr als sonst.

Im Labor des Instituts für Musikgeschichte zog sie ihre
Jacke aus, krempelte die Blusenärmel hoch. Während sie
sich kämmte, strich sie mit der Hand über ihre Stirn,
nahm sich die Zeit, ihren Nacken ein paarmal zu massieren: erste Minuten physischen Wohlbehagens seit... Sie
bändigte ihre Erinnerung – seit welchem Genuß, seit
welcher Nacht? Zwang sich statt dessen zu der Überle-
gung, wie sie die beiden verlorenen Stunden wettma-
chen könnte.

Sie setzte sich, schaltete das übliche Tonbandgerät ein,
legte die Kopfhörer zurecht, holte ein Band aus seiner

Hülle hervor. Irma, die für das Labor zuständige Toningenieurin, begann mit Genuß ihr letztes muselmanisches Wochenende zu schildern, das sie wie immer mit ihrem Mann und ihren drei Söhnen in einer konservativen Kleinstadt im Landesinnern verbracht hatte.

»Das Gesetz wird jetzt wirklich angewandt: In Zukunft wird es nirgendwo mehr Schweinezucht geben. Bisher haben wir unterwegs immer an einer wunderhübschen selbständigen Farm in der Ebene haltgemacht, wo etwa hundert Schweine aufgezogen wurden. In Zukunft wird man nur noch behandeltes Fleisch von Wildschweinen kaufen können… In den Wäldern gibt es jede Menge Wildschweine, seit die Pächter viele Gärten am Fuß der Berge verwildern lassen… Man wird sogar tiefgekühltes Wildschweinfleisch exportieren…«

Aus Höflichkeit ließ Sarah die Kopfhörer auf den Schultern liegen, bis eine kurze Pause ihr Gelegenheit bot, sie aufzusetzen. Sie machte eine entschuldigende Fingerbewegung und konzentrierte sich auf die *haoufis* von Tlemcen, Lieder von Frauen vergangener Zeiten.

In die Nähe des Gerätes legte sie zwei Blatt Papier von verschiedener Farbe. Auf dem rosa Papier notierte sie nervös, was ihr tagtäglich im Kopf herumging, wenn sie zu Fuß oder im Auto die Straßen der Stadt erkundete.

Wie vertont man eine ganze Stadt?
Projekt für einen Dokumentarfilm

Mit der gleichen großen Schrift fügte sie auf weißem Papier hinzu:

Dokumentation auf Algiers Straßen
Zeit: noch festzulegen, abhängig vom *haoufi*

Beim letzten Wort zögerte sie; sie erinnerte sich daran, daß diese Lieder der Städterinnen auch ›Schaukellieder‹ genannt wurden. Aber gehörten die Spiele der jungen Mädchen auf den Terrassen nicht längst der Vergangenheit an?

Sie ließ das Band laufen. Zwei Frauen trillerten, fast ohne Begleitung, Worte, die sich manchmal unsicher anhörten, so als ließe ihr Gedächtnis sie zeitweilig im Stich. Dennoch erkannte Sarah die Melodie: in ihrer Kindheit hatten Tanten und Kusinen in einem Hof, während der Hausarbeit, plötzlich in die Hände geklatscht und ebendiese Lieder gesungen, wobei sie kindisch darauf bestanden, daß eine von ihnen aufstand und mit Hüftbewegungen den langsamen und anmutigen Rhythmus untermalte... Sarah begann möglichst genau zu übersetzen:

»Heil meinem Haus und dem Zimmer hoch oben...«

Sie stoppte das Band für kurze Zeit, suchte nach Entsprechungen für die arabischen Formulierungen (bedeutet *ghorfa* nur das Zimmer hoch oben?), spielte weiter:

»O Feind der Feinde
o du, Liebhaber junger Mädchen...

...

Die jungen Mädchen sind vorbeigekommen und
haben dich beim Abendessen angetroffen...«

Sarah schrieb langsamer, als die arabischen Verse gesungen wurden; manchmal lachte eine der Sängerinnen leise auf, wahrscheinlich, weil sie sich an irgend etwas erinnerte:

»Der Weinstock ist voller Trauben,
der Bach voller Fische

...

du, der die Berge erklimmt,
möge dir Heil beschieden sein
möge dir Heil beschieden sein,
o mein Bruder, Sohn meiner Mutter...«

Das Lied ging weiter. Sarah schrieb nicht mehr: Die Stimmen der Sängerinnen – ein Kommentator wies darauf hin, daß es sich um seine Mutter und Schwester handelte, aufgenommen an dem und dem Tag, in dem und dem Jahr – trugen die Verse in nostalgische Fetzen zerstückelt vor. Sarah hatte das Gefühl, unbeholfen eine Spur zu verfolgen, sich auf einem Weg der Traurigkeit voranzutasten. Eine große Zärtlichkeit, von der diese Stimmen erfüllt waren, tauchte wie eine Seerose aus der Vergessenheit auf. Einstmals, in den zum Himmel hin offenen Patios, blieb nur die Hoffnung, der großen Liebe auf einer Terrasse zu begegnen, die Hoffnung auf ein Wunder...

Sarah spulte das Band abrupt zurück, spielte dasselbe Lied noch einmal von Anfang an, eine Stoppuhr in der Hand. Sie wollte die exakte Dauer der ersten Strophe messen.

Irma, eine dicke Strähne ihrer schwarzen Haare über der Stirn zum Zopf geflochten, studierte im Stehen in ruhiger Haltung die Karteikarten, die einsortiert werden mußten; manche waren nur arabisch beschriftet. Sie legte sie beiseite: Es handelte sich um Trauergesänge von Frauen einer Oase, aber welcher, und welche Schlaginstrumente waren verwendet worden? Sie mußte auch wissen, ob die Namen der Interpretinnen verzeichnet waren oder ob man ihre Anonymität gewahrt hatte.

Sarah würde ihr bestimmt bereitwillig helfen, sobald sie eine Pause machte. Irma zeigte ihr stumm die Karteikarten. Sarah nickte lächelnd.

Das Telefon. Baya aus dem Krankenhaus las Nazims Nachricht vor. Sarah legte den Hörer langsam auf, blieb regungslos stehen.

Irma kam näher; sie glaubte, daß der jungen Frau plötzlich schlecht geworden war.

»Eine schlechte Nachricht?« fragte sie, und ihr starker deutscher Akzent verhüllte den besorgten Tonfall.

Sarah zwang sich, ihre Lähmung zu überwinden, wollte an ihren Platz zurückkehren, beschloß dann aber, sich zunächst die arabischen Karteikarten vorzunehmen, die Irma ihr hingelegt hatte; sie begann die Angaben zu übertragen:

Trauergesänge der Frauen von Laghouat
Die Zeremonie wurde am 2. des Monats Moharrem
in der Familie X... aufgenommen. Band Nr. ...

Sie ließ die Nummern aus: Irma hatte gelernt, die indischen Zahlen zu lesen.

Wieder vor ihrem Tonbandgerät, setzte sie die Kopfhörer auf. Schrieb auf das rosa Papier:

Tanz auf Balkonen, wo sich Trauben von Kindern
aneinanderdrängen
verträumte Kinder
kreisförmiger Raum.

Sie studierte diese Notizen so aufmerksam, als würde es sich um die ersten Zeilen eines Gedichts handeln. Auf das daneben liegende weiße Blatt übertrug sie ein neues Frauenlied, das sie hörte:

»O Mutter, meine Königin...
Ich habe einen schönen jungen Mann getroffen
Ich habe ihm den Pfirsich gegeben
Er hat mir gesagt: ›O meine Königin, ich bin krank.
Die Liebe ist in meinem Haus...‹«

Mit den Wiederholungen dauerte das Lied zwei Minuten zwanzig Sekunden. Sie notierte auf dem ersten Blatt: »Rundblick, sehr langsam, von rechts nach links – 2:20.«

›Nazim ist abgehauen!‹ brachte sie sich etwas später in Erinnerung, als sie tief ergriffen die Musik abstellte, und gleich darauf fragte sie sich wegen der angelegten Kopfhörer, ob sie nicht vielleicht laut gesprochen hatte.

»Seltsam! Man könnte sich eine Welt vorstellen, in der die Frauen – sollte ich ›unsere‹ Frauen sagen? –, anstatt unsichtbar zu sein, zur Taubheit verurteilt würden. Man könnte ein bestimmtes Alter für die Einführung des Hörverbots festsetzen, eine Zeremonie erfinden, ein richtiges Ritual: Bei diesem Anlaß würde man ihnen riesige Ohrenklappen aufsetzen, ähnlich meinen Kopfhörern, aber für immer... Sie würden niemandem mehr lauschen, und es würde einen Ehrverlust nach sich ziehen, wenn ein Mann, ob nun einer von hier oder von anderswo, versuchen sollte, mit einer Frau zu sprechen… Sie würden nur noch ihre eigene Stimme hören, und das bis zu der Zeit, da sie alt würden und keine Kinder mehr bekommen könnten.«

Sie träumte vor sich hin, schaltete das Tonband wieder ein, um einem klangvollen, wohlklingenden Flötensolo zu lauschen.

»Eine Pubertätskrise…«, schloß Irma, die schon mehrere Sätze gesagt haben mußte, ohne daß Sarah den Kopf hob. Sie betrachtete Sarah mit der verlegenen Miene eines Menschen, der seine Anteilnahme bekundet hat, nahm die übersetzten arabischen Karteikarten an sich und verließ würdevoll das Labor.

Im Operationssaal: ein Kopf mit verbundenen Augen, ein gestürztes Profil aus Stein. Der Kranke ist auf dem Operationstisch gestorben. Der Anästhesist müht sich noch zwei Minuten nach Kräften ab. Brummen des Sauerstoffgeräts. Beklommenes Schweigen unter den sechs oder sieben weißen Masken. Handschuhbewegungen, unwirklich beschleunigt. Ein Leichnam, unwiderruflich. Nervös befiehlt Ali, den Körper wieder zuzunähen. Er geht als erster hinaus. Die drei hohen Beamten warteten, der vierte Sohn, der Industrielle, hatte sich nach einer Stunde Ungeduld verabschiedet.

»Eine Leberzirrhose im Endstadium«, erklärte Ali ohne Umschweife, nachdem er den tödlichen Ausgang bekanntgegeben hatte. »Es steht Ihnen natürlich frei, von Krebs zu sprechen, damit Ihre gläubigen Gemahlinnen nicht schockiert sind… Das sind Ihre Familienangelegenheiten.«

»Danke, Professor!« bedankte sich der älteste Sohn, der dieses Zugeständnis seiner wichtigen Position zu verdanken glaubte. Und er musterte seine Brüder, die keinen Widerspruch wagten.

Ali verließ das Krankenhaus. Er wußte, wie man einen ›auf dem Tisch‹ Verstorbenen am besten vergessen konnte: Er stieg in seinen Wagen, verließ die Stadt auf der Küstenstraße nach Westen und kam wenig später bei dem Maler an, seinem einzigen Freund. Dieser lebte sehr angenehm in einer feuchten Villa, das heißt ohne Mangel an Alkohol.

In dem großen verwilderten Garten wurden Zelte aufgebaut; der Hausherr tauchte in Shorts und mit zerzausten Haaren auf, erklärte dem Neuankömmling:

»Fünfzehn Palästinenser werden hier wohnen... Sie sind seit zwei Jahren Praktikanten für Hydrogenkarbonate... Das Institut schließt im Sommer, und die Direktion hat sich nicht einmal überlegt, wo man die Brüder unterbringen könnte... Sie sind hergekommen, um zu protestieren. Mir ist es lieber, wenn sie hierbleiben, anstatt die Funktionäre zu beleidigen... Der Strand ist nicht weit...«

Für den Maler, der im Grunde eher ein Dichter war (aber es waren seine Bilder, die bei den Neureichen guten Absatz fanden, während seine journalistische Polemik ihm unzählige Feindschaften einbrachte), hatte der Befreiungskrieg nicht sieben Jahre gedauert, sondern zog sich mindestens weitere siebzig Jahre hin. Er befand sich deshalb noch mitten im Krieg. Vielleicht würde die palästinensische Freundschaft endlich erfolgreich sein...

»Inwiefern?«

»Um dich vom Haß zu befreien!« spottete Ali, während er sich im Haus auf eine Matratze fallen ließ, umgeben von Porträts ausgemergelter und anklagender Mütter, manchen in einem blauen Himmel, andere vor fast schwarzem Hintergrund.

»Der Haß!« zischte der Maler, während er Tee und

Whisky gleichzeitig servierte. »Wir saugen ihn mit der Milch unserer ausgebeuteten Mütter ein… Sie haben nichts begriffen: unsere psychologischen Probleme haben ihren Ursprung nicht im Kolonialismus, sondern im Bauch unserer frustrierten Frauen! Wir sind schon als Föten verdammt!«

»Nähre mich zunächst einmal!« stöhnte Ali.

»Ich habe heute morgen die Irren besucht«, berichtete der Maler nach dem ersten Glas. »Ich zeichne für sie. So als könnte ich ihnen etwas beibringen, genau wie du, Professor«, spottete er. »Und während ich so von einer Zelle zur anderen gehe, wen entdecke ich da, isoliert, eingesperrt seit vier oder fünf Tagen? Leila!… Ja, die große Leila, die Heldin. Wenn sie Drogen nimmt, so geht das niemanden was an, verdammt noch mal! Schadet sie denn den anderen irgendwie, jenen, die zusammen mit ihr Orden verliehen bekamen? Bestimmt nicht… ›Was machst du hier?‹ habe ich gerufen. Sie hat geweint, als sie mich sah. Ich habe alle Hebel in Bewegung gesetzt, alle herumgehetzt, bis ich sie auf der Stelle mitnehmen konnte! Ich habe die Psychiater und ihre Clique verflucht… Was verstehen sie schon von dir, von mir, von Leila, wenn sie in dieses gottverdammte Land kommen? Sie war deprimiert, sie hat das Bewußtsein verloren, na und? Mit zwanzig zum Tode verurteilt, dann jahrelange Haft, und nun sperrt man sie noch einmal ein! Sie wagen es! Im Namen der Wissenschaft, dieser Hure… Ich habe sie hierher mitgenommen, ich werde sie heilen…«

Der Maler dachte eine Weile nach, gestand sodann:

»Nachdem du schon hier gelandet bist, mein Alter, kann ich es dir als erstem sagen: Ich habe beschlossen, sie zu heiraten! Ich bin weit und breit der einzige Mann, der es strikt ablehnt, eine Frau einzusperren, unter welchem Vorwand auch immer… Bei mir hat sie die Gewähr, jederzeit ungestört davonfliegen zu können…«

Er leerte ein weiteres Glas auf einen Zug.

»Glaubst du, daß sie damit einverstanden sein wird?« fragte Ali.

»Dein Zweifel beleidigt mich!« verkündete der Maler, der sich dem Anfangsstadium einer angenehmen Trunkenheit näherte.

Sobald Leila erwachte, legte sie eine Schallplatte auf: eine alte jüdische Sängerin, die ihr ihre Kindheit in Erinnerung rief, die ihr Onkel, ein Ladenbesitzer in der Kasbah, damals zu jedem Familienfest kommen ließ.

»Was ist aus meinem Freund geworden, aus ihm, der mit mir war?« sang Meriem Fekei, deren nostalgische Stimme die Frauen tröstete, die ehedem schmachtend in den Patios herumsaßen.

Während sie, auf dem Bett liegend, immer wieder dieselbe Platte hörte, versank Leila erneut in den schwebenden Bildern ihres Alptraumes: Blicke von weiß oder schwarz verschleierten Frauen, aber mit unverhüllten Gesichtern, die stumm weinten, wie hinter einer Fensterscheibe. Und Leila sagte sich mit schmerzendem Körper, daß diese verstorbenen Tanten und Großmütter um sie weinten, um ihr angegriffenes Erinnerungsvermögen.

»Die Stadt endgültig verlassen!« stöhnte die Heldin. »Man soll mir ein neugeborenes Kind geben, dann werden meine Brüste endlich von Milch anschwellen, und ich werde mich mit nackten Füßen auf den Weg machen… bis… bis Lalla Khedidja!«

Nach beendeter Arbeit streifte Sarah kurze Zeit draußen herum, umrundete den ›Platz des Pferdes‹ (das Pferd von General Bugeaud, dessen Statue im Jubel von gestern gestürzt worden war): Spaziergänger stießen sie an, aber auch einige Kinder, die im Schmutz spielten. Drüben, an den Bushaltestellen, drängten sich Hausfrauen. Weiter unten, vom Laubwerk gleichsam geschützt, das Durcheinander von Masten im Hafen.

Sarah betrachtete eine bestimmte Fassade, unweit des Stadttheaters, in der Nähe einer Arkadenstraße. Ein altmodischer Balkon, als einziger ohne Vorhänge und offen. Jeden Tag zur gleichen Zeit, gegen sechs Uhr nachmittags, tauchte dort eine Frau auf, in langem Rock, wie eine orangefarbene Blütenkrone, und hob ein vier- oder fünfjähriges Kind halb hoch. Ihre Arme vollführen einen Tanz, jeden Tag den gleichen. Sie wirbelt herum, einmal, zweimal, bleibt dann regungslos stehen, schwebend, fern, den Oberkörper über den lärmenden Platz gebeugt.

Drei Tage hintereinander beobachtete Sarah bei ihren Recherchen für das Bildmaterial des Dokumentarfilms nun schon diese Szene, bevor sie in ihr altes Auto stieg.

Sie fährt durch das Tohuwabohu, kann die Unbekannte nicht vergessen: Ist sie eingesperrt und rächt sich auf diese Weise, indem sie mutwillig einen fröhlichen Tanz aufführt? Oder ist es das Kind, das nach Freiheit, nach Freiraum verlangt?

Am Steuer denkt Sarah an die Kinderscharen in den hohen Zimmern, auf den vielen Balkonen mit geschlossenen Rolläden, die die Straßen umschließen. Sie denkt an die eingesperrten Frauen, die nicht einmal einen Patio ihr eigen nennen, sondern in einer Küche auf dem Boden herumsitzen, niedergeschmettert durch räumliche Enge… Viel zu oft wird das Wasser abgestellt, es stinkt nach Kinderurin, Gezänk und Geplärr, schwere Seufzer… Keine Terrassen mehr, kein Durchbruch zum Himmel mehr über dünnem Wasserstrahl, nicht einmal die tröstliche Kühle verblaßter Mosaiken…

Die einzigen freien Frauen der Stadt gehen vor Morgengrauen in weißen Reihen durch die Straßen, um drei oder vier Stunden zu putzen, in den gläsernen Büros der kleinen, mittleren und hohen Beamten, die später eintreffen werden. Sie lachen laut im Treppenhaus, stellen mit stolzen Mienen die Wasserkannen zurecht, setzen langsam ihre aufgestapelten Hauben wieder auf und tauschen bei all dem die ganze Zeit über ironische Bemerkungen über die jeweiligen Chefs aus, über jene, die sich als Beschützer aufspielen und sich nach den schulischen Leistungen der Kinder erkundigen, und über die anderen, die kein Wort sagen, weil man nicht mit Frauen spricht, ob sie nun außer Haus arbeiten oder aber – wie die Gemahlinnen dieser Herren – Repräsentationsfiguren sind... Die freien Frauen der Stadt kehren nach Hause zurück, träumen vor einer Tasse Kaffee auf dem niedrigen Tisch von ihrem ältesten Sohn, der heranwachsen und dann bestimmt auch ein solcher Chef sein wird: Dann werden sie endlich ihre Tür schließen und die jungen Mädchen beaufsichtigen können, damit diese im Schutz der eigenen vier Wände bleiben.

Zwischenspiel

Im Obstgarten, in der Nähe der vier Orangenbäume und des mit Früchten überladenen Zitronenbaums, tanzten die Töchter des *hazab*. Die Stimme des ›Alten‹ – so wurde der populärste algerische Sänger genannt, zumindest von den desorientierten Jugendlichen und den entwurzelten Intellektuellen – machte Sprünge, so als hätte er einen Schluckauf: Das andalusische Lied, unwandelbar, wenn andere es sangen, erhielt bei ihm einen halb ironischen, halb verzweifelten Beigeschmack von Lächerlichkeit. Zerbrochene Folklore, deren Echo die Terrassen heimsuchte. Anfangs unterstützte eine Laute den Sänger mit langsamem Rhythmus; es war der ›Alte‹ selbst – unregelmäßig und wunderlich in seinen Tempowechseln –, der nach eigenem Gutdünken die Beschleunigung herbeiführte. Ein Chor seniler Stimmen folgte ihm mühsam.

Als das Orchester wieder einsetzte, strömte eine Gruppe sehr junger Mädchen unter dem Zitronenbaum zusammen. Runde oder schmale Hüften schimmerten durch Laubwerk und Früchte, trotz des Halbdunkels, und dann wurde ein Leuchter gebracht und auf die Fliesen gestellt. Ende einer Partitur. Fröhliches Gelächter der Tänzerinnen im Hintergrund.

Anne sitzt auf der Schwelle der niedrigen Räume, in der Nähe von Sonias Mutter und einer alten Frau mit einem Turban auf dem Kopf, die damit beschäftigt sind, rautenförmige, von Mandeln überquellende Kuchen mit bunten Liebesperlen zu verzieren. Mit gespreizten Knien und ausgestreckten Armen, so als hätte sie ein Gewicht abgeworfen, lauscht Anne dem jugendlichen Stimmengewirr, den Ausrufen, die sie nicht versteht, erfreut sich an einem kristallhellen Lachen, am gutturalen Tremolo eines Satzes.

Ein etwa zehnjähriges Mädchen kam angerannt: eine viel zu weite Pluderhose an den dünnen Beinen, den Fez des Vaters auf dem Köpfchen, so daß die lockigen Haare halb verdeckt waren. Mit einem Stock bewaffnet, stürzte sich die Kleine in eine Groteske nach türkischen Motiven: Sie mimte einen Hausherrn, der seine vier Frauen schlägt. Hinten im Garten wurde das Spiel begeistert aufgenommen, mit obszönen Gesten und Geschrei begleitet.

Die Mutter, fett und gutmütig, mit einer zarten Tätowierung zwischen den Augen, wandte sich an Baya, die geradewegs aus dem Krankenhaus kam, bat diese, der Französin zu sagen, wie sehr sie als Gastgeberin sich über den Besuch freue. Außerdem solle sie der Ausländerin mitteilen:

»Dies ist der Vorabend der Beschneidung unseres Jüngsten – möge Gott ihn uns erhalten. Wir werden ihm etwas Henna auf die Hände streichen, zu seinem Schutz und künftigen Glück.«

Baya übersetzte und kommentierte sodann diese Rückkehr zur Folklore: ein kleiner roter Fleck auf beide Handflächen, während es früher – so führte sie aus – eine richtige Zeremonie gewesen sei, bei der die Hände bis zu den Gelenken und die Füße bis zu den Knöcheln die ganze Nacht über mit der flammenroten Paste des Paradieses bestrichen waren.

»Die Folklore, die auf diese Weise in der Familie konserviert wird wie eine Marmelade, gibt uns Halt«, mischte sich Sonia ein, während sie ihre Haare löste.

Der ›Alte‹ begann – nach einer Ouvertüre von Laute und Gitarre – ein neues Stück. Das Vorspiel schien die Dunkelheit überallhin verstreut zu haben. Jemand hatte in den Zimmern der ersten Etage alle Lichter gelöscht, zweifellos irgendein Cousin, der im Dunkeln heimlich die Tänzerinnen beobachten wollte.

»Jetzt sind sie es also, die sich verstecken!« lachte eines der Mädchen.

»Ist der aber keck!« protestierte ein anderes. »Wir sind so unbekümmert, fern der Männer!«

Baya hielt Anne für eine richtige Ausländerin. Als diese zufällig erwähnte, daß sie aus Lyon kam, beschwor das junge Mädchen sofort mit beredter Freude die Erinnerung an einen Studienaufenthalt in Lyon vor zwei oder drei Jahren: dort hatte sie sich, als erste Frau ihres Landes, zusammen mit drei jungen Männern der Zytologie verschrieben, und Professor Monod, »der Nobelpreisträger«, wie sie stolz hinzufügte, hatte sie bei seinem Besuch in der Abteilung höchstpersönlich ermutigt.

»Man erklärt den Eltern, daß von den 46 Chromosomen der Blutzelle die beiden letzten, XX oder XY, das Geschlecht des Kindes bestimmen. Unsere Abteilung, die einzige im Land, untersucht die Anomalen. (Sie erklärte alles bereitwillig, so wie sie wohl auch Kuchenrezepte verraten hätte.) Bei uns erstellt man den Karyotyp nur auf der Grundlage von peripheren Blutzellen, noch nicht auf der Grundlage einer Knochenmarkpunktion...«

»Und wer ist der Anomale des Tages?« erkundigte sich eine von Sonias Schwestern, jene, die Judo praktizierte und jedesmal, wenn Baya zu Besuch kam, vorschlug, den Vater doch mit Hilfe einer Lüge zu beschwichtigen: Warum sollte ihr letztes Chromosom nicht ein Y und kein X sein?

»Man bräuchte nur einen einzigen Buchstaben zu verändern«, pflegte sie mit tiefem Seufzer zu sagen, »und schon würde sich für uns alle hier alles, aber auch wirklich alles verändern.«

»Heute«, murmelte Baya, »war es ein zwölfjähriger Junge aus der Gegend von Constantine... Er kann nicht laufen und nur mit Mühe aufrecht stehen. Seine arme Mutter, die total verstört ist, kann die schreckliche Tatsache nicht länger geheimhalten...«

Die Mutter und die Alte mit dem Turban waren nach oben gegangen, das Kuchentablett auf den Armen. Der Duft der Minze, die für den Tee vorbereitet wurde, verbreitete sich, während im ersten Stock das Licht wieder anging.

»Mein Anomaler von heute«, fuhr Baya fort, die sich mit den Fingern durch die schwarzen Haare fuhr und langsam an ihnen zog, »nun, er hatte ein riesiges Geschlechtsorgan... wirklich, ein richtiges Elefantenglied!«

»Das Licht zieht die Moskitos an!« protestierten hinten im Garten zwei oder drei Stimmen von Tänzerinnen.

Der ›Alte‹ auf der Langspielplatte setzte näselnd wieder ein, sang seinen Vers zum drittenmal, ohne ihn zu modulieren, wie die Tradition es eigentlich verlangte; vielmehr spuckte er ihn gleichsam sarkastisch aus, in gewolltem Mißklang zum Rhythmus:

»Ich habe ihr gesagt: Meine Geliebte, meine Gewohnheit,
Meriem,
Laß mich durch deinen verheißungsvollen
Blick glücklich wiedergeboren werden!«

»Nach dem Tee«, entschied die Mutter, die zurückgekommen war und den niedrigen Tisch in die Nähe von
Anne und Baya stellte, »wirst du meinen Sohn in der *gandoura* sehen: Er ist schön wie ein Engel, mein Einziger!«

Baya übersetzte und erläuterte, daß das Henna auf den
Handflächen erst um Mitternacht schmelzen würde.

Sonia hatte aufgehört zu tanzen, näherte sich: mit nackten Schultern, lachend, kräftig in eine Zitrone beißend,
die so groß wie eine Pampelmuse war. Sie bot auch Anne
eine an, aber die Französin lehnte dankend ab.

Der ›Alte‹ trug noch immer seine Klage zur Laute vor.
Oben im Haus versuchte der *hazab* einzuschlafen, während er den Klängen lauschte. Jede Nacht fühlte er sich,
trotz der Musik und der Küchendüfte, nicht wie bei sich
zu Hause… Er führte sein Unbehagen auf die kürzliche
Enttäuschung zurück: sich damit abfinden zu müssen,
daß ein Arzt die Beschneidung seines Sohnes vornehmen
würde, während früher der Beschneider dafür zuständig
war, normalerweise der Mann mit dem schnellsten Mes-
ser im Dorf oder Stadtviertel. Diese geschickten Männer
vergangener Zeiten hatten während des Sommers
manchmal nicht mehr gewußt, wo ihnen der Kopf stand:
zehn, fünfzehn oder gar zwanzig Knaben mußten an einem einzigen Nachmittag beschnitten werden, begleitet
vom Kreischen der Frauen, wenn die Vorhaut in das mit
Jasminblüten gefüllte Handtuch fiel. Verschwundene
Festtage! Der *hazab* seufzte tief.

Sarah hatte an diesem Abend die Einladung ihrer Freundinnen ausgeschlagen. Während sie neben Ali im Dun-

keln lag, kam ihr das Schlafzimmer wie ein Tempel vor, groß und leer. ›Wie hätte ich mit ihnen plaudern können, während das Kind… wo Nazim jetzt wohl schlafen mag?‹

Sie stellte sich ein maurisches Bad vor, die Köpfe von Bauern, unter Decken dicht nebeneinanderliegend… oder vielleicht eine Ecke im Keller eines Wohnhauses. Man hörte viel von jungen Mädchen, oft Oberschülerinnen, die von zu Hause durchbrannten, wenn der Vater sie einer Liebelei verdächtigte.

Sarah malte sich eine edle Kameradschaft revoltierender Jugendlicher aus, und die abschüssigen Straßen von Vierteln, die sie tagsüber liebte, kamen ihr jetzt wie bedrohliche Korridore vor… Nazim, seine lange, knochige Gestalt, sein unstet gewordener Blick, sein Tick: ständiges Reiben der rechten Ohrmuschel mit dem Zeigefinger.

Er hätte die Pubertät eigentlich mit ruhiger Umsicht hinter sich bringen müssen. Nun aber, seit sechs Monaten, weigerte er sich, das Gymnasium zu besuchen, verschenkte seine persönlichen Besitztümer und lief manchmal in Lumpen herum.

›Er war fünf Jahre alt, fünf Jahre und drei Monate, als ich ihn zum erstenmal gesehen habe. Sein Blick war damals viel zu ernst, fragend auf mich gerichtet: Wirst du es fertigbringen, mich zu lieben? schien er zu denken.

Zehn Jahre später ist es mir immer noch nicht gelungen, die Distanz zwischen Vater und Sohn zu überbrücken…‹

Sie hatte lange gezögert, ob sie Ali heiraten sollte: nicht weil Ali ein Kind hatte, das sie aufziehen müßte, nein, wegen der Ehe als solcher… Nach einer im Gefängnis verbrachten Jugend – murmelnde Zimmer voller Gefährtinnen – hatte sie ihre Studienjahre über alle Maßen in die Länge gezogen.

»Was machen Sie beruflich?« hatte Ali sie förmlich gefragt, als sie einander auf einem Korridor des Krankenhauses vorgestellt wurden.

»Ich laufe den ganzen Tag herum«, hatte sie geantwortet. »Ich werde nie müde, draußen herumzulaufen, wissen Sie?«

Sie drehte sich im Bett auf die Seite, betrachtete den schlafenden Mann: seine tiefliegenden Augen, den Stoppelbart; an diesem Abend roch sein Atem ausnahmsweise nach Alkohol.

Sie hatte ihn geheiratet: Ihre Streifzüge bei Tag, durch einen im unerschöpflichen Licht flimmernden Raum, hatten das Muster vager, improvisierter Kreise beibehalten, aber sie kehrten von da an stets zu einem einzigen Ausgangspunkt zurück: zu diesem Doppelbett, zu diesem Männerkörper.

›Früher rührte mich sein Anblick, wenn er schlief. Ich hatte jedoch stets das Gefühl, als hätte er ungeahnte Geheimnisse. Ein in sich verschlungener Schlaf. Sein Körper zuckt nicht einmal. So wird er als Toter daliegen. Undurchsichtig, ein Mann bleibt undurchsichtig, rätselhaft.‹

Am Morgen zog sie sehr früh die Vorhänge zurück. Hörte in der Küche Musik. Machte vor einem in der Sonne funkelnden Fenster einige leichte Gymnastikübungen. Sie kehrte mit einem Tablett ins Schlafzimmer zurück. Ali wachte auf.

»Ich bringe dir das Frühstück. Im Radio hieß es soeben, daß die Stadt wieder sauber wird: Die Müllwagen für die städtische Müllabfuhr, die sehnlichst erwarteten Riesen, sind trotz des Gedränges im Hafen geliefert worden. Die Müllmänner arbeiten seit mindestens vier Stunden.«

Draußen troffen die abschüssigen Straßen von neuem Wasser.

Vor ihrem Haus bemerkten Ali und Sarah, daß der Gestank aus dem Taubenschlag einer Nachbarvilla verschwunden war. Ihr Garten würde abends, bei ihrer

Rückkehr, herrlich duften. Ein blühender Jasmin rankte sich am Gitterwerk empor.

Sarah verläßt Ali in der Nähe seines Krankenhauses. Erst jetzt fällt ihr auf, daß sie seit dem Aufstehen unaufhörlich geredet hat, in einer Anwandlung andauernder Fröhlichkeit.

III

Das öffentliche Bad in diesem einfachen Stadtviertel war
für Frauen täglich geöffnet, außer freitags – Tag des Gebetes in der Großen Moschee – und montags, weil die
Kinder da keine Schule hatten und die Mütter, durch ihre
Sprößlinge behindert, entschieden zuviel Wasser ver-
schwendeten. Der Inhaberin, einer frommen und sparsa-
men Sechzigjährigen, lag aber nichts daran, die Preise zu
erhöhen, denn dann hätte sie auch die notwendigen Repa-
raturen durchführen müssen. Diese Aufgabe sollte ihr
einziger Sohn übernehmen, sobald er aus Europa zurück-
kam... falls er je zurückkommen würde.

Abgesehen von diesem Problem dringender Arbeiten
wurde die alte Dame von der Angst verfolgt, eines Tages
eine europäische Schwiegertochter zu bekommen. Daher
musterte sie Anne, die das Bad neben Baya und hinter
Sonia, einer regelmäßigen Besucherin, betrat, mit einem
Blick mißtrauischer Herablassung.

Anne hatte beim Auskleiden beschlossen, einen zwei-
teiligen Badeanzug anzubehalten. Baya und Sonia trugen
die üblichen Lendenschurze mit grellen Streifen, die das
Halbdunkel des Heißluftsaals belebten.

Um diese Zeit waren wenige Frauen hier: vier oder fünf
auf der anderen Seite der erhöhten Marmorplatte. Eine
von ihnen, die nicht zu sehen war, sang mit tiefer Altstimme eine traurige Klage.

Anne legte sehr schnell das schwarze Jersey-Oberteil
ab, befreite ihre schweren Brüste, die ihr manchmal hin-
derlich waren. Sonia öffnete die Hähne, spülte zwei kleine Schüsseln mit viel Wasser aus, holte eine Reihe ver-
schieden großer Kupfertassen hervor. Baya, schön im

Glanz ihrer weißen fleischigen Haut inmitten der durchscheinenden Dämpfe, begann Annes Haarpracht, die den ganzen Rücken bedeckte, mütterlich mit lauwarmem Wasser zu begießen.

»Sarah verspätet sich«, stellte Sonia fest.

»Sie kommt selten ins Bad«, erwiderte Baya, während sie Annes Kopfhaut mit einer grünlichen Paste bestrich.

Schläfrig von der Hitze, ließ Anne sie gewähren und sah sich gleichzeitig ein wenig um. Eine Luke in der Decke mit dem weiten Spitzbogen: ein altes Gewölbe, wie das einer Abtei. Wer könnte sich dort nachts verstecken, wer würde seine stillen Tränen mit dem Sickerwasser vermischen? Mysterium dieses Universums unterirdischen Wassers.

Die Badende, die in der Nähe der Marmorplatte sang, fuhr mit ihrem schwermütigen Klagelied fort.

»Was singt sie?« fragte Anne halblaut.

»Das ist nur ein ständig wiederholtes Wort... Eine Klage, die sie moduliert«, erklärte Sonia nach kurzem Zuhören. »Sie improvisiert.«

»Es ist eher so, daß sie sich selbst tröstet«, fügte Baya hinzu. »Manche Frauen dürfen das Haus nur verlassen, um das Bad zu besuchen... Wir werden sie nachher im Kaltluftsaal sehen. Wir könnten uns dort mit ihr unterhalten...«

Die Unbekannte unterbrach ihren Gesang, so als hätte sie erraten, daß man über sie sprach, und verlangte von der Wasserträgerin mit heiserer Stimme eine Schüssel.

»Kochendes Wasser... Ich möchte kochendes Wasser!«

Baya übersetzte flüsternd für Anne, während sie sich die Brüste rieb, und von nun an stellte die Französin keine Fragen mehr, sondern betrachtete nur noch fasziniert die verbrauchten Körper um sich herum. Arme einer Masseurin, die auf der Platte stand und sich dann hinkniete, um den Körper einer Badenden zu kneten, deren

Gesicht, Bauch und Brustwarzen vom Stein plattgedrückt wurden und von deren rötlichen Haaren aufgelöstes Henna auf die Schultern tropfte.

Die Masseurin öffnete ihre Lippen halb, entblößte ihre glänzenden Goldzähne; ihre langen, bis zu den Spitzen mit Venen durchzogenen Brüste baumelten. Ihr bäuerliches Gesicht, vorzeitig gealtert, wurde im Schein der durch die Luke einfallenden schrägen Sonnenstrahlen zur Maske einer orientalischen Zauberin. Sie trug silberne Anhänger, die klirrten, sobald sie ihre Schultern und knochigen Arme senkte, um die Frau, die vor sich hindöste, vom Nacken bis zu den Brüsten zu massieren. Dunkelhäutig, gelassen, rhythmisch arbeitend, schien sich auch die Masseuse selbst zu entspannen. Als sie eine kurze Pause machte, um Luft zu holen, goß sie langsam eine Tasse heißes Wasser über den nackten bronzefarbenen Rücken, und unter ihr wurden heisere Seufzer laut.

Während allmählich Mütter mit schlafenden Kindern und greinenden Säuglingen den Heißluftsaal füllten, verflochten sich die beiden Frauen auf der Marmorplatte, hoch über den anderen Badenden, wieder zu keuchendem Rhythmus, nahmen eine seltsame Gestalt an, die eines schwerfällig schwankenden Baumes, dessen Wurzeln im andauernden Wassergerinne auf den grauen Fliesen versanken.

»Allah ist groß und großmütig!«

»Möge dir dieses Jahr eine Pilgerfahrt beschieden sein, Mutter!«

Die Segenswünsche galten der Masseurin, deren Dienste von mehreren Gruppen angefordert wurden. Als sie, feierlich wie ein altes Idol, von der Platte stieg, rutschte ihr Lendenschurz hinab und enthüllte einen faltigen, fleckigen Bauch.

»Pilgerfahrten nach Mekka macht heutzutage doch jedermann!« rief sie hochmütig. »Möge der Prophet mir verzeihen, aber selbst wenn ich plötzlich im Gold schwimmen würde, hätte ich keine Lust mehr, sein Grab zu besuchen... Es sei denn, daß ich die Gewißheit hätte, dort zu sterben, dieses Leben zu verlassen, das nur aus Schufterei besteht!« schimpfte sie.

Ihre Worte waren an Baya und Sonia gerichtet, während sie gleichzeitig Anne musterte, die mit nackten Brüsten zusammengekrümmt dasaß und in diesem von Feuchtigkeit und hohlen Geräuschen erfüllten Raum einen stabilen Punkt zu finden versuchte. An ihrer unbeholfenen Art, auf dem viel zu niedrigen Schemel zu hokken, und an der unübersehbaren Tatsache, daß ihre Nacktheit ihr peinlich war, erkannte die Alte in ihr eine Ausländerin, trotz der schwarzen Haare und des etwas müden Lächelns, das sie fast so resigniert aussehen ließ wie die Frauen dieser Stadt.

Baya wollte massiert werden. Sie befragte die Masseurin, übersetzte deren Antworten für Anne, die plötzlich keine Luft bekam. »Viel zuviel Hitze auf einmal für dich«, erklärte Sonia und schob sie rasch in Richtung des Kaltluftraums.

Am anderen Ende des Heißluftsaals, den sie verließen, zwischen den dichten Dämpfen, die stark nach Schwefel rochen, entdeckte Anne zwei oder drei Frauen, die ihre Kinder weggeschickt hatten und sich sorgfältig die Schamhaare abrasierten.

Plötzliche Kühle des zweiten Saals, rundum mit Steinstufen versehen, auf die man sich setzt. An die Wand mit rissiger Glasur gelehnt. In einer Ecke ein schwärzlicher Alkoven, wo die Frauen sich nach Verlassen des Schwitzraums ausgiebig abspülen, wobei sie den Lendenschurz verstohlen ablegen, voller heimlicher Scham. Wenn sie sich dann hinsetzen, rosig einander ähnlich, entspannen sie sich allmählich: Unterhaltungen oder Monologe kommen in Gang, sanfte, nichtssagende, abgenutzte Worte, die mit dem Wasser verrinnen, während die Frauen sich ihre täglichen Sorgen, ihren Überdruß von der Seele reden.

Endlich kommt auch Sarah, von den Achselhöhlen bis zur Schenkelmitte in ein Badetuch gehüllt, einen Kamm in der Hand, in der anderen eine Tasse frisches Trinkwasser. Sie nimmt ruhig inmitten einer Gruppe Platz. Dicht neben ihr besprengt eine Frau ihre geschwollenen Füße mit lauwarmem Wasser, Hennapaste auf dem Kopf, den Blick in die Ferne gerichtet. Sie beginnt sofort ihre Chronik abzuspulen.

Sarah kennt sie nicht. Doch während sie sich Anne nähert und vorschlägt, ihr die feuchten Haare zu entwirren, lauscht sie der Unbekannten mit den geistesabwesenden Augen, vor dem Hintergrund des allgemeinen Stimmengewirrs. Ein Geflüster, das vom Leid genährt wird, sobald die Hauptporen weit geöffnet sind, dort im Schutz der kalten Steine. Andere Frauen bleiben stumm, starren einander nur durch die Dämpfe hindurch an: Das sind jene, die monate- oder jahrelang eingesperrt werden, die nur das Bad besuchen dürfen.

Sarah nimmt aber zugleich auch das immer gegenwärtige Rauschen des Wassers wahr, das hier die Nächte in ein flüssiges Gemurmel verwandelt... Eine Tür wird halb geöffnet, genug Zeit für ein tönendes Satzzeichen: Scheppern von Schüsseln, von Lachen oder Stöhnen durchbrochener Äther, fortwährendes Geschrei sauberer Kinder, die von ihren Müttern gewickelt und verwünscht werden, weil die Frauen es müde sind, auch hierher ihre Lasten aus Fleisch und Blut mitzuschleppen, anstatt sich einfach von Hitze, von Vergessen umhüllen lassen zu können.

Anne läßt sich kämmen. Sarah lauscht dumpfer Musik und Unterhaltungen.

»In einem sozialistischen Dorf«, berichtet die Unbekannte (und sie nennt auch ihre Informationsquelle, eine

46

Tageszeitung in der Nationalsprache, die ihr zehnjähriger Sohn ihr jeden Tag vorliest), »haben Frauen, Bäuerinnen, die Wasserhähne demoliert, um jeden Tag zum Brunnen gehen zu können... Diese Ignoranz!«

»Freiheitsdrang!« entgegnet Baya, die gerade aus dem Heißluftsaal kommt. »Wie hat man denn die neuen Häuser für sie gebaut? Total isoliert, jede sich selbst überlassen... Lebt man so etwa im *douar*?«

›Was müßte ich in mir demolieren oder notfalls auch außerhalb von mir, um die anderen wiederzufinden? Um das Wasser wiederzufinden, das fließt, das singt, das sich verliert, das uns alle befreit, aber nur nach und nach...‹ Sarah verliert sich in ihren Gedanken.

Anne flocht ihre Haare selbst zum Zopf, lächelte verlegen, weil sie sich ihrer nackten Brüste schämte, die ein kleines Kind, auf den Armen einer Nachbarin sitzend, plötzlich zu streicheln begann.

»Wieviel Kinder hat sie gestillt?« fragte die Nachbarin, an Sarah gewandt, die zusammenfuhr.

»Drei«, antwortete sie, ohne zu übersetzen, und Anne, die fror, stand auf, um in die Hitze des Schwitzraums zurückzukehren.

Baya hatte plötzlich das Bedürfnis zu reden, nicht mit Sonia, die ihr zu jung vorkam, sondern mit Sarah, die ihr Mut machen würde; auf diese Weise könnte sie endlich ihre Ängste offenlegen. Seit dem Vortag hatte keine von ihnen einen Kommentar über Nazims Brief abgegeben, den Baya am Telefon vorgelesen hatte. Sarah war geistesabwesend. Schweigsam. Um wen macht sie sich Sorgen, überlegte Baya, um den verschwundenen Teenager oder um dessen Vater? Sie hätte Sarah hören mögen: Die Worte, die sie wählen würde, könnten dieses Durchbrennen deuten, es als Drama oder als banalen Zwischenfall einstufen.

»Der Gedanke an eine Heirat beschäftigt mich noch immer sehr«, gestand Baya endlich. Sarah stellt keine Fragen, beugt sich nur wartend vor.

Ihre Hände zerreiben eine Paste aus zerstoßenen Kräutern und Öl... Sie hört zu: manche Jungfrauen in dieser Stadt müssen sich ihre Sorgen einfach von der Seele reden, kommen sozusagen mit bittend ausgestreckten Händen auf einen zu. Wenn Sarah könnte, würde sie mit einer ohnmächtigen Zärtlichkeit weinen, im Halbdunkel der Frauenstimmen. Um nichts, um sie alle... Die kleinen Fortschritte – winzige Schritte – waren mit totaler Kurzsichtigkeit gepaart, aber immerhin verhinderte eine althergebrachte warme Solidarität, daß die Revolte sich nur im Kreis drehte wie ein lächerlicher Kreisel.

»Erinnerst du dich noch an den Verlobten, von dem ich dir letztes Jahr erzählt habe?«

Sarah nickte zögernd.

»Gib mir etwas Wasser... nein... kaltes!«

Baya fuhr fort, entspannte sich: »Mein Vater hat ihn schließlich wutentbrannt hinausgeworfen... Dabei hatten wir das Datum für die Verlobung schon festgelegt, aber seine älteste Schwester, die er respektiert und die anderswo lebt, wurde erst in letzter Minute benachrichtigt... Verärgert schwor sie, daß sie nicht kommen würde. Er wollte daraufhin die Verlobung verschieben, und mein Vater... du weißt ja, wie die Männer im Dorf sind, wie übertrieben empfindlich...«

Das Kind von vorhin klammerte sich an Sarahs Rücken fest, und die erschöpfte Mutter war froh, es ihr einen Moment überlassen zu können.

»Ich habe einfach kein Glück.«

»Doch«, protestierte Sarah, »wie ich gehört habe, bist du im Labor befördert worden.«

»Das schon«, seufzte Baya mit glänzenden Augen, »aber du weißt ja, wie ich bin: Ich werde nicht zur Ruhe kommen, wenn ich nicht heirate.«

Eine Frau mittleren Alters, die gerade neben ihnen Platz genommen hatte und Französisch verstand, mischte sich ins Gespräch. Sie hatte eine Schüssel mit heißem Wasser zwischen den Füßen und tunkte nach und nach einen kranken Arm ein.

»Bei deiner Schönheit!« rief sie und fügte auf berberisch hinzu, um sich die regionale Herkunft des jungen Mädchens bestätigen zu lassen. »Goldmünzen brauchen nicht nach einem Abnehmer zu suchen. Der dir vom Schicksal vorherbestimmte Gebieter wird nicht lange auf sich warten lassen!«

Baya lächelte kokett. Sarah beteiligte sich nicht mehr an der Unterhaltung, wollte nun ebenfalls in den Heißluftraum, wo sie sich aber höchstens eine Viertelstunde aufhalten konnte, weil ihr Herz ansonsten zu stark belastet würde.

Sarah gesellte sich zu Anne, und als sie niederkniete und ihr Badetuch abstreifte, fiel der Französin die breite bläuliche Narbe am Körper ihrer Freundin ins Auge.

»Eine Verbrennung?« fragte sie, während sie die Linie auf dem Unterleib behutsam mit dem Finger nachzeichnete.

Sarah antwortete nicht. »Eine Kriegsverletzung«, müßte sie sagen, wahrscheinlich in melodramatischem Ton. Anne hatte keine Ahnung, wie es damals in der Stadt zugegangen war, während jener Zeit von Feuer und Mord: Frauen draußen im Kugelhagel, weiße Schleier durchlöchert von Blutflecken... Wie hatte Sarah ihre Jugend verbracht? Irgendwo auf jenen offenen Straßen, dann in einem Gefängnis, wo Jugendliche zuammengepfercht wurden... Suchte sie eine Antwort auf diese Frage, die sie seit einiger Zeit verfolgte, indem sie an ihrem künstlerischen Projekt arbeitete, an einem Dokumentarfilm über die Stadt? Über ihre Mauern, Balkone, den Schatten der leeren Gefängnisse.

Sarah und Anne hatten sich im vergangenen Jahr zufällig auf einem Flughafen wiedergesehen: beide gerührt, denn sie hatten zusammen die Grundschule besucht, lange vor dem Krieg... Annes Vater, ein Verwaltungsbeamter, war später in eine andere Kolonie versetzt worden. Eine Treppe führte in einen Park hinab. Sie benutzten sie tagtäglich, die beiden so verschiedenen kleinen Mädchen, die sich hier jeden Morgen lachend trafen. In der öffentlichen Grünanlage duftete es nach Akazien, »weißt du noch?« fragte Anne, die letzte Nacht im Obstgarten schließlich selbst getanzt hatte, getanzt und dabei geweint... ›Rhythmische Schulterbewegungen, fliegende Arme unter jenem Zitronenbaum voller Früchte, kindliches Lachen inmitten so vieler Frauen... bin ich auch deswegen zurückgekommen?‹

Die beiden Frauen begossen sich gegenseitig mit Wasser. Die Masseurin bot mit leicht spöttischer Miene ihre Dienste an: brachte Handtücher, kaltes Wasser für die Füße beim Verlassen des letzten Saals; sie hatte im kühlen Vestibül sogar Matratzen hingelegt, damit die ermatteten Besucherinnen sich gemütlich ausruhen konnten, natürlich wie immer in der berechtigten Hoffnung auf ein gutes Trinkgeld. Mütterlich deckte sie die beiden Frauen zu, »wie junge Bräute«, schmunzelte sie, glücklich über die Komplizenschaft, die dieses Bild unweigerlich bewirkte. Doch gleich darauf rutschte sie bei einer Bewegung aus, die Kupfertasse in der Hand, und fiel hin, wobei ihr rechter Handrücken gegen die Kante der Marmorplatte schlug.

Eine kräftige Frau ließ ihre Kinder vorübergehend allein, um Sarah und Anne, die gerade gehen wollten, dabei zu helfen, die stöhnende Masseurin hinauszutragen.

Draußen zog sich Sarah als erste an. Hüllte ihre Haare in einen Fransenschal, telefonierte vom Laden an der Ecke. Die Inhaberin des Bades, die sich normalerweise keinen Schritt von der Kasse entfernte, begleitete sie in den Vorraum und bekam dort eine Nervenkrise, weil sie für die nächsten Tage ein schreckliches Durcheinander vorhersah: Der Beruf starb aus, wo sollte sie jetzt Wasserträgerinnen herbekommen?

»Das heißt«, ergänzte die Verletzte, die sich vom ersten Schreck erholt hatte, »wo soll sie jemanden wie mich finden, die *Hadja*, eine Wasserträgerin (es sind die Wasserkannen, die mich umgebracht haben, sie sind mein Unglück gewesen) und zugleich Masseurin? Ein wahres Glück, daß ich nur auf eigene Rechnung massiere.«

Anne betrachtete das eingefallene Gesicht, die Augen, die von ohnmächtigem Haß loderten. Sie wischte ihr den Schweiß von der Stirn.

Sie kehrte angekleidet in den Kaltluftsaal zurück, brachte von dort eine Tasse Wasser mit, damit die Verletzte sich Hände und Stirn erfrischen konnte.

Im Taxi schlummerte die Alte, in einen verschlissenen, aber makellos weißen Wollschleier gehüllt, zwischen Sarah und Anne ein.

Im Krankenhaus ging Sarah direkt zur Notaufnahme. Ein junger Arzt erkannte sie. Das beruhigte die Masseurin.

»Deine rechte Hand wird in einer Stunde noch einmal untersucht werden... Wir werden dich hierbehalten, Mutter!«

Die Alte betrachtete mißtrauisch die Beruhigungsmittel, die ihr der junge Assistenzarzt gegeben hatte. Anne beschloß, an ihrem Krankenbett zu bleiben, in einem Saal, wo andere Frauen sich ausruhen.

Sie hielt die in Verbände gewickelte Hand fest, wie einen Rettungsring; die anderen Kranken hielten sie für eine aufmerksame Schwiegertochter, waren überzeugt davon, daß der Sohn bald auftauchen würde.

Sarah kam zurück, in Begleitung von Ali, der soeben eine Vorlesung beendet hatte.

Nach einer lange Untersuchung:

»Das ist nicht weiter schlimm, Mutter«, versicherte er. »Meine Kollegin, eine Frau, wird sich mit dir beschäftigen und dich bestimmt operieren.«

»Eine Operation... Ich will nicht eingeschläfert werden, das widerspricht meinen Überzeugungen!«

»Welchen Überzeugungen?« erwiderte Ali schroff. »Wenn du willst, kannst du aufstehen und gehen, aber dann wirst du diese Hand nie wieder gebrauchen können.«

Die Alte sagte kein Wort mehr, nicht einmal, als Ali sich entfernte. Anne, die verstanden hatte, lächelte ihr aufmunternd zu. ›Wenn ich ihr nur gestehen könnte, daß ich mich ihr verbunden fühle... Ich muß eine Amme wie sie gehabt haben... Wenn ich...‹

»Sarah, wie heißt sie?«

»Fatma«, erwiderte die Alte lebhaft. Plötzlich zeigte sie ihren zahnlosen Mund (vorsichtshalber hatte sie ihre Goldprothese im Taxi herausgenommen, weil sie befürchtete, im Krankenhaus andernfalls nicht kostenlos behandelt zu werden). »Erklär ihr, daß bei uns alle *Fatmas* Fatma heißen!«

Eine Stunde später schlief sie ein, vom Fieber erschöpft.

Sarah sagte zu Anne, daß sie mit der Chirurgin zurückkommen würde; die einzige Chirurgin der Stadt hatte sich auf Operationen der Hand spezialisiert, weil dieses Fachgebiet wegen der vielen Arbeitsunfälle besonders gefragt war.

Im Krankenbett der Wasserträgerin sitzend, musterte Anne aufmerksam die anderen Patientinnen. Dann begann die schlafende Alte zu stöhnen, ihre Hand nach vorne gestreckt, so als wäre es der Arm einer Ertrinkenden, und sie schien noch immer unter dem Gewicht der Wasserkannen zu ächzen.

Als man sie mit dem Krankenwagen in die Klinik der

Chirurgin brachte, am anderen Ende der Stadt, wachte sie kaum auf.

Ihre Träume, skandiert von der Sirene des Krankenwagens, dem die vielen Verkehrsstaus zu schaffen machten, verknüpften und entwirrten sich in abgerissenen Worten, wie ein viel zu alter Schmerz.

FÜR EINEN DIWAN DER WASSERTRÄGERIN

»Eingeschläfert, ich bin die Eingeschläferte, und man trägt mich fort, wer trägt mich fort...«

schwerer Körper, horizontal, im heulenden Wagen, der sich durch die Unterstadt Bahn bricht. Zischen, Atem, der vom Bauch auszugehen versucht... das Nabel-Auge nun wieder geöffnet, die Hände dem Himmel zugewandt, die rechte weiß verhüllt, größer als ein Brotschieber, die andere durch Nervenstränge verkleinert, durch Falten in der Farbe von verblaßtem Henna, zweitrangige Hand beim Massieren des Fleisches von Badenden, die unter den feuchten Gewölben wimmern...
Niederschlag verdampfter Worte, ein Miasma nach dem anderen unter diesen schattenhaften Steinen, die durch Wasserkorridore schweben. Befreite Worte, die meinem Körper einer alten Bildhauerin folgen, Worte, die das Kielwasser des Krankenwagens bilden. Worte in Akkorden, elektrisiert vom Kreischen des Harems, Worte, durchsichtig von Dämpfen, von Echos...

»Eingeschläfert, ich bin die Eingeschläferte, und meinen Körper trägt man fort...«

53

...Jede Anrufung des Propheten oder auch nur seiner Witwen wird bleiern...

Nur Worte, prähistorische Worte, ungestalte Worte von grellem Weiß, Worte, die nicht mehr bedrücken, während diese Hände, die weiße und die rötliche, dahingleiten, sich im Rhythmus des Keuchens devoter badender Frauen bewegen, entschwindende Worte, die das fortwährende Sirenengeheul des für mich dahinrasenden Krankenwagens erleuchten könnten – königliches Kamel, das sich nicht um die steilen Verkehrsadern zwischen den in Felsen geschlagenen Treppen kümmert, die ich noch gestern hinabstieg, mit verschlissener Wolle verschleiert...

Von nun an so nackt, bewege ich mich schwebend fort, und ich werde keine Mumie sein, ich bin eine Gebieterin, eine horizontale Kaiserin, und meine Geste droht zwar amputiert zu werden, aber im Augenblick ist es noch die Geste der Darbringung. Dies ist mein einziger triumphaler Flug (die Schiffe auf der Reede dort unten sind meine reglosen Zeugen), denn ich schwebe, ich, die Frau, ich bewege mich frei, und alle Stimmen der Vergangenheit folgen mir als Musik, abgehackter Gesang, zerrissene Schreie, fremdartige Worte auf jeden Fall, unzählige Stimmen, die Stadt durchlöchernd, die mittags eine Metamorphose durchmacht...

»Ich bin – bin ich? – ich bin die Entschleierte...«

Geologie der verlorenen Worte, der Fötus-Worte, für immer versunken, werden sie der Tiefe entrinnen, schwarze Elytren, werden sie zu neuem Leben erwachen, um sich splitterartig in mich zu bohren, nun, da ich draußen keine Maske mehr auf dem

Gesicht trage, nie wieder, und drinnen keine Kannen mehr auf dem Kopf, das ist vorbei, sind sie längst erstickt, Schmerz in verschiedenen Erdschichten, eine zweite Stimme, ohne Klangfarbe und Schwingung:

Ich bin – bin ich? – ich bin die Ausgeschlossene…«

Gewimmel von Worten aus der Tiefe der Erde, wieder aufsteigend in dem horizontalen Körper, der sich vorwärtsbewegt, dem der Krankenwagen den Weg bahnt: gewundene Straßen, die sich zwischen Balkonen durchschlängeln, wo Kinder zu Statuen erstarren und große Augen machen… Aquarellartige Schiffe, das Meer als ewige Grenze, die Hügel der Stadt zur Zeit von Malven bedeckt, ein Hort der Stille: Ist es noch weit bis zur Klinik, bereitet die Chirurgin sich vor, ist sie endlich allein, um ihren Mund mit einem weißen Tuch zu verhüllen?
Das Gemurmel verschnürt sich zu einem Bündel, ein grollender Pilz über dem Bauch, unterhalb der eingefallenen Brust… Zerfaserte Strophen ordnen sich neu, wo soll man die Sprache einordnen, die arabische Frauen hauchen, langes Schluchzen, ununterbrochen, innerlich, schwermütige Begleitmusik.
Blutverluste bei einer Wiedergeburt der Menstruation, gähnende Erinnerungen an Harems mit enthaupteten Janitscharen, die Kalkwände von neuen Tönen vibrierend, von Wortfetzen, überall um mich herum, um mich, die Wasserträgerin, die sich ihren Raum neu erschafft…
Unsichere Stimme, schmerzerfüllt und keuchend, weil sie sich suchen muß:

»Ich bin es – ich? – ich bin es, die sie ausgeschlossen haben,
die sie mit dem Bann belegt haben;
ich bin es – ich? –, die sie gedemütigt haben;
die sie in den Käfig gesperrt haben.
Ich bin es, ich, die sie zum Nachgeben zwingen wollten, ihre
Fäuste auf meinem Kopf, damit ich mich ducke, hinabgedrückt
bis in die Schicht des affengesichtigen Bösen, ich, von Marmor-
mauern dumpfen Unglücks umzingelt, von Felsen des Schwei-
gens aus weißem Schleierstoff...«

...und das Wasser, in unendlichen Garben, das
Wasser, das die ganze Zeit über in Kaskaden verströmt, heiße Seidenschauer, auf der Schulter
schwarze Eimer, die außerhalb des dampfenden
Lochs ausgegossen werden.

»Ich bin es, ich, die sie ersticken wollten, vom Feuerloch ver-
schlungen, ich, von der sie glaubten, meine Haut wäre ge-
brandmarkt und mit offenen Narben übersät, ich, bin ich das?«

Die Bremsen quietschen kaum, als der Fahrer den
Wagen ins Krankenhaus der Oberstadt rollen läßt,
die Sirene verstummt kurzfristig, setzt im Zimmer –
einer Folterkammer – wieder ein, um meinen einge-
schläferten Körper herum, den man nun total be-
täubt, Klirren von Glasplättchen, Skalpellen, Mes-
serklingen... Die Minuten vor der Operation.
Einzelne Töne dieses Zwischenspiels, die endlich
im Rhythmus der Vorbereitungen zusammenflie-
ßen, unter den Augen – langwimprige Augen, mit
Antimon geschwärzt – der Chirurgin, deren untere
Gesichtshälfte verschleiert ist.

»Ich, ich war jene, die sie in der Morgenröte der Welt verheira-
ten wollten...«

Meine Sahara erstreckte sich endlos, meine Eltern erinnerten sich noch daran, Nomaden gewesen zu sein, und ich, ein kleines Mädchen mit nackten Füßen, ich rannte über die Düne... In den Zimmern roch es nach Dung, meine Ziege – ich hatte eine weiße Ziege – streckte ihren Hals dem azurblauen Himmel entgegen... So stand er da, der elterliche Bauernhof, den ich für Wohlstand hielt. Mein Vater, als Legionär gekleidet; ich erinnere mich an seine Uniform, an das rote Tuch seines Rocks. Ich rieb meine Wangen daran, ganz fest, wenn er mich zwischen den Knien hielt... Und ich zitterte... Er kam ab und zu... Meine Mutter war bei meiner Geburt gestorben, und meine Tanten, in Trauben zusammengeschart, schüttelten sich vor Lachen, wenn sie mich bei der Ankunft meines Vaters in der Vielzahl von Frauengewändern präsentierten – und ich schlug die Augen nieder und schmiegte mich ganz eng an die scharlachrote Pluderhose...

Dann ein Urlaub, bei dem mein Vater einen anderen Soldaten mitbrachte.

Meine Tanten schweigsam. Man würde mich mitnehmen, eine Braut wie am Anfang der Welt... Für den Sohn des Fremden, so hieß es, der Vater habe es so entschieden. Die Tanten weinten, sie sagten, wenn die Großmutter noch lebte, hätte mein Vater das nie gewagt...

Man schminkte mich mit meinen dreizehn Jahren, man rasierte mir die Brauen, die Achsel- und die Schamhaare, man klebte Flitter auf meine Stirn, auf die Backenknochen, man kaufte mir bestickte Pantoffeln. Mein Herz schlug vor meiner ersten Reise, ich war die Braut der Anfänge... Die Kutsche fuhr nach Norden...

»Eingeschläfert, ich war die Eingeschläferte, und man trägt mich fort, wer...«

die Kutsche entfloh, unbekannte Frauen in voluminösen schwarzen Schleiern tätschelten mich mit ihren Fingern, die rot von allzuviel Henna waren, betasteten meine Brüste, meine Schultern, den Bauch, und dann kreischten sie vor Freude, ließen ihre perlenden Schreie aufsteigen, während ich zu den Hochebenen des Nordens emporstieg. Gutturale Schreie, von ihnen abwechselnd ausgestoßen (vier, es waren vier Schwestern), diese Schreie ließen mich frösteln, versenkten meine Kindheit, das Rennen über die Düne, das schallende Gelächter...

»Ich war, ich war die Braut der Morgenröte der Welt... Trägerin, Wasserträgerin zuletzt, in heißen, dampfenden Löchern...«

Dreizehn Jahre, groß für mein Alter und wunschgemäß braun, mit Haaren bis zu den Lenden, die Augen schwarz umrandet, die Handflächen rot von Henna. Mit dreizehn hatte ich seit ein, zwei Jahren üppige Brüste, mein Herz schlug von der ersten Reise, Hoffnung, dann Angst, dann... Plötzlich ringsum Schwärze, heute bin ich fünfzig, sechzig Jahre alt, ich weiß mein Alter nicht, die Schwärze der Zeit: Zweifellos hatte das Schicksal meinen dreizehnjährigen Schultern eine viel zu heiße Wasserkanne aufgeladen. Seitdem bin ich immer fünfzig, sechzig gewesen, was spielt das schon für eine Rolle, die Badenden kommen und gehen, die Kinder schreien in den Dampfschwaden, das Wasser fließt unablässig auf den Stein, es lastet wie schwarze Bronze auf meinen Schultern, und ich massiere endlich, und...

*»Trägerin, ich möchte Wasser… kochendes Wasser! Trägerin,
Wasserträgerin…«*

Die Schwärze und der Rauch des Loches, nun hinter
mir… Das Elend auf diesem Bauernhof, am Ende
meiner ersten Reise! Auf dem Boden Kinder mit aufgeblähten Bäuchen, Fliegen in den Augen; nicht einmal Öllampen in den Zimmern aus gestampfter
Erde, die Amphoren einfach auf dem Boden
herumstehend, so daß kaum ein freier Fleck übrig
war… Die Frauen hatten alte Gesichter, sie gaben ihren Kindern die nackte schlaffe Brust, und die Babys
zogen an den leeren Brustwarzen; einige Männer mit
fiebrigem Blick saßen den ganzen Tag herum: ringsum steiniges Land, tiefer gelegen eine grüne fruchtbare Ebene, die sich die Franzosen angeeignet hatten,
nachdem die Rechtsgelehrten und die Gendarmen
ins Land gekommen waren… Als ich aus der Kutsche gestiegen war, hatte mich der Hausherr begrüßt;
er trug das gleiche Koppel wie mein Vater, und er be-
äugte mich so aufmerksam, als wäre ich für ihn bestimmt… Der Ehemann, ein Jüngling mit unge-
schickten Händen, die meinen kalten Körper in jener
Nacht begrapschten. Am nächsten Tag die Bissigkeit
der Frauen: »Arbeite! Zeig, was du kannst, Prinzessin!« Und kurz darauf: »Dein Vater hat dich für zwei
Flaschen Bier in einer Garnisonstadt verschachert!«
Alles aus, ich wußte bei dieser Beleidigung, daß alles aus war! Noch zwei oder drei Monate dieses
Elends. Die zweite Stimme beginnt wieder zu singen, abgehackt, gebrochen, mit einem Schluckauf:

*»Ich – bin das wirklich ich? – ich, die sie vernichten wollten,
die sie mit dem Kopf voraus in der schwärzlichen Kruste des affengesichtigen Bösen versenken wollten…«*

Endlich die Flucht. Eines Nachts rannte ich weg, ohne Schleier, in roter Toga und mit den Worten in mir: »Vorwärts, immer nur vorwärts!« Es gab keinen Süden, keinen Norden mehr, nur noch einen weiten Raum und die Nacht, die lange Nacht meines Lebens, die damals begann.

Keine nackten Kinder mit aufgeblähten Bäuchen mehr, keine Schwägerinnen mehr, die mich jeden Morgen betasteten: »Wann wird die sich endlich entschließen, schwanger zu werden?« Ich ganz allein in der dunklen Nacht, erfüllt von den simplen Worten: »Weglaufen... rennen... vorwärts... immer geradeaus!« Worte bleiben einem mitunter im Halse stecken, zerreißen einem die Brust... Worte peinigen, o ja, das stimmt, Worte peinigen...

Rennen... ich renne durch die Nacht... Schwärze. Die Straße entlangrennen, sich beeilen, schneller, noch schneller, schneller als die Antilope meiner verlorenen Wüste!

Im Morgengrauen eine kleine Stadt. Auf einem Markt alte Männer, die in einer Ecke miteinander plaudern, bei dampfendem Tee, der nach Minze duftet... Wenn ich nur einen Burnus hätte, um mich als Junge ausgeben zu können! Durch die Straßen spazieren, wie alle anderen sein... Menschen, richtige Menschen... Das Murmeln einer Frau, nur Augen im maskierten Gesicht: ›Was machst du hier, meine Tochter?‹ Eine Stunde später ein Zufluchtsort, nein, ein Arbeitsplatz: tagsüber Teppiche weben, abends eine Matrone bedienen... Zwei Jahre lang... Schließlich wieder die Straße: Diesmal fliehe ich nicht zu Fuß, nicht nachts, ein anderer Mann, dem man mich am Ende ausliefert, in der Hauptstadt. Ich bin in einem Bordell. Bin registriert. Habe Kunden. Fünf Jahre, zehn Jahre, die

Zeit vergeht... Unabhängigkeitsfeiern: geöffnete Bordelle, jubelnde Straßen, ich gehe hinaus, ich fühle mich frei. Mein Gesicht in einem Schaufenster: »Alt, ich bin alt... und ich habe Hunger!«

Ein oder zwei Jahre zuvor: ein Bauer kommt in die heiß umkämpfte Kasbah. Wir verstecken ihn. Er erzählt. Er stammt aus meinem *douar*, er kennt diese Sippe, jene Gruppe... Mir wird kalt ums Herz:

»Kennst du auch Amar, den Legionär? Er hatte einen großen Hof... das ist lange her... Er muß seitdem seinen Abschied genommen habe... Ich habe bei ihnen gearbeitet (und ich log)... als Dienstmädchen!«

»Er war einer der ersten Kollaborateure, die umgebracht wurden, gleich zu Beginn des Krieges... Man hat ihn mit durchschnittener Kehle in einem Straßengraben gefunden... Sein Hof wurde verkauft, und die Seinen sind heimatlos geworden...«

»Danke, Bruder«, sage ich und weigere mich, mit ihm zu schlafen, eine andere erweist mir den Freundschaftsdienst, nimmt meinen Platz im Bett ein...

Dann die Inhaberin des *hamam*: Hitze, Dampf, Kannen... Eine Kanne, eine Besucherin... Wozu zählen? Immer das alte Lied, außerhalb des Bordells, außerhalb des *hamam*... Gestern wurde auf den Straßen die Hoffnung besungen, aber mich, mich überkam nur die Klage:

»Ich bin – wer bin ich? – ich bin die Ausgeschlossene...«

Vor Fatmas ausgestrecktem Körper konzentriert sich die Chirurgin auf ihre Arbeit; Anne sitzt erstarrt im Wartesaal. Gleichzeitig steht Sarah vor Leilas Bett. Leila deliriert. Die jüdische Sängerin auf der Schallplatte hat ihre Klage aus den 30er Jahren beendet...

FÜR EINEN DIWAN DER FEUERTRÄGERINNEN

»Sie haben überall herumerzählt, daß ich gefoltert worden bin... Elektroschocks, auch du weißt ja, was das ist...«

Leila redet weiter, und Sarah umklammert den metallenen Bettpfosten und erinnert sich:

»Wo seid ihr, ihr Bombenträgerinnen? Sie bilden eine Prozession, in den Händen Granaten, die in Flammen aufgehen, ihre Gesichter von grünem Schein beleuchtet... Wo seid ihr, Feuerträgerinnen, ihr meine Schwestern, die ihr die Stadt hättet befreien müssen... Stacheldraht versperrt nicht mehr die Gassen, aber er ziert die Fenster, die Balkone, alle Ausgänge in die Außenwelt...

Man hat auf den Straßen eure unbekleideten Körper fotografiert, eure rächenden Arme vor den Panzern... Man hat angesichts eurer von vergewaltigenden Soldaten gespreizten Beine gelitten! Die gefeiertsten Dichter haben euch derart in lyrischen Diwanen beschworen. Eure verdrehten Augen... mehr noch... eure in kleinen, in winzigen Stücken mißbrauchten Körper...

Die Damen, die Schutzpatroninnen, kramten in ihren Schmuckschatullen... Türken- und Berberschmuck... Kolliers und Anhänger für eure abgeschlagenen Köpfe... Keuschheitsgürtel, Silber und gefaßte Korallen für jene, die im Gefängnis in Isolierzellen waren... Man müßte an jedem triumphalen Tag der Frau große Pläne machen: Hier seht ihr Finger, die normalerweise mit Henna gefärbt sind, für gewöhnlich die aktiven Hände am Leben gebliebener Mütter (Gesicht in Flammen, um Brot zu backen und um verbrannt zu werden), dieselben Finger, ohne Henna, aber mit manikürten Nägeln, die Bomben tragen, als wären es Orangen. Die alle Körper in die Luft jagen, die zur ›Gegenseite‹ zu gehören scheinen... Zerfetztes Fleisch der Feinde... Und jene Frauen, die anschließend am Leben geblieben sind, wie es so schön heißt, die vergitterte Gefängnisse durchlebt haben, dann die Käfige der Erinnerung, dann... (sie weint) dann wie ich die Fieberfantasien (denn, Sarah, ich habe Fieber, weißt du, ich werde immer Fieber haben) – sind sie wirklich am Leben geblieben? Die Bomben explodieren noch immer... aber über zwanzig Jahre hinweg: dicht vor unseren Augen, denn wir sehen nicht mehr hinaus, wir sehen nur die obszönen Blicke, sie explodieren, aber an unseren Bäuchen, und ich bin« – sie schrie – »ich bin der Bauch jeder sterilen Frau, aller sterilen Frauen zusammen!«

Sarah weinte, der Schmerz drückte ihr das Herz ab.

»Mein Liebling, mein kleiner Liebling« – ihre Stimme brach sich endlich Bahn, sie hörte sich arabisch sprechen, mit dem Akzent ihrer Region – »mein Liebling, sei still, sag nichts mehr... Worte, was sind schon Worte?«

»Ganz im Gegenteil!« – Leila benutzte ein aggressives Französisch – »Ich muß reden, Sarah! Sie schämen sich meiner! Ich bin ausgetrocknet, ich bin nur noch ein Schatten meiner selbst!... Vielleicht, weil ich bei den Tribunalen von gestern zuviel hochtrabendes Zeug geredet habe, weil ich mich zu oft von der öffentlichen Hysterie anstecken ließ, und wenn die Brüder applaudierten, glaubte ich... (sie lacht)... Hat es jemals Brüder gegeben, Sarah... sag? Du... man hat dich schon damals die ›Schweigende‹ genannt... Man wußte nie irgendwelche Einzelheiten über die Folterungen, denen du ausgesetzt warst! Man hat dich später behandelt, genauso wie mich, man hat geglaubt, du würdest nur einige physische Narben zurückbehalten, man wußte nie...«

›Ich hatte immer Probleme mit den richtigen Worten‹, dachte Sarah, während sie ihre Bluse auszog, das Gesicht noch immer tränenüberströmt. Sie entblößte die blaue Narbe über einer Brust, die sich bis zum Unterleib hinzog:

Sie näherte sich dem Bett, umarmte Leila. Sie strich ihr über die Stirn, über die Brauenbögen, sie hätte ihr am liebsten das Gesicht abgeleckt und über ihr geweint, sie hätte diesen abgezehrten Körper mit den gebeugten Schultern, diese so mageren Arme, diese Handgelenke eines Kindes, diesen spitzwinkeligen Kopf – fast schon ein Totenkopf – mit leidenschaftlicher Wärme überschütten mögen... Sarah wurde von einer rein sinnlichen Anwandlung geschüttelt... Sie suchte wie eine Taubstumme nach Worten der Liebe, überzeugenden Worten, in welcher Sprache sollte sie solche Worte finden, Worte wie Höhlen oder Wirbelwinde der Zärtlichkeit... Aber sie bewegte sich nicht und war wütend auf sich selbst, als sie ihre Bluse langsam wieder zuknöpfte.

Leila delirierte noch immer, als der Maler das Zimmer betrat. Er näherte sich Sarah:

»Nur keine überflüssige Aufregung! Das ist eine Krise. Ich kenne mich mit Drogensüchtigen aus. Ich habe das selbst durchgemacht...«

Und als Sarah sich zum Gehen wandte: »Beschäftige dich lieber mit Alis Sohn! Nur du kannst ihn zur Rückkehr bewegen.«

Sarah betrachtete ihn bestürzt. Sie wollte möglichst schnell ins Auto steigen.

»Was weißt denn du davon?« rief sie draußen hitzig und wunderte sich selbst darüber, daß sie plötzlich am ganzen Leibe zitterte. »Hast du dich überhaupt gefragt, was der wahre Grund für sein Durchbrennen gewesen ist? Stell dir nur mal vor – der Junge könnte eines Abends mit angesehen haben, wie wir miteinander kämpften, sein Vater und ich. Hast du, der du dich hier ganz allein vergräbst, hast du überhaupt eine Ahnung, wie die Ehepaare in dieser Stadt ihre Nächte verbringen?«

Und sie ließ den Motor an. Der Maler blieb vor seinem Tor stehen, lange nachdem der Wagen schon verschwunden war.

›Vielleicht sollte ich zu der alten Tante fahren‹, dachte Sarah, die eine ganze Weile brauchte, um sich zu beruhigen. In die Kasbah, wo Nazim in den vergangenen Nächten Zuflucht gesucht hat. Dort auf ihn warten und währenddessen jede Nacht auf der Terrasse schlafen: Unten auf dem Patio, wie in einem Brunnen, sind bienenfleißige junge Mädchen am Werk, vom jüngsten Bruder scharf beobachtet. »Ein Märchenprinz«, träumen diese Nachbarinnen laut vor sich hin, »wird niemals einfach durch die Tür kommen, aber vielleicht wird er mit einem Fallschirm mitten auf dem Patio landen!« Und sie lachen schallend, aber etwas zu schrill…

Nazim – Sarah fuhr durch die überbevölkerten Vororte – Nazim würde irgendwann nach Hause kommen, und seine Augen würden endlich einen ruhigen Ausdruck haben. Denn andernfalls, wenn niemand käme – wo blieben dann die neuen Kinder der Stadt?

Sie parkte am Eingang zum Krankenhaus. Kurze Zeit später berichtete Anne ihr, daß Fatmas Hand heilen würde. In einer Vorhalle, wo die Krankenschwestern sehr geräuschvoll Pause machten, lächelte die Chirurgin, die soeben ihre weiße Maske und den Kittel abgelegt hatte, ihnen müde zu.

IV

»Ich sehe für uns keinen anderen Ausweg als eine solche Begegnung: eine Frau, die sich vor einer anderen, die aufmerksam beobachtet, ausspricht... Die Sprechende – erzählt sie von der anderen mit den glühenden Augen, mit den düsteren Erinnerungen, oder beschreibt sie ihre eigene Nacht, mit Worten wie Fackeln und mit Kerzen, deren Wachs viel zu schnell schmilzt? Und die Beobachtende – ist es, weil sie zuhört, zuhört und sich erinnert, daß sie schließlich sich selbst sieht, mit ihren eigenen Augen, endlich unverschleiert...«

Sarah lief in dem Schweigen, das wieder eingetreten war, im dunklen Zimmer auf und ab. Sie rauchte nervös, sie spürte, wie eine Anspannung von ihr wich, die sich in all diesen Tagen angestaut hatte, obwohl im Grunde nichts Besonderes geschehen war, zumindest nicht, was sie selbst betraf.

»Wie wird der Übergang für die arabischen Frauen vonstatten gehen?« Mit gesenktem Kopf ging sie auf Anne neben der Lampe zu, blickte die Freundin mit weit aufgerissenen Augen an. »Ist es nicht viel zu früh«, flüsterte sie, »um im Plural zu sprechen?«

Sie nahm ihr nervöses Hin- und Herlaufen wieder auf.

»Damals«, begann Anne, die ihrer Freundin zum erstenmal Fragen stellte, »wie hast du damals die Zeit im Gefängnis erlebt?«

Sarah warf ihr einen flüchtigen Blick zu, setzte sich nach kurzem Zögern, starrte ins Leere.

»Der schwierigste Tag«, murmelte sie, »der längste Tag in all diesen Jahren des Eingesperrtseins... Man hatte mir im Sprechzimmer mitgeteilt, daß meine Mutter gestorben war, völlig unerwartet! Ich habe nicht geweint. Ich konnte nicht! Ich werde nie vergessen, was mich in der Folge gepeinigt hat... Vielleicht war es so schlimm, weil ich die Todesnachricht ausgerechnet an jenem Ort erhielt...«

Sie verstummte; Anne wartete, wagte nicht, sich zu bewegen. Sarah saß mit angewinkelten Beinen da, das Gesicht auf die Knie gelegt, sackte immer mehr in sich zusammen.

»Ich glaube, ich muß gedacht haben, daß ich dieses Gefängnis nie mehr verlassen würde! Von diesem Tag an (ich blieb noch ein Jahr im Barberousse) hatte ich das Gefühl, als würde mein Körper bei jeder Bewegung gegen die Mauern stoßen. Ich heulte tief im Innern... Die anderen nahmen nur mein Schweigen wahr. Leila hat es erst gestern wieder gesagt: Ich war eine stumme Gefangene. Ein bißchen wie manche Frauen von Algier, die man heute ohne den althergebrachten Schleier auf den Straßen sieht, die sich jedoch, aus Angst vor neuen, unvorhersehbaren Situationen, in andere Schleier hüllen, in unsichtbare, aber dennoch vorhandene Schleier... So ging es auch mir: Jahre nach Barberousse trug ich immer noch mein eigenes Gefängnis mit mir herum!«

»Sarah«, stöhnte Anne sanft. »Denk doch daran: Als Kinder waren wir beide frei, spielten in jenem Park!«

»Meine Mutter...«, murmelte Sarah.

Sie begann plötzlich zu weinen, eine wahre Tränenflut, die jedoch ihre Gesichtszüge nicht veränderte. Anne unterdrückte jede Mitgefühlsbekundung. Sarah wischte sich mit ihren verkrampften Händen die Wangen ab und trocknete diese sodann an ihrem Rock.

»Ich könnte mir gut vorstellen, daß sie jahrhundertelang dasitzt, ins Leere starrend, untröstlich... Ich könnte tagelang über meine Mutter sprechen!« fügte sie nach einem trockenen Schlucken hinzu.

Spät in der Nacht fand sie endlich die befreienden Worte... Und Anne dachte dabei: in dieser seltsamen Stadt, die trunken von Sonne ist, aber wo jede Straße, jedes Haus, hoch oben Gefängnisse in sich birgt – lebt in dieser Stadt jede Frau wirklich ihr eigenes Leben, schleppt sie nicht vielmehr all jene Generationen von Frauen mit sich herum, die jahrhundertelang eingesperrt waren, während die gleiche Überfülle an Licht blendete, ein nur selten beeinträchtigtes strahlendes Blau?

»Meine tote Mutter... ihr ereignisloses Leben. Es gab darin nur ein einziges Drama: Sie bekam nach mir keine anderen Kinder, keinen Sohn. Ich vermute, daß sie ständig in der Angst gelebt haben muß, verstoßen zu werden. Darüber habe ich freilich erst nach ihrem Tod nachgedacht, während meine Zellengefährtinnen mich zu trösten versuchten... Es war fast so, als hätte sich meine Mutter zu uns gesellt, als säße sie regungslos neben uns im Gefängnis. Früher, bei uns zu Hause, in dem großen, niedrigen Vororthaus, arbeitete sie schweigend den ganzen Tag, unablässig. Sie putzte ihre Küche; wenn alles fertig war, schrubbte sie die Fliesen, die Wände, lüftete die Matratzen, wusch die Decken. Sie putzte und putzte... Eine Obsession wie jede andere, weiter nichts! Aber als ich in jenem Gefängnis von ihrem Tod erfuhr, sah ich all diese Gesten wieder vor mir (sie redete nicht mit mir, so gut wie nie, aber manchmal umarmte sie mich krampfhaft, wenn sie glaubte, ich schliefe). Ich begriff auch, warum ich mit sechzehn das Haus verlassen hatte, auch das Lyzeum (und dabei war mein Vater so stolz auf mich gewesen: eine Abiturientin als Tochter, das war fast so, als hätte er sieben Söhne auf einen Schlag gehabt!). Aber... (in ihrer Stimme schwang plötzlich Verbitterung mit)... das war bei uns damals die Zeit des Befreiungskriegs« – sie überlegte, zögerte –, »und wir stürzten uns anfangs auf die Befreiung, und später blieb uns dann nur der Krieg!«

Sarahs Augen verschleierten sich. Nach längerem Schweigen fuhr sie mit farbloser Stimme fort, ohne Bitterkeit, aber auch ohne Leidenschaft:

»Meine Mutter brachte jeden Abend, wenn mein Vater nach Hause kam, eine Kupferschüssel mit heißem Wasser an und wusch ihm die Füße. Mit größter Sorgfalt. Ich saß auf einer Stufe (ich muß so sieben oder acht gewesen sein) und sah ihr dabei zu. Ich dachte nie darüber nach! Niemals habe ich mich gefragt, was da eigentlich vorging. Zweifellos fand ich diese Szene damals ganz normal, vielleicht hatte ich das gleiche Ritual auch in anderen Patios beobachtet, in Innenhöfen wie dem unsrigen, mit Jasmin und verwitterten Mosaiken... Ich bin nie aufgesprungen, um die Schüssel umzuwerfen, um das ruhige und zufriedene Paar anzubrüllen: ›Geht zum Teufel, alle beide!‹ Ich wußte aber, daß ich nie etwas mit solcher Hingabe waschen würde. In gewisser Weise könnte man vielleicht sagen, daß diese Folklore der Kupferschüssel alles übrige getötet hat... Dennoch, Jahre später, in jener Zelle im Barberousse, verfolgte mich diese Familienszene, ließ mich nicht zur Ruhe kommen! Meine Mutter war also gestorben, schweigend und infolge einer einfachen Erkältung. Ich begriff, daß sie nun nie mehr ihre Revanche haben würde. Und damit konnte ich mich nicht abfinden.«

Anne hörte zu. Während der Pausen sagte sie kein Wort, bewegte sich nicht einmal. War es erst einige Tage oder aber Jahre her, daß sie selbst in diesem Studio mit hastigen Worten ihr eigenes Leben entrollt hatte?

»Ich habe wirklich nicht gedacht: ›Revanche an meinem Vater‹«, fuhr Sarah fort. »Mein Vater war in den Augen seiner Familie ein recht guter Ehemann, glaube ich. Nach meiner Entlassung aus dem Gefängnis machten wir einmal zwischen zwei Universitätskursen einen Spaziergang, und dabei erzählte er mir ziemlich verlegen, daß er wieder heiraten wolle. Ich fragte mich insgeheim: ›Warum ist er

so gehemmt?‹ Aber meine Mutter warf einen immer größeren Schatten, sie, die nie etwas von ihren Ängsten oder
Freuden hatte verlauten lassen, die nicht einmal gestöhnt
hatte wie so viele andere, die ich kenne, auch nicht ge-
flucht oder hörbar geschluckt... Ich wurde das Gefühl
nicht los, irgendwie versagt zu haben, weil ich sie nicht befreien konnte... Ich selbst kann mich völlig frei bewegen,
in den Tag hineinleben und improvisieren, wie es mir gefällt, ich kann diese ganze ›Freiheit‹ – ja, so muß man es
wohl nennen – nach Herzenslust genießen, aber bei all
dem verfolgt mich eine Frage, macht mich rasend: Ist diese Freiheit wirklich für mich bestimmt? Meine Mutter ist
gestorben, ohne auch nur eine theoretische Vorstellung
von diesem Zickzackleben zu haben, das ich führe... O
Anne, was soll man nur tun? Sich wieder einschließen,
von neuem um sie weinen, an ihrer Stelle leben?«

Sie hatte ihre Tränen getrocknet, aber sie litt, das zarte
Gesicht angespannt, die Lippen hilflos verzogen.

»Bei mir ist es meine Mutter«, fügte sie leiser hinzu, ein
kurzes Geständnis. »Bei anderen sind es andere Familien-
gespenster!«

Die Morgendämmerung begann schon die Markisen
des Wohnzimmers zu erhellen.

»Ich sehe für die arabischen Frauen nur eine einzige
Möglichkeit, alles zu deblockieren: reden, unablässig reden, über das Gestern und Heute, unter uns Frauen reden, in allen Frauengemächern, in den traditionellen
ebenso wie in den modernen des sozialen Wohnungs-
baus. Wir müssen miteinander reden und genau beobachten. Nach draußen blicken, die Welt außerhalb der
Mauern und Gefängnisse betrachten... Die Frau als Blick
und die Frau als Stimme«, fügte sie etwas obskur hinzu,
und dann spottete sie:

»Nicht die Stimme der Sängerinnen, die man mit
zuckersüßen Melodien gefangenhält... Nein, die Stimme,

70

die Männer nie gehört haben, weil sehr viele unbekannte und neue Dinge geschehen müssen, bevor sie singen kann: die Stimme der Seufzer, des Grolls, der Schmerzen all jener, die von ihnen eingesperrt wurden... Die Stimme, die in den geöffneten Gräbern sucht!«

Sarah träumte von diesen Generationen von Frauen. Sie stellte sich vor, sie alle gekannt und begleitet zu haben: ihre einzige und zitternde Gewißheit.

»O mein Gott!« fügte sie hinzu und dachte an Leila. Leila, die alle Splitter bloßlegte. »Welch ein neuer, offensiver Harem! (Sie schrie auf.) Ein Harem ohne *haram*, ohne Verbote! In wessen Namen? Im Namen wovon?«

Sie wußte, daß das immer so war, unter allen Himmeln: Die unvermeidlichen Kriegserklärungen – was auch immer die Wohltätigkeitsorganisationen dazu sagen mögen – nähren sich immer nur von irgendwelchen Unterströmungen verzweifelter und hellsichtiger Liebe... Sie verkrampfte sich vor rasendem Zorn.

»Jetzt erst«, sagte sie später mit ruhiger Stimme, während Anne ihren Koffer für die bevorstehende Abreise packte, »jetzt erst« – wiederholte sie – »wird Ismael wirklich in seiner Wüste heulen: Die von uns niedergerissenen Mauern werden ihn allein weiter umzingeln!«

Es spielte keine große Rolle, daß sie selbst nicht wußte, ob sich ihre Hoffnung, ihre Herausforderung auf die nächsten Tage oder auf das folgende Jahr oder aber auf die Generation bezog, die nicht immer jene der ›anderen‹ bleiben muß.

Das Flugzeug, das Anne am nächsten Tag im Morgengrauen nehmen mußte, hatte mehr als eine Stunde Verspätung.

Die beiden Frauen warteten geduldig inmitten einer Gruppe emigrierter Arbeiter, die ihren Monat bezahlten Urlaubs in ihrem heimatlichen Bergdorf verbracht hatten.

Zwei oder drei von ihnen, deren gebräunte Gesichter heiterer als die der anderen waren, wurden von ihren Frauen in den langen Kleidern der Bäuerinnen begleitet, einige mit Babys im Arm, die Stirn sorgfältig tätowiert.

Die schönste von ihnen hatte ihren Schleier erst an diesem Morgen abgelegt, wie Anne von Sarah erfuhr, die einige Worte mit der Frau wechselte. Jung, die Augen mit Khol umrandet, aber das ganze Gesicht von Hoffnung belebt, stand sie da, starr vor Erwartung, bis es Zeit wurde, an Bord zu gehen.

»Ich fliege nicht!« rief Anne plötzlich. Sie betrachtete die junge Reisende aufmerksam, lächelte ihr zu (die Unbekannte würde dieses Zeichen der Dankbarkeit mitnehmen, so wie andere ihre Körbe und Töpferwaren, bis in die elende Vorstadtsiedlung im Norden von Paris, die auf diese Menschen wartete).

»Ich fahre nicht mehr weg!« rief Anne wieder, während sie Sarah nachrannte, die die Abflughalle gerade verlassen wollte. Sie umarmten einander.

In Sarahs alter Klapperkiste, auf der Straße zur Stadt, die zunächst eben war, offen dalag wie eine scheinbar leicht zu erobernde Kurtisane, bis die mit Arkaden gesäumten Avenuen in ihr enges weißes Herz emporführten, summten beide Frauen vor sich hin.

»Eines Tages werden wir zusammen ein Schiff nehmen!« sagte die erste. »Nicht um abzureisen, nein, um die Stadt zu betrachten, wenn alle Türen aufgehen... Was für ein Bild das sein wird! Sogar das Licht wird davon erzittern!«

Und die andere fügte hinzu, daß sie dann endlich die stolze Lebensfreude der Korsaren von einst wiedererwecken würden, der einzigen Bewohner dieser Stadt, die man je ›Könige‹ genannt hatte, zweifellos auch deshalb, weil sie Renegaten gewesen waren.

Algier, Juli – Oktober 1978

Weinende Frau

»Dieser ununterbrochene Tanz
gebrochener Linien...«
A. Adamov über Picassos Gemälde
›Weinende Frau‹

»Alle haben sie gesagt, ich hätte unrecht gehabt«, sagte
sie halblaut, dann hob sie kaum merklich die Stimme.
»Alle haben sie mir gesagt: ›Dein Mann ist kein französischer Ehemann! Man erzählt einem Ehemann nicht alles!‹
Ich...« Das dumpfe Rollen der Dünung verfremdete ihre
Stimme. »Ich... Jeden Abend mit jemandem zu schlafen,
das war so... (die Sprechweise wurde fiebrig)... das war
so, als läge mein Skelett neben ihm... Er konnte mich bis
auf die Knochen durchschauen!«

Ein trockenes Lachen, ein Schlucken. Und sie dachte an
all diese Jahre zurück: ›Wie Reliefs auf einem Sarkophag‹,
hatte sie sich damals in den Augenblicken dieses schweren Zubettgehens gesagt.

Die Meeresbrise: grau und grün. Ein blauer Streifen
verflog gen Westen.

»Da hat er mich dann geschlagen... (ein Blick zum
Horizont)... Er hat mir buchstäblich ›die Fresse poliert‹!«

Ihre Stimme brach. Sie hätte hinzufügen können: ›Zu
jener Zeit lief ich durch die Straßen von Algier, ich lief
und lief, so als würde mein Gesicht mir gleich in die
Hände fallen, so als würde ich die Stücke auflesen, so als
würde der Schmerz mir das Gesicht hinabrinnen, so
als...‹

Und sie fantasierte: Das war eine Stadt, wie geschaffen für dieses Herumlaufen, ein schwankender Raum, Straßen nur halb im Gleichgewicht, zwielichtige Komplizen, wenn einen der Wunsch überkommt, sich in die Tiefe zu stürzen... Azurblau überall.

Sie stand auf, die Vergangenheit zu ihren Füßen. Ihr zweiteiliger Badeanzug ließ ihren Körper weißer erscheinen, besonders an Hüften und Bauch.

»Ich gehe!«

Einen Augenblick lang hob sie die Arme zum Himmel empor und zog ein enges Kleid aus heller Baumwolle über ihren trocken geriebenen Körper, der nicht mit Wasser in Berührung gekommen war. Aus der roten Segeltuchtasche neben ihr holte sie – dazu bückte sie sich langsam – ein großes Stück weißen Stoffes mit matteren, seidigeren Streifen. Sie entfaltete das Tuch so behutsam, als könnte es ihr davonfliegen, und tatsächlich fiel es nicht schwer sich vorzustellen, wie sie dem makellosen Gewebe nachrannte, den riesigen Strand entlang.

Sie hüllte sich völlig in das Material, das knitternd Widerstand leistete und leise knisterte: Der Mann, der immer noch schwieg, nahm dieses Rascheln trotz des diffusen Brausens des Meeres wahr (nach all den Jahren im Gefängnis hatte sich sein Gehör geschärft).

Jetzt wirkte die weibliche Silhouette wie ein leicht flatterndes Parallelogramm; sie wandte ihm immer noch das Gesicht zu, Hals und Kopf ganz frei, aber weil der Wind unter ihren Achselhöhlen eindringen konnte, wurde sie zu einem seltsamen Fallschirm, der zwischen Erde und Himmel zu zögern schien. Sie lächelte ihm zu, zum ersten Male, trotz des vielen Weiß.

Aus ihrer Tasche holte sie nun auch eine Art Taschentuch, zur Hälfte mit weißer Spitze bedeckt, das sie zum Dreieck faltete. Sie legte es auf den Nasenrücken, verknotete es im Nacken, zog den oberen Teil des seidigen Gewebes über ihre sehr kurz geschnittenen Haare. Über der Maske aus Spitzentuch wirkten ihre hellbraunen Augen länglicher, lächelten immer noch.

»Auf Wiedersehen!«

Die Worte blieben gleichsam in der Luft hängen. Die weiße, biegsame Silhouette entfernte sich.

Der Mann wandte den Kopf und blickte ihr einen Augenblick lang nach, dann starrte er wieder aufs Meer hinaus. Grau und Grün: von Blau keine Spur mehr zu Beginn dieses Sonnenuntergangs ohne Sonne.

Am nächsten Tag blieb das Wetter unverändert. Die drückende Hitze ließ am Spätnachmittag nach: eine überreife Frucht, die langsam abfallen würde. Kilometer entfernt summten die Städte im Staub.

Der Mann ließ sich an derselben Stelle wie tags zuvor nieder. Man konnte nicht sagen, daß er wartete. Man wartet, wenn man nicht selbst über seine Zeit verfügen kann. Seit er in jenem frühen Morgengrauen den Schritt gewagt hatte – es galt, zwei rostige Metallstangen sorgfältig zu verbiegen –, seit er wie eine lange und große Raupe durch das enge Fenster gekrochen war und sich dabei die Seite blutig gerissen hatte – seitdem konnte er ganz frei über seine Zeit verfügen. Das Salzwasser hatte seine Wunde schnell vernarben lassen: Eine bräunliche Linie zog sich über die rechte Seite seines Rückens.

Sie starrte auf diesen unregelmäßigen Strich, während sie sagte:

»Die anderen füllen einen nach und nach aus… wie eine kaum merkliche Flut. Bei mir begannen sie, mich nach und nach über die Augen zu füllen… Während der letzten Monate in jenem Haus voll alter Tanten und Kusinen habe ich mir ständig gesagt: ›Den anderen zuhören, das ist alles, was not tut! Und mehr nicht.‹«

Sie dachte nach. Zwei oder drei Möwen flogen ziemlich

tief. Ein Schrei in der Ferne, zweifelhaft, ob es der Schrei eines Vogels war.

»Dem anderen zuhören! Ihm einfach zuhören, während man ihn ansieht! (eine Pause, wie zwischen zwei Strophen)... Den anderen lieben« – fuhr sie leiser fort, ein ganz klein wenig leiser –, »ihn lieben, während man ihn beobachtet, dann erlischt das eigene Fieber, der eigene Hang zur Gewalt, die Schreie, die man niemals ausgestoßen hat... (die beiden Möwen entfernten sich, das Meer übertönte die Stille).

Sobald die Stimme des anderen Sie erreicht, die Stimme eines Menschen, der leidet oder gelitten hat... und der sich Ihnen ausliefert... dann weinen Sie um ihn oder um sie, können Sie gar nicht anders als um ihn oder sie zu weinen!«

Ihre Hand begann, viel später, im Sand zu wühlen, nach Kieselsteinen zu suchen. Diesmal lag der Schleier, in den sie sich bei der Ankunft gehüllt hatte, in den sie sich beim Aufbruch wieder hüllen würde, in einer Stunde oder in zweien, wie eine tote Haut auf der Erde.

»Manchmal sage ich mir: Ich weiß nicht, wo meine Konturen sind, wie meine Figur beschaffen ist... Wozu sind Spiegel überhaupt gut?«

In diesem Augenblick kam es zur ersten Liebkosung. Der Mann erinnerte sich an den genauen Ablauf, als er später wieder in seinem finsteren Loch kauerte: Sie hob den Arm, betrachtete aufmerksam ihre Finger, spreizte sie, bewegte sie durch die Luft, und ihre Konzentration verlieh ihr ein kindliches Aussehen... Es dauerte noch eine Weile, bis sie die Hand nach dem Bein des Mannes ausstreckte; sie berührte sein Knie, betastete das Gelenk wie bei einer ärztlichen Untersuchung, ließ ihre Finger sodann über die Wade gleiten, von oben nach unten, bis zum Fuß, dann wieder hinauf. Sie streichelte ihn sehr behutsam.

»Deine Muskeln sind straff«, stellte sie fest, dann: »Ich

weiß nicht, wie alt du bist... Sag es mir nicht, es ist mir egal!«

Er hatte seinerseits eine Hand auf die zarten Finger gelegt, als sie wieder zu seinem Knie emporglitten und weiter zu seinem Schenkel. So verweilten sie mit verschränkten Händen und nahmen sich viel Zeit, um einander zu betrachten. Dann berührte er ihre rechte Brust, ohne sie zu entblößen. Sie unterbrach die beginnende Erregung.

»Ich gehe!«

Stand auf. Knistern von Stoff, trotz des Meeres. Das weiße Parallelogramm schwingt wieder zögernd.

Die Frau verschwand, der Mann blieb sitzen, bis die Nacht, eine klare Nacht allerdings, die Meeresfläche einhüllte, an den Rändern beginnend, dort hinten, auf beiden Seiten des Horizonts.

Am dritten Tag, während sie redete, aber mehr noch flüsterte (jene Jahre einer bürgerlichen Ehe, der gewaltsame Bruch, das lange, herzzerreißende Hingezogensein zu dem zweiten Mann, dem blassen, empfindsamen Halbwüchsigen, ein Drang, den sie erst nach Monaten zu meistern verstand) – hörte er ihr überhaupt zu, nichts war sicher, verstand er sie? Erst jetzt sagte sie sich, daß er schließlich auch eine ihr fremde Sprache sprechen könnte... Aber sie vertraute sich endlich jemandem an, sie murmelte, sie schüttete ihr Herz aus, das Meer sang sein ewig gleiches Lied, die Möwen kamen nicht mehr, der Vogelschrei war verstummt. In der Ferne, kilometerweit, waren die staubigen Städte zu Traumgebilden geworden, verwüstet zweifellos von Reiterscharen früherer Jahrhunderte, sie redete, sie offenbarte sich endlich, ihre Hand auf dem rechten Knie des Mannes.

Sie erklärte: »Gleich, wenn endlich alles ausgespuckt ist, der ganze Schmutz, der ganze Unrat... gleich werde ich meinen trockenen Mund auf diese Narbe am Rücken pressen, ich werde mir Zeit nehmen, ich werde mit meiner Zunge die Linie der Wunde nachzeichnen… Man hat mir ›die Fresse poliert‹, aber ich bin nicht entstellt worden, ich habe wieder einen Mund, ich habe wieder Lippen und eine Zunge… gleich!« – und die düstere Vergangenheit kam endlich ans Licht, nach und nach, in steinartigen Worten. Dieser Augenblick äußerster Spannung zwischen den beiden Menschen vibrierte von gedämpfter Musik (das Meer rauschte in der Ferne nur ganz leise).

Genau in diesem Moment tauchte hinter ihnen ein erster Soldat auf, in hellbrauner Uniform und bewaffnet.

Ein schriller Pfiff… Die Frau hörte auf zu flüstern, drehte sich nicht um.

Zwei weitere Uniformen mit Gewehren gesellten sich zu der ersten. Sie bewegten sich nicht, auch sie nicht.

An diesem Tag war die Atmosphäre nicht mehr so verhangen und drückend. Der diffuse Kreis einer Sonne, die sich anschickte unterzugehen, tauchte den ganzen Horizont in ein rosa Licht. Endlich Hoffnung auf einen schönen Sommer.

»Wir könnten aufstehen und spazierengehen«, schlug die Frau vor. Sie wollte hinzufügen: ›wie ein Liebespaar‹.

Ihr blieb dazu keine Zeit. Das riesige Tier, ein deutscher Schäferhund, kam auf sie beide zugesprungen, und er schien vor Glück zu tänzeln.

Der Mann erhob sich, wandte sich der Frau zu. Er machte einen Schritt, die Hände aneinandergelegt, so als trüge er wieder Handschellen.

Seine Finger hoben den auf der Erde liegenden weißen Schleier etwas an, ließen ihn dann los… Er hätte fast etwas gesagt: über den Schleier, über die Frau, die wartete.

Er ging auf das Tier zu, das vor Freude zitterte, das ihn und die Frau zu umkreisen begann, vielleicht wild, vielleicht liebevoll.

Etwas später entfernten sich die Silhouetten der Militärs, der Mann mit dem nackten Oberkörper in ihrer Mitte. Der deutsche Schäferhund war nicht mehr zu sehen; zweifellos lief er voraus. An dieser Stelle ähnelte der Hügel einer Düne, die jederzeit in sich zusammensinken kann.

Dem Meer zugewandt, regungslos, ihre Hände in dem weißen Schleier vergraben, den sie krampfhaft zerknüllte, weinte die Frau, weinte die Frau.

Algier, 20. 7. 78

GESTERN

Es gibt kein Exil

An diesem Morgen hatte ich die Hausarbeit etwas früher als sonst beendet, gegen neun Uhr. Mutter hatte sich verschleiert, den Korb zur Hand genommen; auf der Türschwelle hatte sie, wie jeden Tag seit drei Jahren, gesagt: »Erst nachdem wir aus unserem Land vertrieben wurden, bin ich gezwungen, wie ein Mann einkaufen zu gehen.«

»Unsere Männer haben heutzutage anderes zu tun«, hatte ich wie jeden Tag seit drei Jahren geantwortet.

»Möge Gott uns beschützen!«

Ich begleitete Mutter bis zur Treppe und beobachtete, wie sie schwerfällig – wegen ihrer Beine – hinabging.

»Möge Gott uns beschützen!« sagte ich noch einmal zu mir selbst, während ich in die Wohnung zurückkehrte.

Die Schreie begannen etwa eine Stunde später, gegen zehn. Sie kamen aus der Nachbarwohnung und verwandelten sich bald in ein Geheul. Wir drei – meine beiden Schwestern Aïcha und Anissa und ich – erkannten ihn an der Art des Empfangs, den die Frauen ihm bereiteten: den Tod.

Aïcha, die Älteste, stürzte zur Tür und öffnete sie weit, um besser hören zu können:

»Möge das Unglück fern von uns sein!« murmelte sie. »Der Tod hat die Familie Smaïn heimgesucht.«

In diesem Augenblick trat Mutter ein. Sie stellte den Einkaufskorb auf den Boden, blieb mit verstörtem Gesicht stehen und begann sich mit den Händen krampfartig an die Brust zu schlagen. Dabei stieß sie erstickte kurze Schreie aus, so als würde sie gleich in Ohnmacht fallen.

Anissa war zwar die Jüngste von uns, aber sie verlor nie den Kopf. Sie schloß die Tür, nahm Mutter den Schleier ab, packte sie bei den Schultern und setzte sie auf eine Matratze.

»Bring dich wegen des Unglücks anderer Leute doch nicht in einen solchen Zustand!« sagte sie. »Vergiß nicht, daß du ein krankes Herz hast. Möge Gott uns stets vor allem Übel bewahren!«

Während sie die Gebetsformel mehrmals wiederholte, brachte sie Wasser und besprengte Mutter, die jetzt stöhnte, auf der Matratze ausgestreckt. Dann wusch Anissa ihr das Gesicht, holte aus dem Schrank eine Flasche Eau de Cologne, öffnete sie und hielt sie ihr unter die Nase.

»Nein!« wehrte Mutter ab. »Bring mir eine Zitrone.«

Und sie begann wieder zu stöhnen.

Anissa eilte weiter geschäftig umher. Ich beobachtete sie. Von jeher hatte ich selbst ein langsames Reaktionsvermögen. Ich hörte den Klagen von draußen zu, die nicht aufgehört hatten, die zweifellos bis in die Nacht hinein nicht aufhören würden. Zur Familie Smain gehörten fünf oder sechs Frauen, und alle lamentierten im Chor, jede beteiligte sich – für immer, so schien es – an diesem vereinten Ausbruch des Schmerzes. Später würden sie das Mahl zubereiten, sich um die Armen kümmern, den Toten waschen müssen... Es gibt so viel zu tun, am Tage einer Beerdigung.

Im Augenblick bildeten die Stimmen der Klageweiber, die sich aufs Haar glichen, ohne daß sich auch nur eine durch größere Verzweiflung abhob, eine einzige lange, schluchzende Weise, und ich wußte, daß diese den ganzen Tag überschatten würde wie ein Winternebel.

»Wer ist denn bei ihnen gestorben?« fragte ich Mutter, die sich fast beruhigt hatte.

»Ihr kleiner Sohn«, sagte sie, während sie kräftig an der Zitrone schnupperte. »Ein Auto hat ihn dicht vor der Tür überfahren. Ich kam gerade vom Einkaufen zurück und mußte mit ansehen, wie er sich ein letztes Mal krümmte, fast wie ein Wurm. Die Ambulanz hat ihn ins Krankenhaus gebracht, aber er war schon tot.«

Sie begann wieder tief zu seufzen.

»Die armen Leute!« murmelte sie. »Gerade noch haben sie ihn lebensprühend nach draußen laufen sehen, und nun wird man ihn in einem blutbefleckten Tuch zurückbringen!«

Sie richtete sich etwas auf, wiederholte »lebensprühend«, ließ sich wieder auf die Matratze sinken und betete nur noch die rituellen Formeln vor sich hin, die vor Unglück schützen sollten. Aber die leise Stimme, mit der sie sich immer an Gott wandte, hatte einen etwas harten, heftigen Unterton.

»Dieser Tag hat einen üblen Geruch«, sagte ich, immer noch regungslos vor Mutter stehend. »Ich habe es schon heute morgen gespürt, aber ich habe nicht erkannt, daß es der Geruch des Todes war.«

»Du mußt hinzufügen: Möge Gott uns beschützen!« sagte Mutter schnell. Dann hob sie die Augen zu mir empor. Wir waren allein im Zimmer. Anissa und Aïcha hatten sich wieder in die Küche begeben.

»Was hast du?« fragte sie. »Du siehst blaß aus. Ist dir auch schlecht?«

»Möge Gott uns beschützen!« murmelte ich im Hinausgehen.

Mittags kam Omar als erster nach Hause. Das Weinen und Klagen hielt an. Ich hatte mich um das Essen gekümmert und gleichzeitig der Threnodie und ihren Modulationen gelauscht. Ich gewöhnte mich daran. Ich dachte, daß Omar Fragen stellen würde. Aber nein. Offenbar war er schon auf der Straße informiert worden.

Er zog Aïcha in ein Zimmer. Dann hörte ich sie miteinander flüstern. So war es immer: Wenn sich etwas Wichtiges ereignete, redete Omar zuerst mit Aïcha darüber, weil sie die Älteste und Ernsthafteste war. Früher, zu Hause, hatte Vater es mit Omar genauso gehalten, weil dieser der einzige Sohn war.

Es gab also irgend etwas Neues, und das hatte nichts mit dem Tod zu tun, der die Smains heimgesucht hatte. Ich war kein bißchen neugierig. Heute ist der Tag des Todes, alles andere wird bedeutungslos.

»Nicht wahr?« sagte ich zu Anissa, die zusammenzuckte.

»Was gibt's?«

»Nichts«, erwiderte ich, ohne mich weiter auszulassen, denn ich kannte ihre verblüfften Reaktionen, wann immer ich laut zu denken begann. Noch an diesem Morgen...

Aber woher kam nun plötzlich dieser unverschämte Wunsch, mich in einem Spiegel zu betrachten, mein Bild anzustarren, meine Haare lose über den Rücken fluten zu lassen, damit Anissa sie begutachtet, und zu sagen:

»Jetzt schau dir das nur mal an! Mit fünfundzwanzig Jahren, nachdem ich verheiratet war, nacheinander meine beiden Kinder verlor und geschieden wurde, nach diesem Exil und diesem Krieg bewundere ich mich und lächle mir zu wie ein junges Mädchen, wie du...«

»Wie ich!« sagte Anissa, und sie zuckte mit den Schultern.

Vater kam etwas spät nach Hause, weil er am *dhor*, am Freitagsgebet in der Moschee teilgenommen hatte. Er fragte sofort nach der Ursache für diese Trauer.

»Der Tod hat die Smains heimgesucht«, antwortete ich, während ich auf ihn zueilte, um ihm die Hand zu küssen. »Er hat ihren kleinen Sohn geraubt.«

»Die armen Leute!« sagte er nach kurzem Schweigen.

Ich war ihm behilflich, als er seinen üblichen Platz auf der Matratze einnahm. Als ich dann das Essen vor ihn hinstellte und darauf achtete, daß nichts fehlte, vergaß ich die Nachbarn ein wenig. Ich liebte es, Vater zu bedienen; das war, glaube ich, die einzige Hausarbeit, die mir Spaß machte. Speziell jetzt. Seit unserem Fortzug war Vater sehr gealtert. Er dachte zuviel an die Abwesenden, obwohl er nie darüber sprach, es sei denn, wir erhielten einen Brief aus Algerien und er bat Omar, diesen vorzulesen.

Während des Mahls hörte ich Mutter murmeln: »Ihnen ist heute bestimmt nicht nach Essen zumute!«

»Der Leichnam ist noch im Krankenhaus«, sagte jemand.

Vater schwieg. Er redete selten bei den Mahlzeiten.

»Ich habe überhaupt keinen Hunger«, sagte ich entschuldigend, während ich aufstand.

Die Klagen von draußen kamen mir jetzt gedämpfter vor, aber ich erkannte die Weise trotzdem. Die sanfte Weise… Das ist der Moment, sagte ich mir, da man sich an den Schmerz gewöhnt, da er fast etwas Genußvolles und Nostalgisches bekommt. Das ist der Zeitpunkt, da man fast wollüstig weint, weil das Geschenk der Tränen ein Geschenk ohne Ende ist. Das war der Zeitpunkt, als die Leichen meiner Kinder schnell erkalteten, so schnell, und ich das genau wußte…

Nach dem Essen kam Aïcha in die Küche, wo ich mich allein aufhielt. Als erstes schloß sie das Fenster, das auf die Terrassen der Nachbarn hinausging, von wo das Weinen zu mir drang. Ich konnte es aber immer noch hören. Und seltsamerweise war es das, was mich heute so ruhig machte, wenngleich ein wenig schwermütig.

»Heute nachmittag kommen Frauen her, die dich sehen und um deine Hand anhalten wollen«, begann Aïcha. »Vater sagt, der Anwärter sei in jeder Hinsicht passend.«

Wortlos wandte ich ihr den Rücken zu und ging zum Fenster.

»Was hast du denn?« fragte sie etwas lebhaft.

»Ich brauche Luft«, sagte ich, während ich das Fenster weit aufriß, damit der Gesang ungehindert eindringen konnte. Schon seit einiger Zeit war der Hauch des Todes für mich im Geiste zum ›Gesang‹ geworden.

Aïcha schwieg kurze Zeit.

»Sobald Vater weggeht, wirst du dich ein bißchen zurechtmachen«, sagte sie schließlich. »Diese Frauen wissen genau, daß wir Flüchtlinge sind, wie so viele andere auch, und daß sie dich nicht fürstlich gewandet vorfinden werden. Aber du solltest trotzdem möglichst vorteilhaft aussehen.«

»Sie haben aufgehört zu weinen«, stellte ich fest, »oder vielleicht sind sie schon müde.« Ich dachte an jene seltsame Müdigkeit, die uns mitten im tiefsten Schmerz überfällt.

»Beschäftige dich lieber mit den Frauen, die kommen werden!« entgegnete Aïcha, die Stimme leicht erhoben.

Vater und Omar waren schon weggegangen, als Hafça kam. Sie war Algerierin wie wir, und wir kannten sie von dort, ein zwanzigjähriges gebildetes junges Mädchen. In ihrem Beruf als Volksschullehrerin arbeitete sie erst, seit auch sie und ihre Mutter im Exil lebten. »Eine ehrbare Frau arbeitet nicht außer Hauses!« hatte ihre Mutter früher gesagt. Sie sagte es immer noch, aber mit einem ohnmächtigen Seufzer. Man mußte schließlich leben, und sie hatten jetzt keinen Mann mehr im Haus.

Hafça traf Mutter und Anissa bei der Zubereitung von Gebäck an, so als wäre das bei Flüchtlingen wie uns notwendig. Aber Mutters Sinn fürs Protokoll war instinktiv verankert: ein Erbe ihres früheren Lebens, das sie nicht so leicht aufgeben konnte.

»Diese Frauen, die ihr erwartet«, fragte ich, »wer sind sie eigentlich?«

»Flüchtlinge wie wir!« rief Aïcha. »Glaubst du denn, daß wir dich einem Ausländer zur Frau geben würden?«

Energisch fügte sie hinzu:

»Erinnere dich stets daran, am Tag der Rückkehr in unsere Heimat werden wir alle zurückkehren, ausnahmslos alle.«

»Der Tag unserer Rückkehr!« rief Hafça plötzlich, mitten im Zimmer stehend, die Augen träumerisch aufgerissen. »Der Tag unserer Rückkehr in die Heimat!« wiederholte sie. »Am liebsten würde ich zu Fuß zurückkehren, um die algerische Erde besser spüren zu können, um alle unsere Frauen zu sehen, eine nach der anderen, alle Witwen und alle Waisen und schließlich alle Männer, die erschöpft und vielleicht traurig sein werden, aber frei – frei! Und ich werde etwas Erde in meine Hände nehmen, oh, eine ganz kleine Handvoll Erde, und ich werde ihnen sagen: ›Seht, meine Brüder, seht diese Blutstropfen in diesen Erdkrumen, in dieser Hand, so stark hat Algerien am ganzen Leibe geblutet, an seinem ganzen riesigen Leib, so viel hat Algerien mit seiner ganzen Erde für unsere Freiheit und für diese Rückkehr bezahlt. Aber dieses Martyrium läßt uns nun Worte des Dankes stammeln. Seht ihr, meine Brüder…‹«

»Der Tag unserer Rückkehr«, unterbrach Mutter leise das eingetretene Schweigen, »…so Gott will!«

In diesem Augenblick setzten die Schreie durch das offene Fenster wieder ein, wie ein Orchester, das plötzlich zu spielen beginnt. Dann erinnerte Hafça in verändertem Tonfall: »Ich bin wegen der Unterrichtsstunden hergekommen.«

Aïcha zog sie ins Nebenzimmer.

Währenddessen wußte ich nicht, was ich tun sollte. Die Fenster der Küche und der beiden anderen Zimmer gingen auf die Terrassen hinaus. Ich ging von einem zum anderen, öffnete sie, schloß sie, öffnete sie wieder. Das alles, ohne mich zu beeilen, so als würde ich dem Gesang nicht lauschen.

Anissa hatte mich bei meinem Treiben ertappt.

»Man sieht, daß es keine Algerier sind«, kommentierte sie. »Sie sind überhaupt nicht an Leid gewöhnt.«

»Bei uns, im Gebirge«, sagte Mutter, »haben die Toten niemanden, der sie beweint, bevor sie erkalten.«

»Tränen nutzen nichts«, erklärte Anissa stoisch, »ob man nun im Bett stirbt oder auf der nackten Erde, für sein Vaterland.«

»Was weißt denn du davon?« rief ich plötzlich. »Du bist viel zu jung, um so etwas zu wissen!«

»Sie werden ihn bald zu Grabe tragen«, flüsterte Mutter.

Dann hob sie den Kopf und betrachtete mich. Ich hatte das Fenster hinter mir wieder geschlossen. Ich hörte nichts mehr.

»Man wird ihn noch heute zu Grabe tragen«, wiederholte Mutter etwas lauter. »Das ist nun einmal unser Brauch.«

»Man dürfte das nicht tun«, widersprach ich. »Es ist ein abscheulicher Brauch, einen Körper der Erde auszuliefern, in dem noch Schönheit flackert! Ein wirklich gräßlicher Brauch... Mir kommt es so vor, als würde man einen Körper beerdigen, der noch erschaudert, der noch...« Aber ich hatte meine Stimme nicht mehr unter Kontrolle.

»Denk nicht mehr an deine Kinder!« sagte Mutter. »Die Erde, die man auf sie geworfen hat, ist für sie eine Decke aus purem Gold. Meine arme Tochter, denk nicht mehr an deine Kinder!« wiederholte Mutter.

»Ich denke an gar nichts«, erwiderte ich. »Nein, wirklich, ich will an nichts denken. An gar nichts!«

Es war schon vier Uhr nachmittags, als sie erschienen. In der Küche, wo ich mich versteckt hatte, hörte ich sie nach den üblichen Höflichkeitsformeln bestürzt rufen:

»Was sind das für Wehklagen?«

»Möge das Unheil uns fernbleiben! Möge Gott uns davor bewahren!«

»Ich habe eine Gänsehaut!« sagte die dritte. »Ich hatte Tod und Tränen zur Zeit vergessen. Ich hatte sie vergessen, obwohl unsere Herzen immer schwer sind.«

»Das ist der Wille Gottes!« Das war wieder die zweite.

Mutter erklärte mit ruhiger Stimme die Ursache für diese Trauer, während sie die Besucherinnen in das einzige Zimmer bat, das wir hatten anständig einrichten können. Anissa, die in meiner Nähe stand, machte schon erste Bemerkungen über die Gesichter der Frauen und fragte Aïcha aus, die zusammen mit Mutter den Besuch begrüßt hatte. Ich selbst hatte das Fenster wieder geöffnet und beobachtete, wie die beiden ihre Eindrücke austauschten.

»Woran denkst du nur?« fragte Anissa, die mich im Auge behalten hatte.

»An gar nichts«, erwiderte ich matt, doch nach kurzer Zeit fügte ich hinzu: »Ich dachte über die verschiedenen Gesichter des Schicksals nach. Ich dachte an den Willen Gottes. Hinter dieser Wand gibt es einen Toten und Frauen, die vor Schmerz fast verrückt werden. Hier, bei uns, reden andere Frauen von Ehe… Ich dachte an diesen Gegensatz.«

»Hör auf zu ›denken‹!« unterbrach Aïcha scharf. An Hafça gewandt, die gerade eintrat: »Ihr müßtest du Unterricht geben, nicht mir. Sie verbringt ihre ganze Zeit mit Denken. Fast könnte man glauben, sie hätte genauso viele Bücher gelesen wie du.«

»Und hättest du nicht Lust dazu?« fragte mich Hafça.

»Ich brauche nicht Französisch zu lernen«, erwiderte ich. »Wozu sollte das gut sein? Vater hat uns allen Unterricht in unserer Sprache gegeben. ›Nur das ist notwendig‹, sagt er immer.«

»Es ist nützlich, andere Sprachen als die eigene zu beherrschen«, sagte Hafça langsam. »Das ist so, als würde man andere Menschen, andere Länder kennen.«

Ich gab keine Antwort. Vielleicht hatte sie recht. Vielleicht müßte man etwas lernen, anstatt – wie ich – die Zeit zu vergeuden, indem man seinen Geist durch die öden Korridore der Vergangenheit schweifen ließ. Vielleicht müßte man Unterricht nehmen, in Französisch oder irgend etwas anderem. Aber ich, ich verspürte nie das Bedürfnis, meinen Körper oder Geist zu trainieren… Aïcha war ganz anders. Wie ein Mann: hart und arbeitsam. Sie war dreißig. Seit drei Jahren hatte sie ihren Mann nicht mehr gesehen, der seit den ersten Kriegstagen im Barberousse eingesperrt war. Trotzdem bildete sie sich weiter und begnügte sich nicht einfach mit der Hausarbeit. Nach nur wenigen Monaten Unterricht bei Hafça brauchte Omar ihr die seltenen Briefe, die ihr Mann ihr schreiben durfte, nicht mehr vorzulesen. Sie konnte sie selbst entziffern. Manchmal beneidete ich sie.

»Hafça«, sagte sie jetzt, »es wird Zeit für meine Schwester, die Damen begrüßen zu gehen. Könntest du sie begleiten?«

Aber Hafça wollte nicht. Aïcha beharrte darauf, und ich beobachtete dieses Spielchen, das den Höflichkeitsregeln entsprach.

»Weiß man, ob der Leichnam schon abgeholt worden ist?« fragte ich.

»Was? Hast du denn vorhin die Rezitation nicht gehört?«

»Deshalb also hatten die Totenklagen für kurze Zeit

aufgehört«, murmelte ich. »Es ist schon eigenartig, daß die Frauen aufhören zu weinen, sobald einige Verse des Korans rezitiert werden. Und trotzdem ist das der schlimmste Moment, ich weiß es. Solange die Leiche noch da ist, vor einem liegt, scheint das Kind nicht wirklich tot zu sein... Es kann doch nicht tot sein, sagt man sich, versteht ihr? Dann kommt der Augenblick, wo die Männer aufstehen, um das Kind, in ein Tuch gehüllt, auf ihre Schultern zu heben. Und es entschwindet, so schnell, wie es einst zur Welt gekommen ist... Für mich – möge Gott mir verzeihen! – können sie noch so viele Koranverse rezitieren, das Haus bleibt doch leer, sobald sie weggehen, ganz leer...«

Hafça lauschte, ihren Kopf dem Fenster zugewandt. Dann drehte sie sich schaudernd nach mir um. In diesem Moment kam sie mir sogar noch jünger als Anissa vor.

»Mein Gott«, sagte sie bewegt. »Ich bin vor kurzem zwanzig geworden, und trotzdem bin ich noch nie dem Tod begegnet. Noch nie in meinem ganzen Leben!«

»Hast du keine Angehörigen in diesem Krieg verloren?« fragte Anissa.

»Doch«, erwiderte sie. »Aber die Nachrichten kommen immer brieflich. Und, seht ihr, an den Tod per Post kann ich einfach nicht glauben. Ich hatte einen Vetter ersten Grades, der als einer der ersten im Barberousse guillotiniert wurde, und ich habe nie um ihn geweint, weil ich nicht glauben kann, daß er tot ist. Und dabei war er für mich wie ein Bruder, das schwöre ich. Aber ich kann nicht glauben, daß er tot ist, versteht ihr?« sagte sie mit einer Stimme, die schon von Tränen erstickt war.

»Jene, die für die Sache sterben, sind nicht wirklich tot!« erklärte Anissa mit einem Anflug von Stolz.

»Denken wir also an die Gegenwart! Denken wir an heute!« sagte Aïcha trocken. »Alles andere liegt in Gottes Hand.«

Sie waren zu dritt: eine alte Frau, bei der es sich um die Mutter des Bewerbers handeln mußte und die hastig ihre Brille aufsetzte, als ich das Zimmer betrat, sowie zwei jüngere Frauen, die sich ähnlich sahen und nebeneinander saßen.

Hafça, die hinter mir eingetreten war, nahm neben mir Platz. Ich senkte die Augen.

Ich kannte meine Rolle, denn ich hatte sie ja schon einmal gespielt; stumm dasitzen, mit gesenkten Lidern, und mich bis zum Schluß geduldig anstarren zu lassen: Das war einfach. Vorher ist alles einfach für ein Mädchen, das man verheiraten will.

Mutter redete. Ich hörte kaum zu. Ich kannte nur allzugut die Themen, um die es gehen würde: Mutter würde die traurige Lage von uns Flüchtlingen schildern; dann würde man darüber diskutieren, wann das alles zu Ende sein könnte: »... noch ein Ramadan, den wir fern der Heimat verbringen müssen... vielleicht der letzte... vielleicht, so Gott will! Allerdings haben wir das auch schon letztes Jahr gesagt, und das Jahr davor... Wir wollen nicht zu sehr klagen... Der Sieg ist uns jedenfalls gewiß, das sagen alle unsere Männer. Wir, wir wissen, daß der Tag der Rückkehr anbrechen wird... Wir müssen an jene denken, die geblieben sind... Wir müssen an das leidende Volk denken... Das algerische Volk ist ein Volk, das von Gott geliebt wird... Und unsere Kämpfer sind wie aus Stahl...« Dann würde man wieder auf die näheren Umstände der Flucht zu sprechen kommen, auf die verschiedenen Mittel, die jeder angewandt hatte, um seine in Flammen stehende Erde zu verlassen... Dann würde man die Tristesse des Exils beschwören, das Herz, das sich nach dem Vaterland sehnt... Und die Angst, fern der Heimaterde zu sterben... Dann... aber gelobt sei Gott, der unsere Gebete erhören möge!

Diesmal dauerte es etwas länger, eine Stunde vielleicht

oder mehr. Bis zu dem Augenblick, da der Kaffee gebracht wurde. Ich hörte kaum noch zu. Auch ich dachte, aber auf meine Weise, an dieses Exil und an diese düsteren Tage.

Ich dachte, wie sehr sich alles verändert hatte: Am Tag meiner ersten Verlobung saßen wir im langen hellen Salon unseres Hauses auf den Hügeln von Algier, und wir waren wohlhabend, lebten in Wohlstand und Frieden; Vater lachte viel und dankte Gott für den Überfluß... Und auch ich selbst war eine andere, meine Seele war nicht grau und düster wie heute, da der Gedanke an den Tod seit dem Morgen leise an mir nagte... Ja, ich dachte, daß alles sich verändert hatte, daß aber in mancher Hinsicht trotzdem alles beim alten blieb. Man versuchte immer noch, mich zu verheiraten. Wozu eigentlich? fragte ich mich plötzlich. Wozu eigentlich? wiederholte ich insgeheim und verspürte so etwas wie Wut oder deren Echo. Um Sorgen zu haben, die sich nie ändern, weder in Kriegs- noch in Friedenszeiten, um mitten in der Nacht aufzuwachen und mich zu fragen, was wohl im tiefsten Herzensgrunde des Mannes begraben sein mag, der mein Lager teilt... Um Kinder zu gebären und zu weinen, denn das Leben kommt nie allein zu einer Frau, der Tod lauert immer hinter ihr, verstohlen, schnell, und er lächelt den Müttern zu... Ja, wozu eigentlich? fragte ich mich.

Der Kaffee wurde jetzt serviert. Mutter forderte die Besucherinnen auf zu trinken.

»Wir werden keinen Tropfen anrühren«, begann die Alte, »solange wir nicht Ihr Wort haben, daß Sie in die Heirat Ihrer Tochter einwilligen.«

»Ja«, sagte die zweite, »mein Bruder hat uns empfohlen, nicht ohne Ihr Versprechen zurückzukommen, sie ihm zur Frau zu geben.«

Ich hörte, wie Mutter eine ausweichende Antwort gab, sich heuchlerisch bitten ließ und wieder zum Kaffeetrinken aufforderte, nunmehr von Aïcha unterstützt. Die Frauen wiederholten ihre Bitte... Das war so üblich.

Dieses Spiel wurde noch einige Minuten fortgesetzt. Mutter beschwor Vaters Autorität:

»Ich für meine Person würde sie Ihnen ja geben... Ich weiß, daß Sie gute Menschen sind... Aber da ist noch ihr Vater...«

»Ihr Vater hat meinem Bruder bereits seine Einwilligung gegeben«, entgegnete die eine der beiden Frauen, die sich ähnlich sahen. »Die Frage muß nur noch unter uns erörtert werden.«

»Ja«, bestätigte die zweite, »jetzt haben wir das Wort. Regeln wir die Angelegenheit.«

Ich hob den Kopf. Es war, glaube ich, in diesem Augenblick, daß ich Hafças Blick begegnete. Tief in ihren Augen war ein seltsames Leuchten, interessiert zweifellos oder auch leicht ironisch, ich weiß es nicht, aber man spürte, daß sie eine Außenseiterin war, aufmerksam und zugleich neugierig, aber eben eine Außenseiterin. Ich hielt diesem Blick stand.

»Ich will nicht heiraten«, sagte ich. »Ich will nicht heiraten!« wiederholte ich fast schreiend.

Im Zimmer gab es einen großen Aufruhr: Mutter stand mit einem tiefen Seufzer auf, Aïcha errötete, wie ich sah, und die beiden jüngeren Frauen wandten sich mir mit identischen Bewegungen langsam und schockiert zu.

»Und warum nicht?« fragte eine von ihnen.

»Mein Sohn«, rief die Alte hoheitsvoll, »mein Sohn ist ein Mann der Wissenschaften. In einigen Tagen wird er in den Orient reisen.«

»Selbstverständlich!« sagte Mutter mit rührender Hast. »Wir wissen, daß er ein Gelehrter ist. Wir kennen sein rechtschaffenes Herz... natürlich...«

»Es geht nicht um deinen Sohn«, erklärte ich. »Aber ich will nicht heiraten. Ich sehe die Zukunft vor meinen Augen, und sie stellt sich mir rabenschwarz dar. Ich weiß nicht, wie ich es erklären soll, zweifellos ist es gottgewollt... Aber die Zukunft stellt sich mir rabenschwarz dar!« wiederholte ich schluchzend, während Aïcha mich schweigend hinausführte.

Später... aber wozu eigentlich den Fortgang erzählen, außer daß ich mich in Scham verzehrte und nichts verstand. Nur Hafça war bei mir geblieben, nachdem die Frauen gegangen waren.

»Du bist verlobt«, berichtete sie traurig. »Deine Mutter hat gesagt, daß sie ihre Einwilligung gibt. Wirst du das akzeptieren?« Sie warf mir einen flehenden Blick zu.

»Was spielt das schon für eine Rolle?« sagte ich, und ich dachte wirklich insgeheim: Was macht das schon? »Ich weiß nicht, was vorhin über mich gekommen ist. Aber sie haben alle von der Gegenwart geredet und von den damit verbundenen Veränderungen und Schicksalsschlägen. Ich sagte mir plötzlich: Was kann es denn für einen Sinn haben, fern unserer Heimat so zu leiden, wenn ich weiterhin, wie früher, wie in Algier, herumsitzen und mich an einem Spiel beteiligen muß... Wenn das Leben sich verändert, müßte sich vielleicht auch alles andere ändern, einfach alles. Über all das dachte ich nach«, sagte ich, »aber ich weiß nicht einmal, ob das gut oder schlecht ist... Du, die du intelligent bist und über vieles Bescheid weißt, vielleicht wirst du mich verstehen...«

»Ich verstehe!« sagte sie zögernd, so als wollte sie zu sprechen beginnen und zöge es im letzten Moment vor zu schweigen.

»Öffne das Fenster«, bat ich. »Der Tag geht bald zu Ende.«

Sie öffnete es, und dann kehrte sie zu meinem Bett zurück, auf das ich mich geworfen hatte, um zu weinen, grundlos, aus Scham und zugleich vor Erschöpfung. In dem nun folgenden Schweigen beobachtete ich distanziert, wie die Nacht allmählich ins Zimmer eindrang. Die

Geräusche aus der Küche, wo meine Schwestern sich aufhielten, schienen von anderswoher zu kommen.

Dann begann Hafça zu sprechen:

»Dein Vater hat einmal über das Exil gesprochen, über unser gegenwärtiges Exil, und er hat gesagt – oh, ich erinnere mich gut daran, denn niemand kann so reden wie dein Vater – er hat gesagt: ›Es gibt kein Exil für einen Menschen, den Gott liebt. Es gibt keine Verbannung für den, der auf Gottes Wegen wandelt. Es gibt nur Prüfungen!«

Sie redete noch eine Zeitlang, aber ich habe alles weitere vergessen; ich weiß nur noch, daß sie sehr oft ›wir‹ sagte, mit leidenschaftlicher Betonung. Sie sagte dieses Wort mit besonderem Nachdruck, so daß ich mich gegen Ende fragte, ob dieses Wort nur uns beide meinte, ob es nicht vielmehr die anderen Frauen mit einbezog, alle Frauen unseres Landes.

Ehrlich gesagt, selbst wenn ich das gewußt hätte – was hätte ich ihr antworten können? Hafça war für mich zu gebildet. Und das hätte ich ihr sagen wollen, als sie verstummte und vielleicht auf meine Worte wartete.

Aber es war eine andere Stimme, die antwortete, eine Frauenstimme, die sich durch das offene Fenster pfeilgerade zum Himmel emporschwang, sich entwickelte und im Flug entfaltete, im weiten Flug eines Vogels nach dem Sturm, und dann plötzlich in einen Strudel geriet und jäh abstürzte.

»Die anderen Frauen sind verstummt«, sagte ich. »Die einzige, die jetzt noch weint, ist die Mutter… So ist das Leben«, fügte ich nach kurzem Schweigen hinzu. »Es gibt jene, die vergessen oder einfach schlafen. Und jene, die ständig gegen die Mauern der Vergangenheit anrennen. Möge Gott sich ihrer erbarmen!«

»Das sind die eigentlichen Verbannten«, sagte Hafça.

Tunis, März 1959

98

Die Toten sprechen

für Lla Fatma Sahraoui,
meine Großmutter mütterlicherseits,
als postume Hommage

I

Beim Begräbnis der Ahne sind die Gespräche in vollem
Gang. Aïcha beobachtet. Geistesabwesend. Die anderen
halten sie für abwesend. Wegen ihres fahlen Gesichts,
wegen der trüben Augen, die ausdruckslos wirken. Ge-
beugte Schultern, ein schon verblühter Körper, den eine
helle Tunika umschlottert. Seit Jahren immer dieselbe,
von undefinierbarer Farbe. Die Besucherinnen – eine
Schar in neugieriger Erwartung, weiße Schleier, die über
die langen schwarzen Haare gleiten und im Nacken Falten werfen – die Besucherinnen überfluten das viel zu
große Haus. Aïcha sitzt da und beobachtet.

Aïcha, Vorname einer offenen Blume, die aber vor un-
denklichen Zeiten geknickt wurde und dahinwelkte.
Während dieses Krieges hat man weder Tage noch Monate gezählt. Und die Zeit vor dem Krieg scheint versunken zu sein, fast sogar schon aus dem Gedächtnis ge-
tilgt.

Die stärkere Brandung dieser letzten Jahre, auch wenn
die Jungfrauen weiterhin aufblühten (traurig lächelnde
Gesichter, die Lider oft gerötet, aber die Wangen wider
Willen von der kräftigen Farbe der Morgenröte, mit üp-
pig gerundeten weiblichen Körpern...). Was die Jungen
betraf, die bald in die Pubertät kommen würden, so zerriß die Sorge um sie ihren Müttern fast das Herz.

...»rauben, wer wird sie rauben, das Gebirge oder irgendein nächtliches Kommando, eine Muskete, die auf sie feuern wird...«

Die Brandung hat alles mit Bitterkeit überzogen, für manche Frauen unwiderruflich.

Beim Begräbnis der Ahne sind die Gespräche in vollem Gang.

Aïcha, auf dem Boden kauernd. Zwei Schritte entfernt die Tote, ausgestreckt unter dem makellosen Tuch. Überall das Weiß von Woll- und Seidenstoffen, glänzende schwarze Haare darunter fast verborgen, rot marmorierte Gesichter. Eine Frau schnieft leise. Hitze im Raum, gedämpftes Stimmengewirr. Dezent.

Aïcha beobachtet. Ihre Augen fast wimpernlos, abgenutzt von nächtlichen Tränen. Sie weint nicht. Sie schneuzt sich von Zeit zu Zeit. Neugier der weißen Schleier, die sich um sie herum tummeln. Eine neu aufgerissene Wunde, wie bei jeder Zeremonie, wenn das Haus anderen offenstehen muß, bei einem Trauerfall oder einer Hochzeit im Stamm... Aïcha hebt den Kopf. Der Stamm? Das war einmal... Während dieses Krieges stand die Ahne wie eine Eiche inmitten des Sturms. In den letzten fünf Jahren huschten sie beide, stumme Schatten, durch diese bürgerlichen Räume. Im ersten Stock mit seinen verglasten Terrassen trabte Aïchas Sohn hinter der alten Hadda her, der Toten von heute. Dann kam er herunter und rollte sich in den Vertiefungen der Matratzen zusammen. Zwei einsame Frauen, ein Kind. Das Schweigen.

»Diese fünf Jahre des Schweigens, ich würde sagen...«

»Leiser, sie hört uns zu!«

»Als wüßte die Ärmste nicht selbst, daß diese fünf Jahre des Wartens die Alte umgebracht haben.«

»Leiser, sage ich dir... Aïcha...«

»Und er?«

»Er?«

»Wann ist er gekommen?«

»Die Nachbarin von gegenüber, die immer an ihrem Fenster lauert...«

»Ja?«

»Sie hat ihn beim erstenmal eintreten sehen! Yemma Hadda war noch nicht tot...«

»Die Glückliche!«

Aïcha träumt. Die Besucherinnen schwatzen. Verschiedene Orte, in ihrem Gedächtnis fest verankert, mit denselben städtischen Statistinnen, verschiedene Zeremonien zu verschiedenen Zeiten. Fixe Bilder, die ihr lebhaft vor Augen stehen, während sie blind vor sich hinstarrt.

...das blutbefleckte Bett einer Wöchnerin mit entspannten Muskeln, neben ihr das wimmernde Neugeborene, das – ein Junge – mit Segenssprüchen überschüttet wird...

...die Leiche eines in der Nacht Erschossenen, den man hierhergebracht hat, umgeben von plötzlich erstarrten Klageweibern, halb geöffnete Lippen, die keinen Schrei zustande bringen...

...der gleiche niedrige Tisch für Kaffee oder Pfefferminztee, die gleichen Grießkuchen...

...und diese Frauen, die immer präsent sind, die psalmodieren, flüstern, ihre Köpfe zusammenstecken, an ihren Schleiern herumzupfen, wobei die Falten unter ihren schweren Schenkeln knistern.

Aber überall, aus all diesen Jahren, die vom Krieg zerschmettert wurden wie gekenterte Schiffe im Sturm, aus all den geknebelten Mündern dringen erstickte Schreie hervor, verklingen wie in einer Dämmerung, wie in einer langen Fermate – Schreie, vom Grauen erzeugt und über dem lärmenden und wogenden Hintergrund dieser Besucherinnen hängend... Aïcha schüttelt den Kopf und versucht, das Stimmengewirr all jener Orte zu vertreiben, um nur stumme Bilder an sich vorbeiziehen zu lassen.

Die dort, dort drüben, im halbdunklen Hintergrund, ein Mondgesicht unter weißem Schleier. Ihre beiden Schwiegertöchter sitzen links und rechts neben ihr, sittsam, düster dreinblickend. Witwen alle drei. Die Alte hat im Innenhof ihres eigenes Hauses, in der Nähe des Jasmins, unter den Fackeln, ihren fünfzigjährigen Mann und ihre beiden Söhne fallen sehen. Der Mann, erfüllt von der gelassenen Kraft eines Löwen, die Söhne gestandene Männer, in denen sie die Stützen ihres Alters gesehen hatte. Im Winter davor hatte sie die beiden in ein und derselben Nacht verheiratet, inmitten von Chören...

> ...drei Männer, in ein und derselben Nacht getötet. Eine rasende Horde, angeführt vom Sohn des maltesischen Unternehmers, eingeschlagene Tür zum Patio, lauter Lärm von Waffen und Reitern, zerbrochene Gläser der Petroleumlampen, Horde über der Stadt. Wie eine Flut...
>
> ...Frauengemach. An den Wänden Schatten von nackten erhobenen Armen, die an Haaren reißen. Gellende Schreie, lang anhaltend...

Die dort, dort drüben, im Hintergrund, ihr Mondgesicht heute fast heiter. Zwei Jahre war sie stumm. Ließ sich nur bei unvermeidlichen Anlässen von besonderer Bedeutung blicken, bei anderen Trauerfällen, Zeichen der Anteilnahme am Schmerz anderer Familien. Zwei Jahre. Heute spricht sie wieder. Aïcha beobachtet, wie sie spricht. Selbstverständlich lächelt sie nicht. Unwandelbare Trauerseide tief ins Gesicht gezogen, die Lidränder streifend. Aber sie reckt den Hals, um zuzuhören. Antwortet bruchstückhaft.

Die beiden Schwiegertöchter in ihrem Gefolge berühren die geröteten Gesichter unter ihren Schleiern. Zupfen den Stoff über einer feuchten Stirn oder unter dem Kinn zurecht. Blicken nicht mehr so düster drein.

Andere Frauen ringsum. Aïcha kennt sie. Jene, die über den Ablauf von Tagen und Schicksalen genau Bescheid wissen. Die Chronistinnen. Ohne jeden Hang zu Verleumdungen. Aus dem Wunsch heraus, einfach Bericht zu erstatten.

Vielleicht auch aus dem Wunsch heraus, den Ereignissen größere Bedeutung zu verleihen, durch Worte, durch den Tonfall, durch schwere Seufzer, diese Ereignisse in Ballons der Hoffnung oder in Abgründe des Schreckens zu verwandeln.

All dies dumpfe Herzklopfen inmitten des Stimmengewirrs, die Ohnmacht ungeweinter Tränen und formelhafter Wendungen. Abgegriffene Worte, die irgendeinen Ausweg bieten sollen.

…unbekannter Grund für das Gemurmel der Frauen, wer – o barmherziger Gott! – wer wird Licht in dieses Dunkel bringen?

Aïcha verschließt sich dem Lärm. Aber ihr Blick schweift langsam in die Runde, erfaßt jedes Gesicht, nimmt die summende Gemütsbewegung jeder Gruppe wahr.

Und ich, die ich die Toten begleite, wer auch immer sie sein mögen, neu Entschlafene oder schon längst unter ihrem Stein in Sand und Schlamm Ruhende, ich, das eigentliche Leichentuch der sauber gewaschenen ebenso wie der trotz wohlriechender Spezereien nach Verwesung stinkenden Toten, ich, die ich – könnte man sagen – die fragende Seele bin, die entweicht oder sucht oder wartet, ich, die ich mich als lähmender Schutzmantel ausgebe, als viel zu reale letzte Maske, weil ich die ursprüngliche

Unmittelbarkeit wiederherstellen muß, neu und unzwei-
deutig, ich bin allerorten, wo sich den Sitten und Bräu-
chen gemäß viele Zeugen um eine erkaltete Leiche scha-
ren, schon vergeßlich, schon untreu werdend, doch ihr
gemeinsames Vergessen abwägend, und ich, ihrer aller
unhörbare Stimme, ich stelle pedantisch die Distanzen
wieder her, schätze die Beziehungen neu ein.

Plötzlich ein unwirkliches Bild für die regungslose Aïcha.
Einige Städterinnen wedeln mit ihren Vorkriegsfächern.
Lassen sich nieder. Machen es sich bequem.

Genau in der Mitte des Zimmers – die Tote. Das Leichentuch berührt fast Aïchas gekreuzte Knie. Es zeichnet
die Kopfform nach, zieht sich über den Körper, bildet in
Höhe des Magens einen kleinen Kegel (die Ahne war
groß und hager, litt aber an Aerophagie). Unten bilden
die Füße zwei Hörner.

Yemma Hadda, auf dieses Relief reduziert.

»Wie oft, oh, wie oft...«

»Beim letzten Mal stand sie noch aufrecht vor
mir... Ich sehe sie noch, die Ärmste! Ich...«

»Zittre nicht! Buchstabiere den Namen Gottes,
buchstabiere ihn...«

Wie oft hat Aïcha in den Abendstunden ein anderes
Tuch um Hüften und Füße der Ahne gelegt... Nicht hier!
Nicht mitten im Raum... Ohne aufzustehen, weicht Aï-
cha zurück.

Die Besucherinnen loswerden, die Woge des Ge-
murmels ersticken, aufspringen!

Aufspringen, o ja, trotz der scheinbaren Unsicherheit.
Mit nackten Schultern, vibrierendem Körper. Über diese
kauernden Leiber hinwegsteigen. Über diese unterwürfigen Leiber... Das Tuch auf dieselbe Weise wie immer um
die schlafende Ahne legen.

»Das letzte Mal…«

»Mein Sohn hat mich im Morgengrauen geweckt: ›Yemma ist entschlafen.‹ Ihm ist die Stimme gebrochen. Der Arme, man hätte glauben können, er hätte seine eigene Großmutter verloren!…«

»Gott segne ihn…«

Yemma schläft, nicht wahr? Aïcha beharrt eigensinnig darauf. Wenn sie den Arm ausstrecken würde, könnte ihre Hand das verhüllte Gesicht berühren. Dann käme es zu dem üblichen Dialog, der jeden Tag beschloß.

»Sag mir«, fragte Hadda, »ruht der Kleine?«

Das Gesicht von Müdigkeit zerknittert, bedankte sie sich mit Segenssprüchen.

»Er schläft, Yemma!«

»Dieser Knabe wird deine Morgenröte sein! Vergiß es nicht, sage ich dir!«

»Möge Gott dich erhören, Yemma Hadda!«

Täglicher Dialog in der Abenddämmerung.

Ja, sich von dem Geschwätz befreien. Die Besucherinnen vergessen. Einige Gesten: dieses Tuch anheben, es anders hinlegen, so wie gestern.

Es ist wieder gestern, und ich höre sie. Yemma Hadda sorgt sich noch um den Kleinen, sieht seine zukünftige Rolle. Sie hat es mir versprochen wie einen Schutzmantel des Schicksals… Möge Gott sie erhören! Oh, ihr alle, wenn ihr wüßtet!

Aïcha bleibt sitzen. Yemma wird nie mehr sprechen. Der Kleine… Aïchas Junge, ›Aïcha-die-Verstoßene‹, sie stellt sich das Geraune der Klatschweiber in der Stadt vor:

Ein Waisenkind, um nicht zu sagen ein Bastard, das der eigene Vater nicht haben und nicht kennen wollte!

Aïcha, kaum Mutter geworden, hatte nur dieses hier gefunden, Haddas entschlossene Zuversicht. Hadda, eine entfernte Tante. An einem Wintermorgen stand Aïcha auf der Schwelle, einen Koffer in der Hand, ihr fünf Monate altes Kind auf dem Arm:

»Du allein bist vom Fleisch und Blut meiner Mutter noch übrig...«

»Tritt ein, meine Tochter, ja, ich war es, die dich gerufen hat!«

Das war jetzt fünf Jahre her, diese Ankunft von Aïcha-der-Verstoßenen.

Genau in der Mitte des Zimmers – die Tote. Der amphorenförmige Bauch, durch das Tuch betont. Im Hintergrund des großen Zimmers ist der Spiegel des Kirschbaumschrankes mit einem zweiten Tuch verhüllt. Einige Matratzen, grau zugedeckt. Aneinandergedrängte Frauenleiber allüberall, wie Häuflein geleimter Schwalben. Dazwischen ist stellenweise der bunte Aurès-Teppich zu sehen. Vor der Schwelle, auf den roten Fliesen, ein Durcheinander schwarzer Pantoffeln, denn die alten Frauen ziehen ihre Schuhe aus, bevor sie eintreten. Entschleiern ihre Gesichter. Stöhnen, sobald sie zwischen zwei Hinterteilen Platz gefunden haben.

Eine zuletzt Angekommene bahnt sich mühsam den Weg, streift an knisternden Schleiern vorbei, wird im Flüsterton begrüßt. Sie kommt näher. Beugt sich über die horizontalen Umrisse. Aïcha, plötzlich aufmerksam.

Eine Sekunde Schweigen. Alle Köpfe geneigt. Die Blicke konzentriert. Der Lärm verebbt langsam, sanft, ein entschwindender Nachen... In der Mitte des Zimmers hebt die Dame mit beringter Hand das Leichentuch an.

Ein flüchtiger Blick auf Haddas Gesicht: die Lider tief in die Augenhöhlen eingesunken, die lange Linie der kräftigen Nase, wächserne Haut, die alles bleicht. Einen Moment lang.

Schreien, Zuflucht nehmen zu händeringender Klage, sich vor Grauen alles vom Leibe reißen – Schleier und Haut –, diese scheinbare Ruhe erschüttern!

Aïcha verharrt regungslos, beobachtet. Niemand weiß etwas. Und was gibt es schon zu wissen, das Kind…

»Hassan… Er heißt Hassan«, flüstert die Frau, die den Kleinen hilfreich zu seiner Mutter führt.

»Hassan? Hat Yemma Hadda diesen Namen ausgewählt?«

»In Wirklichkeit heißt er Amine, aber die Alte hat ihn Hassan genannt, seit er in ihr Haus gekommen war.«

»Sie glaubte also, daß ihr Enkel tot sei?«

»Nein… Fünf Jahre ohne jedes Lebenszeichen, und trotzdem hat sie die Hoffnung nie aufgegeben!«

»Sieh mal… Aïcha… ihr Sohn zu ihren Füßen, und sie rührt sich nicht!«

Das Kind – »schön und kräftig«, macht eine Unbekannte mit freundlichem Gesicht unweit von Aïcha dieser ein Kompliment, aber Aïcha lächelt nicht – ein ruhiger kleiner Junge, viel zu ruhig. Wachsame Augen von geradezu beklemmender Schwere, so als bargen sie einen zerstreuten Groll. Die gewölbte und eigensinnige Stirn seines Vaters, jenes ›Hitzkopfs‹, der aus der Stadt verschwunden war, den Gerüchten zufolge tot sein soll, gestorben als Held der Berge oder als Verräter, wer wird das je wissen…

Das Kind ist still. Ruhig. Aus dumpfem Schlaf erwacht, weint es nicht. Es weint nie. Nie! Das Schweigen in Haddas Haus hat sein ganzes Wesen durchdrungen, dieses viel zu große Haus mit den syrischen Möbeln, der modernen Küche, der gepflegten Einrichtung im ersten Stock, weite Räume, durch das Warten auf den verschollenen Erben wie verwunschen.

Das Kind…

»Amine!« ruft Aïcha.

Er hebt die Augen.

»Hast du keinen Hunger?«

Er gibt keine Antwort. Starrt auf das gewölbte Tuch.

Yemma schläft, mein Liebling, mein Herz!

Amine wendet sich seiner schweigenden Mutter zu. Gestern hat ein Mann dieses Haus betreten. Hassan. Der Name, der hier in all den Jahren lebendig war.

Ohne die Heldenuniform. Eine Enttäuschung für das Kind. Ein ganz gewöhnlicher Mann, kaum größer als der Milchhändler, der jeden Morgen kommt, und fast genauso steif wie der Pächter, der jeden Freitag kommt... Er hat dieses Zimmer hier betreten.

In einer Ecke, auf ihren zwei Matratzen, Yemma. Man hatte sie etwas aufgerichtet. Ihre Ohren auf beiden Seiten des großen Kopfkissens plattgedrückt, eine Daunendecke schräg über dem Körper. Das wächserne Gesicht in der Nähe der weiß getünchten Wand. Die Augen riesengroß, aber ausdruckslos. Die Nase kolossal, das Gesicht gelähmt.

Der Mann bückte sich etwas, während er den Türvorhang anhob. Einige Schritte, dann blieb er stehen. Aïcha machte eine stumme Armbewegung in Richtung der Großmutter. Sie flüsterte etwas, was, das konnte der Junge nicht verstehen. Sie packte ihn bei den Schultern, grub ihre Finger krampfhaft in seine Haut. Zusammen verließen sie den Raum.

Der Mann ohne Uniform und Yemma. Das Bild hat sich tief eingeprägt. Amine betrachtet das Tuch.

Versteht er? Aïcha fragt sich das, zieht ihn an sich.

»Das ist alles, was ihr bleibt!« murmelt in der Nähe der Türschwelle eine Nachbarin, die von dort hinten Aïchas Bewegung gesehen hat. »Der wohlbehalten aus dem Gebirge zurückgekehrte Sohn!... Das ist ihr Vetter, kurz gesagt, ein Bruder!«

»Zählt die Familie heute denn noch etwas?« – »Wozu denn sonst der Kampf? Für das Blut, das uns unsterblich macht?... Hast du gestern die Rede auf dem Platz nicht gehört? ›Wir alle sind Brüder!‹«

»Du hast recht, meine Schwester, völlig recht! Hoffen wir nur, daß auch die Männer es so verstehen!«

»Ich für meine Person, ich sage«, seufzt eine andere, »glücklich der Mensch, der diese acht Tage der Unabhängigkeit erlebt und die Morgenröte des Sieges erblickt hat.«

»Hadda war es wenigstens noch vergönnt, an diesen Tagen die Augen zu öffnen, ein letztes Mal!«

»Die Nachbarin, die immer am Fenster lauert...«, fängt die andere wieder an.

Sollen sie reden, sollen sie flüstern, sagt sich Aïcha, eine Hand auf der zarten Schulter des kleinen Jungen.

Wer wird mir sagen, was morgen sein wird?

In diesem Augenblick setzte der Refrain ihrer inneren Stimme ein, dort, in Gegenwart aller Frauen der Stadt, jener, die in diesen Jahren unterhalb des verbrannten, aber von Hoffnung aufrechterhaltenen Berges den bestürzten oder zitternden Chor bildeten, jener, die mit geblähten Schleiern durch die Gassen trippelten, während man den Urheber irgendeines Anschlags suchte, jener, die die Türen dunkler Korridore fest verschlossen und keuchend ein Ohr ans Holz preßten, nur allzu vertraut mit dem Gleichschritt der Soldateska.

Jener, deren Schicksal es immer gewesen war, als Ohren und Flüsterstimmen der Stadt zu fungieren, deren Berufung es gewesen war, zu Füßen des abends nach Hause kommenden Ehemanns niederzukauern und ihm die Schuhe auszuziehen, und die nun nichts mehr auszuziehen hatten als nur ihre Angst, und schließlich jene, deren Zukunft in der Erkenntnis gipfelte, daß sie die unbewußte Hefe für urplötzlich resolute junge Burschen gewesen waren

(»mein Sohn... »mein gefährdetes Herz«... »mein gemartertes Fleisch«).

Alle Frauen, die heute hier in Grüppchen herumsaßen, glaubten fest, daß sie durch gleiche Haltung und gleiche Redensarten der Toten würdig Gesellschaft leisteten, ihrer bedauernd und nostalgisch gedachten, kurz gesagt – ihr gebührend die letzte Ehre erwiesen. Als würden die Toten beerdigt! Als lebten sie nicht irgendwo weiter... aber wo?

In diesem Augenblick setzte der Refrain von Aïchas innerer Stimme ein. Ein unerwarteter Satz, dessen Aussage sie mächtig erregte. Ihr Angst machte.

»Für mich gibt es weder ein Gesetz noch einen Herrn...«, begann der kleine Satz.

»Für mich gibt es weder ein Gesetz noch einen Herrn«, wiederholte sie. Sie sagte sich jedes Wort langsam und betont vor. Wartete. Schrecken und Verwirrung, Verständnislosigkeit...

Sie murmelte den Anfang eines Gebetes: »Es gibt keinen Gott außer Gott, und Mohammed...«

»Es gibt keinen Gott außer Gott, und Mohammed ist sein Prophet!« rief mit tiefer Stimme eine alte Blinde, während sie sich erhob.

Die Sängerin der Stadt, in Haddas Alter. Ihre Stimme, gelegentlich heiser, hatte einen metallischen Klang bewahrt, an den die Ohren von Alt und Jung seit jeher gewöhnt waren.

Sie stellte sich in Positur wie eine arabische Pythia, und ihre vielen Schleier ließen sie größer erscheinen. Sobald sie zu psalmodieren begann, wurde sie gleichsam zur düsteren Mutter aller.

...ihre Stimme, die jedes Durchtrennen der Nabelschnur begleitete,

die an jedem siebten Tag nach der Geburt ertönte,
die am vierzigsten Tag nach dem Tode heulte,
die beim Geheimnis jeder Hochzeitsnacht plötzlich jene seltsame Weise anstimmte, Klage über vergossenes jungfräuliches Blut, Verstörung und Schrecken vor dem Trost einer stillen Resignation...

Stimme aller vor Ohnmacht stummen Mütter, die über das Unglück ihrer Nachkommenschaft nachdenken... Hier ist die Blinde der Stadt, einst Kurtisane. Nun schon seit langem spöttische Priesterin, zärtliche Altstimme, die um der Toten willen Erinnerungen heraufbeschwört, die...

»Hadda, meine Wunde, Abbild aller Mütter!«

»Es gibt keinen Gott außer Gott...«, fielen mehrere der alten Frauen im Chor ein, wodurch die Blinde Zeit hatte, weiter zu improvisieren:

»Hadda, deine Augen haben noch das Lächeln nach dem Massaker geschaut!«

Der gemeinsame Singsang wurde beim zweiten Mal kräftiger. Derart unterstützt, streckte die Blinde ihre mageren Arme theatralisch gen Himmel.

»...und Mohammed ist sein Prophet!« endete der Chor, aus dem sich eine jugendliche Stimme heraushob.

»Hadda, deren junges Hirschkalb zur Quelle zurückkehrte!«

Alle psalmodierten jetzt um Aïcha herum. Die Lippen zusammengepreßt, hörte sie plötzlich das zarte Stimmchen ihres Kindes, das einige Bruchstücke murmelte:
»...keinen Gott außer Gott...«

Die metallische Stimme wurde nach zweimaligem Luftholen lauter, wählte immer höhere Ausgangsnoten. Immer noch erschrocken, die Augen auf die anderen düsteren Gesichter gerichtet, begann Aïcha auf den Höhepunkt zu warten. Auf den Moment, da die Stimme der Blinden in einem langen gellenden Schrei brechen würde. Und das würde die durch den Gesang bewirkte allgemeine Entrückung jäh beenden. Schon jetzt tauschten einige erfahrene Frauen während der Improvisation diverse Kommentare über die Blinde aus, die ›in Bestform‹ sei, um ihre Altersgefährtin zu beweinen.

Intensiviertes Rezitativ der Sängerin. Nur sie allein redete die Tote nicht mit ›Yemma‹ an. Während der langsamen Arabesken des Gesangs wurde Aïchas Schweigen immer kompakter.

»Hadda, dein eigen Fleisch und Blut als Sieger, wie einst dein Vorfahr an der Spitze der Reiterschar!«

Die gemeinsame Litanei wurde schwächer. Nicht daß die Anwesenden müde geworden wären. Aber die Blinde beschleunigte den Rhythmus. Regungslos. Die Arme nach hinten gestreckt, in einer Pose lyrischer Meditation. Die Kopfbedeckung von den roten Haaren halb hinabgerutscht, das Gesicht schwarzbraun, die Augen eingesunken, das kräftige Kinn gereckt. Plötzlich von nervösem Zittern geschüttelt.

Sie schnitt den Wechselgesang ab. Wartete nicht mehr auf das Responsorium. So als hätte sich die Inspiration in eine wilde Stute verwandelt, die sie nur noch mit Mühe bändigen konnte.

»Hadda«,

eine sehr hohe Note, die in ein schrilles Röcheln übergeht…

Das Schluchzen, ist das schon das Schluchzen? fragte sich Aïcha kläglich. Von ästhetischer Rührung überwältigt, begann sie endlich zu weinen.

»Hadda«, fuhr die Stimme etwas leiser fort, »weise uns den königlichen Weg der Erlösung… Stumme Hadda, sprich zu uns!«

Und der Schrei erscholl. Krampfhaft. Lang, aber kraftlos. Wie ein Gurgeln, das im Rezitativ der Menge völlig unterging: traditionelle Anrufungen, der Name des Propheten, Verwirrung der Herzen…

»Was hat sie zuletzt gesagt?« fragte eine der beiden jungen Witwen, die die Dame mit dem Mondgesicht umrahmten.

Steif und stumm, immer noch in der Pose der Oratorin, zitterte die Blinde heftig, schwankte fast. Dann ließ sie sich zu Füßen der Toten nieder, ihre Hände auf den Kegeln des Leichentuchs, eine Trauergestalt mit wirren roten Haaren.

Das Gesicht von stillen Tränen überströmt, wandte sich Aïcha der Frau zu, die gefragt hatte. Sie hielt immer noch ihr regungsloses Kind an sich gedrückt. Lächelte unter Tränen, reizloser denn je, aber mit weicheren Zügen.

»Sie hat gesagt…«

Ihren Jungen in den Armen, richtete sie sich halb auf.

»Sie hat gesagt«, fuhr sie fort, »›O Yemma, sprich zu mir!‹«

»Was hat sie plötzlich?« rief eine Unbekannte in einer Ecke.

»Aïcha… endlich, sie weint, die Ärmste!«

Geziemendes Mitgefühl.

»Gesegnet sei der Schmerz…«

»Unglücklicher als die Witwe ist die Waise!

Nicht umsonst sagt man: ›Du, die Waise meiner Mutter, du klagst, und deine Tränen versiegen nicht.‹«

Aïcha setzte, ihren mageren Torso auf Amine gestützt, sein Gewicht im Arm, das Lamento leise fort. Eine kindische, verzweifelte Klage.

Sie wiegte den Kopf hin und her:

»Yemma Hadda, die du uns verlassen hast, sprich zu uns, sprich zu mir!«

»Es gibt keinen Gott außer Gott…«, wurde im Hintergrund des viel zu heißen Zimmers tröstlich respondiert.

Die Tränen flossen über Aïchas ausgemergeltes Gesicht. Aïcha, Vorname einer offenen Blume, die, einmal geknickt, nie mehr erblühen wird...

Der kleine Satz – Mutter und Kind noch immer in sakraler Haltung – durchbohrte sie ein zweites Mal, ein abgrundtiefer Schmerz. Aïcha glaubte, es wäre ein heftiges Kopfweh...

Aber diese Worte hatten nichts mit jenen der Blinden gemeinsam, waren fast unanständig, standen in Mißklang zu den Worten des Gebetes, die bald hier, bald dort im Zimmer erklangen, das nun wieder von Stimmengewirr erfüllt war – lärmende Trauer eines Julimorgens, Hitze, die die Toten schnell verwesen läßt.

Seltsame Worte, denen Aïcha in ihrem Innern lauschte: schon beobachtete sie die anderen nicht mehr. Inmitten all der süßlichen Klagen hatte sie nachgegeben, war dahingeschmolzen, sie und der Waisenknabe in ihrem Arm.

Wie sollte sie dem verhärteten Satz entkommen: »Für mich gibt es weder ein Gesetz noch einen Herrn...«? War Hadda, die alte Tante, ihr Herr gewesen?... Kaum mehr als ein Schiffsrumpf, seit langem in Seenot.

»Du allein bist vom Fleisch und Blut meiner Mutter noch übrig...« Das waren die ersten Worte der Verstoßenen gewesen, als sie auf der Schwelle willkommen geheißen wurde. Sie hatte sie ganz mechanisch gesprochen, nicht so sehr aus echter Demut.

»Für mich gibt es weder ein Gesetz noch einen Herrn!« Welches Gesetz? Es sei denn, das Gesetz des Unglücks, das unumstößlicher denn je war, trotz dieser ersten Tage der Unabhängigkeit.

»Hassan ist gestern zurückgekommen!« flüsterte die Klatschbase zum dritten Male.

Sie thronte seitlich von der Toten, Aïcha genau gegenüber, und drehte den Kopf leicht nach links und rechts, um ihren gezischten Worten über das fette Kinn hinweg Gehör zu verschaffen.

Draußen, auf dem kleinen Innenhof, waren Geräusche zu hören.

»Die Koranleser!« verkündete eine Kinderstimme vom Korridor her. Das Stimmengewirr im Zimmer wurde leiser.

»Das Freitagsgebet für Yemma Hadda, die Glückliche!« rief eine Frau fast fröhlich. »Gesegnet sei Yemma Hadda!«

Andere schrille Rufe erschollen hier und dort. Die jüngeren Frauen erhoben sich. Andere hantierten an ihren knisternden Schleiern herum. Mehrere zerknüllte Taschentücher fielen auf den dicken Aurès-Teppich.

Alle interessierten sich dafür, wenn die Koranleser anfangen würden, wann die Männer eintreten würden, um den Leichnam zu holen, wann...

...»räumen, man muß das Zimmer räumen!«

»Bis auf die Alten, die müssen nur Kopf und Schultern verhüllen!«

Während dieses gespannten Wartens und trotz dieser neuen Zerstreuung bewegt sich die Maske unter dem Tuch nicht. Kein Zittern, keine Ungeduld der horizontal daliegenden Gestalt. Das vom Leichentuch erstickte Gesicht zuckt kein einziges Mal, wie man das hätte erwarten können. Hadda ist wirklich aus Stein.

Sauber gewaschen. Unter dem weißen Leichentuch weiß bekleidet. Neues Leinen, nicht genäht, so wie die Tradition es erfordert.

Hadda mit der riesigen Nase, mit dem inwärts gewandten Blick – Hadda wartet.

Vier Männer, einer davon Hassan. Hinter ihm liegen fünf Jahre Kampf, fünf Jahre mysteriöser Aktivität, und nun steht ihm diese fromme Handlung bevor. Den Leichnam aufdecken. Er wird sich bücken und einen Moment lang zögern. Sodann den Kopf der Großmutter mit beiden Händen hochheben, aber mit sachlicher Miene, ohne sichtbare Rührung.

»Amine!« ruft Aïcha, die als letzte ihren Platz verläßt.

Die jungen Frauen sind in den Nebenzimmern verschwunden. Neu entfachte Neugier, verstohlene Blicke durch die Jalousien der Fenster, die auf den Innenhof hinausgehen.

Aïcha hüllt sich in eine Decke. Weicht einige Schritte zurück. Findet sich zwischen den alten Frauen eingezwängt. Dicht neben ihr zieht die Blinde ihren grünen Seidenschal wieder sittsam über die roten Haare.

Vier Männer! Hassan allein wird den Kopf der Großmutter tragen, für sich selbst, für mich...

Die Tote, genau in der Mitte des Zimmers, nun ganz allein. Aïchas forschender Blick. Amine beginnt stockend und jammervoll zu greinen.

Die Männer traten ein, selbstbewußte Gestalten, von der Bedeutung ihrer Aufgabe durchdrungen. Einer der vier trug eine weite Hose im türkischen Stil; der älteste hatte ein braungebranntes Gesicht und einen eindrucksvollen Fez; endlich, als letzter, Hassan – schmale Schultern, ausdruckslose Miene.

Aïcha streichelt fieberhaft den Kopf ihres Sohnes, der wieder still ist, sich an sie klammert. Plötzlich:

»Für mich gibt es weder ein Gesetz noch einen Herrn«, murmeln ihre Lippen halblaut. Amine glaubt, sie hätte etwas zu ihm gesagt, wendet ihr sein zartes ovales Gesicht zu.

Aber warum?... Warum? Lehne ich mich auf?

Ein verbaler Umsturz, sozusagen, der keine Klarheit in ihren schweren Kopf bringt.

Die vier Männer gehen hinaus. Die Mitte des Zimmers ist jetzt völlig leer, wie ausgeblutet.

Aïcha steht auf, plötzlich Hausherrin und dennoch zerstreut. Die Besucherinnen, die bald aufbrechen werden, nehmen wieder Platz, wie bei einer Vorstellung.

Aïcha, zerstreut? Nein! Plötzlich fällt es ihnen wieder ein:

verstoßen!

...irgendeine verschmitzte Jungfrau wird als Spionin hergekommen sein. Bleibt sogar in der Gesellschaft von Frauen tief verschleiert, um ihre Anonymität zu wahren. Das eine forschende Auge, feindseliges dreieckiges Loch im total maskierten Gesicht. Dreht sich von Zeit zu Zeit, um nur ja keine Einzelheit zu vergessen... Langsam und gewissenhaft, solche jungen Späherinnen, oft voller Verachtung... Geschlossene Welt der Frauen, die sogar eine Spionin an ihrem Busen nährt, um auf diese Weise die Illusion eines Geheimnisses zu schaffen...

»Es gibt immer eine arme Kusine!«
»Immer bleibt eine Verstoßene in Trauer zurück!«

Gemeinplätze, leere Floskeln, die von einer Nachbarin zur anderen fliegen. Sie sprechen ihre Anteilnahme aus. Gehen.

Lehne ich mich denn auf? Aïcha strafft ihren Körper, der in der Tunika ertrinkt. Sie vertraut ihren Sohn einer ganz in der Nähe sitzenden Matrone an. Nimmt die Beileidsbekundungen entgegen, wie es sich gehört, lehnt sich aber an den Türrahmen. Begibt sich sodann in die Küche.

»Das Mahl…«

»Wird es ein Mahl für die Gäste geben?«

»Für die Männer bestimmt nicht! Sieh mal, sie sind draußen geblieben…«

»Hassan hat gesagt… ich habe ihn gehört…«, unterbrach eine Frau, die gerade aufbrechen wollte.

»Was? Was hat er gesagt?« fragten mehrere.

»›Überflüssig, den Leuten aus der Stadt eine Mahlzeit zu servieren.‹ Das waren seine Worte. Aber er legt Wert darauf, daß alles an die Armen geht.«

»Ich habe vorhin zwei geschlachtete Schafe gesehen.«

»Yammas Couscous, wie war der berühmt! Sie hat ihn selbst gerollt! Man hätte glauben können, die Engel hätten sich ihrer Finger bedient, um ihn zuzubereiten… Hochzeitscouscous oder Couscous für die Toten!«

»Das hat er wirklich gesagt… Ja, die Männer von heute!«

»An die Armen«, protestierte eine andere gegen die Kritik. »Ist das nicht wirklich am wichtigsten?«

Aïcha ließ das Geschwätz hinter sich… Noch einige Stunden lang, vielleicht sogar bis zur Abenddämmerung, würden Gruppen von Frauen hierbleiben: jene, die weder Kinder noch einen strengen, autoritären Mann hatten, die Alten und die bleichen Witwen, von denen es jetzt so viele gab.

Man bewirtete sie mit Kuchen, die mit Aniskörnern verziert und auf Weidentabletts zu majestätischen Kegeln aufgetürmt waren. Aïcha hatte das Gebäck in der vergangenen Nacht selbst zubereitet, unter Mithilfe von zwei jungen Mädchen aus dem Nebenhaus. Nur drei Stunden

nach Yemmas letztem Atemzug. Stunden der fortwäh-
renden süßen Tränen. Das Haus totenstill; Aïcha allein
mit diesen Mädchen. Das jüngere hatte im kritischen Moment geheult wie ein verwirrtes und aufgeregtes Hünd-
chen, das zum erstenmal den Tod riecht.

Aïcha verläßt das Zimmer der Ahne. Will von unten nach
Hassan rufen. Aber ihre Kehle bleibt trocken, ihre Hände
zittern.

O Sohn meiner Tante mütterlicherseits!

Eine ganz normale arabische Anrede. Sie könnte die
Verzweiflung des Schreis abschwächen.

Aïcha hätte so begonnen, wenn das Heulen des Mädchens
nicht dazwischengekommen wäre – Hasna, vierzehn Jahre
alt, voll erblühter Körper, Brüste wie Granatäpfel.

Wer hätte sie zum Schweigen bringen können, wer
hätte ihr unbändiges Entsetzen vorhersehen und sie
ermahnen können: »Bete, bete zu Gott und zu Seinem Propheten!...«

Hasna hat gekreischt. Ein langgezogenes Winseln, zu-
vorkommend: Aïcha, die verstört mitten auf dem Patio
stand, brauchte nicht mehr zu rufen.

Im ersten Stock tauchte Hassan auf, sein Kopf über der
Balustrade, mit ernstem Blick. Aïcha machte eine krampfhafte Geste mit den Armen.

»O Gott!« schluchzte sie, den Nacken gebeugt, dann
rannte sie ins Zimmer der Toten zurück, zähneklap-
pernd, völlig außer sich.

Setzte sich ans Fußende der Matratze, starrte ins Leere,
während ihr Tränen über das bleiche Gesicht liefen. Wurde plötzlich von süßer Nostalgie, von einer seltsamen
Passivität überwältigt. So sah Hassan sie, als er den Vorhang beiseite schob, noch bevor er seinen Blick auf Hadda richtete.

Er trat näher. Starrer Blick der toten Großmutter. Mit sicherer Hand schloß er ihr die abgenutzten Lider, verhüllte diesen gähnenden Blick, der nicht mehr sprechen konnte. Eine kurze, elegante Geste, eine verspätete Freundlichkeit nach dem Hautkontakt.

> »Ich, die ich in der ersten Sekunde die marmorierte Haut der neuen Leichen mit dem Tuch der Ewigkeit umhülle, ich, die ich das Innere der erkalteten Körper mit dem sanft erloschenen Traum fülle, alle Öffnungen weit offen, ich, die ich unerbittlich eine immer gewaltigere Distanz zwischen dem erschütterndsten Schmerz von Zeugen und der versiegelten Abwesenheit des Gekenterten erzeuge, ich, die... ich?
> Sagen wir einmal, die in Nebel gehüllte und leicht verzerrte Stimme, die leise Stimme, die verzweifelt versucht, die neue Finsternis zu bezwingen... Ich?
> Ich, der abgewandte Blick, der jeden Ruf registriert, ich, das Licht, das erlischt, während die zerrissene Stimme in der Schwebe bleibt, weil sie ohnmächtig ist, weil sie weder von einem fragenden Ohr noch von den wachsamsten Augen gehört werden kann...
> Ich, das unsichtbare Leichentuch der alten Hadda, die mich mit allen überstandenen Aufregungen durchtränkt, mit allen aufeinanderfolgenden Stichen altersschwacher Hoffnung, ich, Zeugin ohne Gedächtnis, ich nehme anstelle der vom Leid erlösten Yemma Kenntnis vom Näherkommen Hassans, des verlorenen Enkels, der seit fünf Jahren sehnlichst erwartet wurde.«

In Gegenwart ihres Vetters, der einige Jahre jünger war als sie selbst, bemerkte Aïcha, daß sie weinte. Mechanisch holte sie ein Taschentuch hervor, trocknete sich die eingefallenen Wangen, schneuzte sich geräuschlos, stand auf. Ging rückwärts hinaus, so als würde die Alte sie immer noch beobachten.

Eine Stunde später begann das Gespräch zwischen Hassan und Aïcha. Erste Worte seit so vielen Jahren, die jungen Nachbarinnen ganz in der Nähe, hinter dem Türvorhang im Nebenraum. Hassan gab Anordnungen. Traf Entscheidungen über den nächsten Tag, mit schwerfälliger Stimme. Ein neuer Akzent in seiner Sprechweise, ein rauherer Akzent als der städtische, so als hätte er ihn von zerlumpten Nomaden angenommen, ein Akzent, der die Verfolgung heraufbeschwor. Für Aïcha hatte er eine herbe Zärtlichkeit an sich.

Und wieder, nach genau zehn Jahren, die alte unglückselige Verwirrung. Die sie nach und nach ausgetrocknet hatte. Die sie mürrisch gemacht hatte, dann haßerfüllt, rebellisch. Die dann erloschen war und in ihr eine Leere zurückgelassen hatte. Was sie veranlaßt hatte zu heiraten. Der letzte und mittelmäßigste Antrag, ein Bewerber, den sie früher stolz abgewiesen hätte.

Achtundzwanzig Jahre alt und noch unverheiratet! Sie hatte seinen Antrag angenommen, obwohl sie schon vor der Hochzeit gewußt hatte, daß er sie verstoßen würde. Das war unabwendbar. In jeder Familie gab es eine Verstoßene. Um so mehr im angesehensten Volksstamm der Küstenstadt – Korsaren in früheren Zeiten, danach kleine Handwerker, Kolonialwarenhändler oder Arbeitslose.

Bittere Hochzeit. Der schon abgezehrte Körper der Jungfrau, die einmal verliebt gewesen war – der halbwüchsige Vetter, schön wie ein Prinz, als er bei ihnen Zuflucht gesucht hatte, als er mit seinen schmalen Augen kaum merklich lächelte, heimlich, vielleicht zärtlich... Der Ehemann bestand auf seinen Rechten. Vergewaltigte den ausgelieferten Körper immer wütender.

»Achtundzwanzig Jahre alt und noch unverheiratet!« schrie der aufgebrachte Ehemann mit haßerfüllten Augen, die aber in Wirklichkeit seine Ohnmacht widerspiegelten.

Die Hochzeit lag kaum acht Tage zurück. Er verhöhnte sie, spuckte sie an.

Aïcha steht vom Bett auf, wischt sich das Gesicht ab. Zieht sich mit sicheren Bewegungen an. Malt sich aus, wie in einem Traum am frühen Morgen, daß sie gleich aufwachen wird...

Seit diesem Tag verweigerte sie sich ihm beharrlich. Von da an erlegte er sich keinen Zwang mehr auf: Er ließ sich Bierflaschen ins eigene Haus bringen, Bier, das nach Verdammnis stank. Das von den Partisanen proklamierte Verbot der Trunkenheit versetzte ihn, den Frechling mit dem Lockenkopf, in genauso ohnmächtige Wut wie Aïchas verschlossener Körper.

Zwei Monate später verstieß er sie. Danach wohnte sie bei ihrer Schwiegermutter, einer bedauernswerten Sechzigjährigen, die ständig über ihr Unglück jammerte. Die Aïcha bei der Niederkunft half.

Dann schließlich Haddas Einladung. Sie hatte eine Botin geschickt: »Eine zerrüttete Ehe ist nicht schlimmer als die Einsamkeit fern des eigenen Blutes.«

Was?... Das alles..., erinnerte sich Aïcha in Hassans Gegenwart, der mit langsamer Stimme und neuem Akzent zu ihr sprach. Diese ganze unglückselige Geschichte, entstanden durch kleine Entscheidungen, durch unmerkliche Bewegungen, durch beharrliche Weigerung, abgemildert und doch unterschwellig spürbar, ein dünnes Rinnsal unter einer Lateritschicht. Diese Geschichte hatte einen Anfang...

»Du!«

Sie hielt das Wort für offenherzig, für ein wirkliches Geschenk.

»Du!«

Von neuem dieses Wort, wie ein Schrei der Einsamkeit in einem leeren Gedächtnis.

»Du!«

…beim erstenmal war Aïcha knapp zwanzig gewesen. Wenn schon nicht schön, so doch fröhlich und halbwegs anmutig.

Zitternd und doch gestählt stand sie damals vor Hassan, der erst sechzehn war, aber ein Mann. Bei einer Demonstration war er am Arm verletzt worden. Hatte bei ihnen Zuflucht gesucht. (Aïcha lebte bei ihrer demütigen Mutter, der die Armut das Rückgrat gebrochen hatte…) Er versteckte sich vor der Polizei. Wohnte drei lange Monate bei ihnen.

Aïcha, betört von der Schönheit des Jünglings, voll hochfliegender Hoffnungen, aber zur Untätigkeit verurteilt – der junge Mann, der stundenlang in dem bäuerlichen Zimmer herumlag, mit geöffneten Augen, im Halbdunkel. Aïcha, die händeringend wiederholte:

»Du!«

Zehn Jahre später kehrt das Wort zurück, wird die Hoffnung wieder lebendig, aber…

In dieser Nacht: Aïcha zu Füßen der Toten, ins Leere starrend, mit tränenüberströmten Gesicht. Eine Frau, in Schwermut versunken…

»Wie du willst, Sohn meiner Tante mütterlicherseits!«

Ihre respektvolle Stimme (die Anstandsregeln und vielleicht auch das Unglück). Sie spricht mit einem Mann, den man in der Stadt zur Zeit als Anführer der neuen Helden feiert.

»Zwei Schafe werden genügen, nehme ich an… Die

Bettler kommen nicht mehr an die Tür. Die Häuser der Armen sind gut bekannt. Abends, das ist besser...«

»Also morgen abend... Die Abholung der Leiche mittags, vor dem Freitagsgebet!«

»Wie du willst«, hatte sie erwidert und die unmögliche Vergangenheit noch einmal durchlebt...

Zu jener Jahreszeit, als der Jüngling sich bei ihnen versteckt hatte, trugen die Kirschbäume reiche Frucht, die Minze war samtiger denn je, und die Abende, ah! die Abende...

Hassan ging aus, in einen braunen Umhang gehüllt, der seine Gestalt verbarg und sein Gesicht versteckte. Aïcha wartete.

Um Mitternacht kam er zurück, ein Verschwörer. Hinter der Trennwand hörte Aïcha das Knirschen der alten Matratze, das Klirren des Wasserkrugs, aus dem er seinen nächtlichen Durst stillte, den er dann wieder auf dem Fensterbrett abstellte, zwischen den Basilikumtöpfen und dem Blumenkasten mit scharlachroten Geranien...

»Du!«

Die Stimme der Jugend blähte dieses Wort auf. Der Schlaf bewahrte in seinen sumpfigen Tiefen jenen dickköpfigen Ruf der Jungfrau...

»Du!« wiederholt sie von nun an, zwei Schritte von der toten Ahne entfernt. Sie, die Verstoßene, die arme unattraktive Kusine... ah, es gibt Gründe genug, tagelang zu weinen, nicht nur während einer Beerdigung.

»Wie traurig seine Stimme klingt!« sagte verträumt eines der jungen Mädchen, die hinter dem Vorhang gelauscht hatten, nachdem Hassan hinausgegangen war.

»Findest du?« erwiderte Aïcha, plötzlich aufsässig, unterdrückte aber eine bittere und sarkastische Bemerkung: Hier ist er, der Held der Berge, und alle neu erblühten Mädchen machen sich jetzt Hoffnungen auf ihn...

Dann hatten sie die Kuchen gebacken. Die Leichenwäscherin und ihre Helferin waren gekommen. Eine Stunde später hatten sich die Koranleser zur Andacht im Hof versammelt. Aïcha schlief nicht. Im Morgengrauen traf sie alle notwendigen Vorbereitungen für die Ankunft der Besucherinnen, die immer zahlreicher wurden.

Beim Begräbnis der Ahne waren die Gespräche sehr zufriedenstellend gewesen. Eine nach der anderen, brachen die Bürgerinnen auf. Aïcha, der eine auf Leichenschmaus spezialisierte Köchin zur Seite stand, verließ den Dienstbotentrakt nicht mehr.

In einer Ecke, die als Vorratskammer diente, waren zwei riesige abgezogene Schafe an den Beinen aufgehängt.

Mit schmerzenden Schläfen und leerem Kopf krempelte Aïcha die Ärmel hoch und half der Köchin mit erstaunlich kräftigen Armen bei der schwierigen Aufgabe des Fleischzerlegens. Aus den Kochtöpfen und -kesseln stieg allmählich der pikante Geruch nach Innereien auf, die mit Gewürzen gegart wurden – Paprika, den Hadda im Herbst zuvor hatte trocknen lassen, brutzelte im Schaffett.

»Mma!«

Aus einem schweren Schlaf erwacht, der ihm Schweiß und Alpträume beschert hatte, stand Amine auf der Schwelle. Mit feuchter Stirn streckte er die Ärmchen nach seiner Mutter aus, die – ein Hackbeil in der Hand – das zweite geschlachtete Tier methodisch zu zerlegen begann. Sie hob den Kopf, das Gesicht von Anstrengung und Hitze gerötet. Während aus den Kochtöpfen immer verführerischere Dämpfe aufstiegen, schien sich Aïcha plötzlich zu verjüngen, wurde zu einer aufmerksamen Ernährerin. Und das machte sie vorübergehend fast schön.

»Amine!« murmelte sie… »Du!«

Am Abend trugen Scharen kleiner Jungen und vorpuber-
tärer Mädchen, die schon ihre Köpfe verschleierten, Plat-
ten mit Couscous und gewürztem Fleisch in großen Körben aus dem Haus der alten Hadda, die beerdigt worden
war.

Diese Gruppen verteilten sich in Richtung der Häuser
des Armenviertels, in der Nähe des römischen Theaters,
dicht vor den ersten Hügeln.

II

Bald Mittag. Julisonne. Über die Avenue, die quer durch die Stadt bis in Hafennähe führt, bewegt sich langsam der Trauerzug der Männer. Die Straße bebt noch von den Feiern der vergangenen Tage. In einer Kurve, die auf einen freien Platz führt, wartet die Moschee, prächtig geschmückt mit einer Flut von Fahnen.

Am Eingang Männer reifen Alters. Unerschütterliche Gesichter. Schärfere Blicke als einzige Reaktion auf die Neugier der anderen, die seit dieser Woche der Unabhängigkeit unverhohlen zutage tritt. Das sind die Getreuen des Freitagsgebets, aber diesmal sind sie auch wegen Hadda hier.

»Die Alte«, sagen sie. Die ehrwürdigste unter den frommen Frauen, seit so langer Zeit eine regelmäßige Besucherin dieses Gottesdienstes. Alle kannten ihre virile Autorität, die Maßgeblichkeit ihrer Meinung für die anderen Frauen, bis hin zu ihrem düsteren Schweigen in den Kriegsjahren.

Nun war Hassan zurückgekehrt (»Welche *willaya* hat er bei der politischen Versammlung gestern abend repräsentiert?... Oder gab er sich nur als einfacher Kämpfer in den Bergen aus?«), und die Alte war heimgegangen. Als erste von den alten Leuten, unbeteiligt am Enthusiasmus, der die Stadt bis zum Delirium aufgebläht hatte.

Quadrat von Gläubigen. Unter ihnen der Kolonialwarenhändler aus dem Zentrum, der Briefträger im Ruhestand, einige Bauern, die sich in die Stadt zurückgezogen hatten, Beamte der Jurisprudenz und der Administration der ›Eingeborenen‹. Etwa zwanzig Männer mit ergrauenden Schnurrbärten, die kahlen Schädel mit einem Fez oder einem graublauen Käppchen bedeckt. Sie warteten plaudernd.

In der Ferne tauchte der Leichenzug auf, eine nach unten kriechende Raupe. Voran die vier Träger; die Bahre, auf der die Tote lag, schien zu schweben.

Wie oft ist sie selbst diese Straße hinabgegangen? fragte sich Said, der Pächter.

Er war einer der Träger, direkt hinter dem Enkel. Von den Leuten, die der Toten das letzte Geleit gaben, war Said offenkundig der einzige Bergbewohner. Knochiges Gesicht, großer nach unten gebogener Schnurrbart, gleiche Kleidung wie die Städter, aber eine andere Kopfbedeckung – ein abgerundeter Kegel, mit weicher Gaze umwickelt, über dem Nacken in einem lockeren Streifen endend.

Said, den man vergaß, den man nicht beachtete. Indessen der einzige Mann, der während dieser dürren Jahre mit Hadda gesprochen hatte…

Er kam jeden Freitagabend aus seinem Weiler hinab. Ließ seinen Lieferwagen dort stehen, wo er früher seine Pferde ausgespannt und den zweirädrigen Planwagen abgestellt hatte. Er schlief im öffentlichen maurischen Bad, seit zwanzig Jahren immer in derselben Ecke. Pünktlich um fünf Uhr morgens fand er sich zur Öffnung des Viehmarktes ein. Wenn die Geschäfte erledigt und verschiedene Waren verpackt waren, ging er zum Haus der alten Hadda, die ihm in einem Vorzimmer ein Mittagessen servieren ließ.

Sie selbst erschien zum Kaffee. Dankte ihm für die Säcke und Produkte, die er am Vorabend gebracht hatte. Dann hörte sie ihm zu, wenn er über die Ernte sprach und die Neuigkeiten aus dem Bergdorf berichtete – Eheschließungen, Todesfälle, verschiedene Konflikte…

Dann… wovon sollte er in diesen letzten Jahren schon

berichten, wenn nicht von den ständigen Ängsten, der Schreckensvision eines Massakers, manchmal vom Lärm naher Kämpfe... Monatelang hatte der Pächter nicht kommen können, im Frühjahr des letzten Jahres, als die ganze Herde (25 Schafe, zwei magere Kühe und ein kleines Kalb) im Hauptschuppen verbrannt waren. Die französische Armee hatte den Marktflecken belagert. Als Said dann wieder in die Stadt kam, hatte er Mühe, auch nur Zucker, Seife und ein, zwei Stoffballen für die Frauen kaufen zu können. Im vergangenen Jahr hatte er die alte Hadda höchstens vier- oder fünfmal gesehen.

Immerhin oft genug, um ihr nahes Ende vorherzusehen. Sie selbst kam übrigens immer wieder darauf zu sprechen:

»Dem Kleinen wirst du sagen...«

»Wenn es – so Gott will – Tag wird, darfst du nicht vergessen, dem Kleinen zu zeigen...«

»Was den Zweig unserer Cousins betrifft, die das Nachbarfeld beanspruchen, wirst du den Kleinen daran erinnern, daß der Prozeß noch beim Berufungsgericht anhängig ist.«

Sie implizierte dabei beharrlich »nach meinem Tod«, und daran vermochten auch Saids fromme Proteste nichts zu ändern. (Yemma Hadda, du wirst selbst hier sein...) Sie gab weiterhin ihre Empfehlungen und Ermahnungen ab, einschließlich der zahlreichen Prozesse, bei denen es um strittige Grenzlinien von Feldern ging, um Gemeinschaftsbesitz mit jener Linie von Vettern und Neffen, die den größten Teil der Einwohner des Marktfleckens bildeten, in dem Hadda einst unangefochten das Regiment geführt hatte.

Prozesse zu führen war eine Manie von ihr, und sie hatte Said zu ihrem Vertrauten erkoren. In den letzten Jahren traute er sich nicht einmal mehr, ihr zu sagen, daß diese Prozesse mehr kosteten als die fraglichen Stückchen

Land überhaupt wert waren – einige Dutzend Ar hier, ein Olivenhain dort, steinige Abhänge... eine Kaktushecke... ein entlegener Acker, auf dem nur Linsen und Kichererbsen gediehen.

Sie ahnte nicht, welche lobenswerten Mühen Said unternahm, um ihr auch weiterhin Vorräte liefern zu können: Gerste und Weizen für den Winter-Couscous, Lämmer, die bei religiösen Festen für die Armen geopfert wurden, und schließlich im Herbst die üblichen Scheffel von trockenem Gemüse, getrocknete Paprikaschoten sowie Knoblauch- und Zwiebelgirlanden, die nur noch in den Vorratskammern aufgehängt werden mußten. Das alles nicht nur für die Versorgung der beiden Frauen, sondern auch für Festivitäten oder Trauerfälle, willkommene Gelegenheiten für gute Werke und Geschenke aus Prestigegründen.

»Ich lasse den Nachbarn etwas bringen!« verkündete Hadda.

»Da, nehmt!« sagte das junge Dienstmädchen. »Yemma schickt euch die ersten Erntefrüchte.«

Von den Nachbarterrassen bedankten sich die Frauen. Am mutmaßlichen Reichtum von Yemma Hadda kam kein Zweifel auf.

Said sah in Yemma eine Mutter – verehrungswürdig –, eine Arbeitgeberin – manchmal pedantisch – und ein ... ja, was eigentlich? Ein Symbol, so dachte er, für den städtischen Adel, wegen ihrer Kenntnisse in religiösen Fragen, ihrer Weisheit in bezug auf die Sitten der Vorfahren und ihrer Unnachgiebigkeit, was irdische Güter betraf. Er ahnte, wieviel der Alten an diesem Anschein von Wohlstand lag, allem Unglück, allen allgemeinen Ängsten zum Trotz. So als hülfe ihr diese Eitelkeit, das Warten auf den Enkel zu ertragen.

»Du wirst dem Kleinen sagen...«

»Ja, Yemma, ich höre!«

»Ja, Yemma, ich verspreche es dir!«

Er versprach ihr alles, was sie wollte. Unter ihren Schleiern, die Gebetsschnur zwischen den Fingern, schien sie kaum zu altern – ihr Gesicht wurde allerdings immer länger und runzeliger, wodurch die Nase besonders groß wirkte. Ihr Vertrauen in die Rückkehr des Enkels geriet nie ins Wanken, so als könnte im Gebirge alles in Flammen aufgehen, nur nicht der erwartete Erbe. Sie befürchtete höchstens, daß ihr eigener Tod das Wiedersehen mit Hassan verhindern könnte.

Die Moschee. Die Schar der Getreuen begab sich vom Platz ins Innere; einige zogen im Innenhof ihre Schuhe aus und begannen mit ihren Waschungen.

Im hinteren Teil des Gebetsraumes, unter den Pfeilern, deren Sockel mit hellen Schilfmatten umwickelt waren, hatten fromme Männer bereits ihre Gebete begonnen... Said bückte sich langsam im Schatten der Säulen, mit der gleichen Bewegung von Schultern und Oberkörper wie Hassan vor ihm, um die Bahre auf den Boden zu stellen. Das Gemurmel der Anwesenden um ihn herum wogte besonders sanft. Er kauerte zwischen den anderen Gläubigen in der ersten Reihe nieder. Mit einer Freude, die ihn selbst erstaunte, lauschte er wieder einmal der klaren, fast betrübten Stimme des Imams, der das Gebet leitete.

Es ist über ein Jahr her, dachte Said, während er einen Koranvers stammelte, o ja, über ein Jahr, daß ich hier gebetet habe... Auch damals anläßlich einer Beerdigung: ein junger Bursche, versehentlich erschlagen, ein Vetter meiner zweiten Frau.

Saids Frömmigkeit bedurfte normalerweise keiner äußeren Anregung, nicht einmal der täglichen Ausübung. Hin und wieder hatte er freilich Anwandlungen von religiösem Eifer und betete jeden Tag, meistens im Fastenmonat: Dann schränkte er seine Aktivitäten ein, fühlte sich entlastet und besuchte häufig den Scheich des Dorfes, einen Gelehrten aus dem Osten, der sich im Weiler niedergelassen hatte, um die Knaben in den Anfangsgründen der Koranwissenschaft zu unterrichten... Bei den Fastenandachten versammelte der *taleb* reife Dorfbewohner um sich, deren Moral über jeden Zweifel erhaben war, und wagte sich an die Auslegung der heiligen Texte.

Said hatte endgültig mit den Karten- und Dominospielern gebrochen. Dieser fromme Umgang im Dorf hatte ihm zweifellos Yemmas Wertschätzung eingebracht. Gewiß, früher einmal hatte er sich mit dem Administrator aus Frankreich angelegt (dieser hatte sich angemaßt, mit brutaler Gewalt zu herrschen, sogar ohne die traditionellen Erfüllungsgehilfen einzuschalten).

Said hatte sein Dorf verlassen müssen. In der Stadt hatte Yemma ihn beschützt. Ein Jahr später war der Administrator versetzt worden, und Said war stolz und heiter in seine Berge zurückgekehrt.

...aus dieser Verbannung brachte er allerdings eine zweite Frau mit, und die erste mußte sich damit abfinden, ohne nach außen hin Verbitterung zu zeigen...

Seitdem hatte Said stets die Belange der alten Hadda gewahrt, die schon damals verwitwet war und bei den blutigen Ereignissen vom 8. Mai 1945 ihren einzigen Sohn verloren hatte: Bei der Demonstration war er zusammen mit drei Kameraden getötet worden.

Das gemeinsame Gebet unter den Säulen geht zu Ende. In die Gläubigen kommt Bewegung. Der *hazab* liest den Koranabschnitt. Said, die Augen auf die Bahre gerichtet, erkennt einzelne Fragmente des langen Rezitativs wieder.

Erneut versinkt er in der Vergangenheit:

Wer denkt an dich, Yemma Hadda? sagt er sich, die alte Dame deutlich vor Augen.

Er denkt dieses Wort: Dame. Und tatsächlich hatte er

sie samstags beim Kaffee manchmal unwillkürlich mit
›Lalla‹ angeredet – »o meine Dame«. Wenn er sie verließ,
verbeugte er sich leicht, nahm ihre alten Hände in die seinen und küßte sie ehrerbietig.

Hadda, aufrecht sitzend, weiß gekleidet, segnete ihn
mit ebensolchen Worten, mit zerstreuter und ruhiger
Stimme. Said setzte sich ans Steuer seines schwer beladenen Lieferwagens. Während der ganzen Rückfahrt auf
der neuen, von der französischen Armee gebauten Straße
fühlte er sich von den Segenssprüchen der Greisin beschützt, sogar wenn er an einer Straßensperre des Militärs anhalten mußte und irgendein Offizier alle Fässer
und Amphoren kontrollierte.

Ah, das Gestern... versunkene Zeit!

Diese Rückfahrten... Im Dorf warteten seine beiden Frauen auf ihn, in verschiedenen Flügeln des großen Hauses: die ältere, seine Kusine, die er geheiratet
hatte, als er noch nicht zwanzig und sie knapp fünfzehn
war, die noch jetzt – mit Anfang Vierzig – glänzend aus-
sah und die fünf Kinder erzog, die sie ihm geschenkt
hatte (leider nur einen einzigen Sohn, das jüngste der
Kinder).

Die zweite Frau, eine Mulattin, die er in der Stadt geheiratet hatte, wohnte in einem Zimmer, das für sie hinter dem Obstgarten angebaut worden war, mit einer Terrasse, umrankt von Wein und kümmerlichem Jasmin. Er
liebte sie nach sieben Jahren noch wie am ersten Tag, allen Versuchen der Leute zum Trotz, ihren Ruf zu schädi-
gen, indem man sie als ›Tänzerin‹ abqualifiziert hatte. In
Wirklichkeit war die Waise bis zu ihrer Pubertät in der
Stadt als Dienstmädchen beschäftigt gewesen, in einem
von Italienern betriebenen Café. Said hatte sie zufällig
kennengelernt, und ihr perfekter Körper hatte ihn um
den Verstand gebracht; und sie, das blutjunge Mädchen,
hatte besonnen die Ehrbarkeit zu schätzen gewußt, zu

der dieser Pächter ihr verhelfen konnte, auch wenn er etwas bäurische Manieren hatte.

Said erinnerte sich an den Tag der Entscheidung: das Herz in völliger Verwirrung, war er zu Yemma gegangen, um sie um Rat zu fragen. Von ihrer Meinung wollte er eine zweite Heirat abhängig machen.

»Ein ehrliches junges Mädchen aus armer Familie«, hatte er die Mulattin beschrieben.

Yemma Hadda schien – ohne daß er wußte, woher – auf dem laufenden zu sein. Sie äußerte sich zunächst nicht. Ließ ihn seinen Kaffee trinken. Ließ ihre Gebetsschnur durch ihre Finger gleiten, während sie nachdachte. Dann fragte sie kurz, wie seine erste Frau darauf reagieren würde.

»Ich habe mit ihr gesprochen«, erwiderte Said nach kurzem Zögern. Etwas leiser fuhr er fort: »Sie hat nur gesagt: ›Gott hat mein Haus mit fünf Kindern gesegnet, die ich aufziehen muß.‹«

»Mögest du auch ihre Schwelle nicht vergessen!« erwiderte Hadda, die sich damit begnügte, an das diesbezügliche Gebot des Korans über Gerechtigkeit zu erinnern.

Said verließ sie beruhigt: gewiß, die Alte hatte kein Wort zugunsten der Neuen gesagt, aber immerhin hatte sie sie nicht verurteilt.

Am folgenden Samstag kehrte der Pächter in sein Bergdorf zurück, die Mulattin an seiner Seite, die in einen sehr steifen Brautschleier gehüllt war. Seitdem hatte Said weitere Kinder gezeugt (zusätzlich zu den ersten fünf).

»Ob es nun im Innern meines Hauses Zwischenfälle gibt oder nicht – das Leben geht weiter!« seufzte Said, während er aufstand, einige Sekunden nach seinen Gefährten.

Aufgrund dieser kleinen Verspätung kam ein Unbekannter ihm zuvor und nahm seinen Platz ein, um zu-

sammen mit den anderen Trägern die Totenbahre hoch-
zuheben.

Am Ausgang stellte sich Said in die erste Reihe des Leichenzugs, der sich auf dem Platz neu formierte.

Von jenen, die Hadda das Geleit zur Moschee gegeben
hatten, zerstreuten sich einige – schon dreizehn Uhr, sengende Sonne, zu Hause war der Familientisch für das
Mittagsmahl gedeckt, und danach lud die Matratze zur
Siesta ein.

Said fand sich an der Spitze einer etwas zusammenge-
schrumpften Prozession wieder, deren Weg ein belebtes
Sträßchen hinaufführen würde, das in den Friedhof ein-
mündete.

Said holte ein Taschentuch von imposanten Ausmaßen
hervor. Wischte sich die Stirn ab, sodann den Rand seiner
unbequemen Kopfbedeckung, schob seine Hand unter
den dünnen Stoff, der seinen Nacken verschleierte. Er
setzte sich in Bewegung, wie die anderen; neben ihm
führte ein Greis mit leiser, zittriger Stimme ein unver-
ständliches Selbstgespräch.

Nun, da er nicht mehr als Träger fungierte, hatte er den
verhüllten Leichnam in Augenhöhe vor sich, die Bahre
leicht geneigt, weil das Sträßchen einige Hügelausläufer
emporführte. Dadurch wurde ihm die Alte noch gegen-
wärtiger.

Ihre Gegenwart hatte ihm immer Ehrfurcht eingeflößt.
Eine düstere Dame mit einschüchterndem Blick: Sie lächelte niemals. Sie fixierte die Menschen auf einen
Schlag, ein Blick, der durchbohrte und sodann uninteres-
siert wurde.

Ihre Stimme, wenn sie das Wort an jemanden richtete,
klang neutral... Meistens war sie weiß gekleidet...

Als Junge pflegte Said sie zusammen mit allen anderen Dorfkindern zu begrüßen... Yemma Hadda

kam damals zu Pferde und flößte den Bergbewohnern Respekt ein, die wußten, daß sie ihrem Geschlecht entstammte.

In den folgenden Tagen empfing sie ihre ganze Sippschaft: sämtliche Cousins und sonstige Verwandten, einschließlich jener, die gegen sie prozessierten.

Eine Art Sperber der Berge, so kam sie Said vor, wegen ihrer vorspringenden knochigen Nase, wegen ihrer mit Khol umrandeten Augen, die ziemlich weit auseinanderstanden, richtigen Vogelaugen. Wenn die erhabene Reiterin aus der Stadt eintraf, einmal im Frühling und dann zu wichtigen religiösen Festen, verbeugte sich jeder, küßte ihr die Hände. Repräsentierte sie durch ihre beiden Ehemänner doch die ganze – wenngleich ruinierte (Beschlagnahmen, dann zahlreiche Aufteilungen) – Autorität einer einstmals feudalen Familie, die heute noch stolz war und deren Stolz im Umgang mit der ausländischen Administration auf alle Schäflein abfärbte.

Zwei Ehemänner, denkt Said. Er wiederholt da etwas, das er oft gehört hat, obwohl er selbst viel zu jung ist, um sich an die beiden Männer erinnern zu können.

Zwei Cousins ersten Grades; eine Witwenschaft nach kurzer Ehe, weil der erste Mann ermordet wurde.

... er hatte einen vorbeikommenden Fremden gastlich aufgenommen, hatte ihn beim Mittagessen selbst bedient, gemäß den dörflichen Traditionen der Gastfreundschaft, im Hof, unter den Feigenbäumen, fern der Frauengemächer... Der gesättigte Fremde hatte ihn rücklings erschossen und war danach durch die Obstgärten entkommen. Ein Mörder, dessen Name immer unbekannt blieb, nicht aber sein Motiv: eine wertvolle Zeugenaussage bei einem Gerichtsverfahren in der Stadt zu verhindern.

Ein Vetter des ersten Mannes hatte im folgenden Jahr die junge Witwe geheiratet, die schon einen Sohn hatte... Und dann, einige Jahre später, hatte Hadda plötzlich alle in Erstaunen gesetzt, ja sogar schockiert: Dieser zweite Gatte, zugegebenermaßen ein schöner Mann, liebte die Tänzerinnen aus den Nachbardörfern allzusehr und verbrachte die meisten Nächte außer Haus. Hadda, die vernachlässigte Ehefrau, beschloß, ihn zu verlassen und in der Stadt zu leben. Ja, eine Frau allein, noch keine vierzig Jahre alt... Die Aufteilung der Güter ging für sie vorteilhaft aus. Sie setzte sogar die Trennung von Tisch und Bett durch. Der Gatte führte – nach verschiedenen erfolglosen Schritten und demütigen Bitten, die ihn im Dorf in Verruf brachten – ein liederliches Leben und starb schließlich an Tuberkulose, die sich durch die nächtlichen Gelage mit Musik und Rausch verschlimmert hatte.

Said wirft einen Blick in die Runde. Allesamt Städter, die meisten fünfzig oder älter; die Generation der Gedemütigten, der auch er selbst angehörte... Eine Herde, die von Frankreich (er sagt »Francia«, so als handle es sich um einen Frauennamen) ausgebeutet, verkauft und geschoren wurde. Heute wogen die Berge, der Wind überschwemmt Straßen und Mauern mit Fahnen, eine siegreiche Vegetation, und wir alle, sie und ich, wir verbergen nur schlecht unser...

Er sucht nach Worten, entdeckt sein Unbehagen, richtet seinen Blick wieder auf die horizontale Bahre, die in seiner Augenhöhe den Horizont durchschneidet.

»Wir sind einfach nicht daran gewöhnt«, murmelt Said, während er zusammen mit den anderen den Friedhof betritt, der einem Feld im Frühling gleicht. »Unabhängigkeit... Unabhängigkeit... kann allein schon ein Wort trunken machen?«

Zum zweitenmal verwitwet, kehrte Yemma in den Weiler zurück, nahm alles wieder in Besitz: ein baufälliges Haus in Hügelnähe, mit Obstgärten entlang des Flusses. Nach einigen Monaten gelang es ihr, ein Zerrinnen des Erbes zu verhindern...

Witwenschleier, untadelige Seidenkleidung und immer dieses Sperbergesicht, dieser düstere, durchdringende Blick. Yemma Hadda zog von nun an die Aufmerksamkeit des Dorfes durch ihre Strenge, durch ihre stolze Trauer auf sich.

Sogar beim Glauben, wie er von nun an praktiziert wurde, machte sich Haddas Einfluß bemerkbar. Sie hatte die Privilegien und Verkäufe verschiedener Segenswünsche abgeschafft, von denen ihre Familie bis dahin profitiert hatte. Statt dessen wurden jedes Jahr, am Gedenktag von Abrahams Opfer, unter ihrem Befehl und in ihrer Gegenwart zwanzig Schafe geschlachtet, die fettesten der Herde. Die Fleischstücke wurden als Geschenke in den ärmlichsten Hütten verteilt... In den folgenden Tagen wurden an der Quelle, in der Nähe des Schilfrohrs, alle Schaffelle gewaschen. Said erinnert sich an seine damalige Kinderfreude – nackt bis zur Taille in den Flüssen herumzuplätschern, die weiß von Seifenschaum waren... Auch hier, so als würden die gewöhnlichsten Aufgaben plötzlich erhaben, tauchte Yemma Hadda auf. Sie ließ ihren forschenden Blick über die Bäuerinnen gleiten, die mit bedeckten Köpfen und nackten Armen in den Hügeln sangen... Zeiten einer plötzlichen Fröhlichkeit, einer zögernden Freude, von Hadda, der düsteren Dame, beobachtet.

Dann kehrte sie in die Stadt zurück. In ihrem Dorfhaus kehrte Stille ein, die Tür blieb geschlossen. Nur die Obstgärten, die Scheunen und die Tiere blieben in der Obhut eines Verwalters zurück... Als junger Mann schweifte Said umher; auf der anderen Seite des Hügels, gar nicht weit, konnten die ausschweifenden nächtlichen Feste wieder aufgenommen werden. Einige Tänzerinnen aus dem Süden tauchten wieder auf, das Tamburin wurde nach Sonnenuntergang wieder geschlagen, genau an jener Stelle, wo sich die Wäscherinnen im Morgengrauen versammelt hatten. Der Mond lächelte Männern jeden Alters zu; etwa dreißig an der Zahl. Einige Male gesellte sich Said ihnen zu.

Eine Trance aus Träumen, Musik und Kurtisanen: für Said, den Pächter, beschränkten sich die Jugendtorheiten auf diese wenigen Abende, an denen er sich wie ein Dieb der liederlichen Schar anschloß. Einige der Männer, obschon deren Ehefrauen über ihre Anwesenheit bei diesen Vergnügungen Bescheid wußten, zählten zu den anerkannten Frommen des Dorfes... Meistens waren es fünf oder sechs Tänzerinnen, größtenteils junge, manchmal auch verwelkte, aber leidenschaftliche, die ihre Reize entfalteten. Um ihre Gunst zu gewinnen, traten die Männer in verrückte Konkurrenz...

Said kehrt in Gedanken zu Yemma Hadda zurück, die, unbeugsam, für die Freuden der anderen unempfänglich ist. Wurde früher nicht gemunkelt, daß ihr zweiter Gatte (sie selbst erwähnte ihn niemals) Banknoten zu Zigarren rollte und auf so fürstliche Weise sein Vermögen in Rauch aufgehen ließ, um die schönste der umherziehenden Kurtisanen zu erobern, daß er die Nacht in irgendeinem Garten verbrachte und morgens in seinem verlassenen Haus auftauchte, daß er dieses Spiel mehrere Nächte trieb, bevor er sich in die Stadt begab, um seine einzige und wahre Herrin anzuflehen, die sich ihm verweigerte. Er starb ebenso an seinen Exzessen wie an der Tuberkulose. Alle nannten die Witwe seitdem ›Yemma‹, weil diese Witwenschaft – oder die Einsamkeit – sie schlagartig hatte altern lassen. Etwas später trat Said in ihre Dienste. Er fühlte sich dadurch geehrt und hätte gern, als größte Ehre, Yemmas Tochter geheiratet. Wagte niemals, um ihre Hand anzuhalten: Sie wurde mit einem Mann aus der Stadt verheiratet, starb im Kindbett, und der Knabe, Hassan, wurde von der Großmutter erzogen. Sogar damals hatte Said keine Schwäche bei Hadda entdeckt. Nicht einmal eine altersbedingte. Eine unwandelbare Statue, so sah er sie.

»Wir sind alle demütig, gehorsam...«

Er nahm Hadda davon aus. Heute war es so, als trüge man die authentische Vergangenheit der Stadt auf einer Bahre durch die Straßen... Zum erstenmal dachte Said, wenn er »die Stadt« sagte, nicht an einen fremden Ort.

Nachts hatte er gegenüber Hassan den Wunsch geäußert, die sterbliche Hülle ins Gebirge zu bringen. »In unser Dorf«, hatte er gemurmelt. Hassan hatte das Gesicht des Pächters aufmerksam betrachtet, überrascht von dieser Bitte, von der Treue, die darin zum Ausdruck kam. »Ob man sie nun hier oder dort beerdigt...«, hatte er erwidert. »Überall ist es unsere Erde, egal wo...«

Was verstand der junge Mann davon? Dieses Stück Vergangenheit, von nun an wie Nebel aufgelöst. Zu wissen, daß eine alte Frau, verstorben mit siebzig Jahren, acht Tage nach der Unabhängigkeit, unveräußerlich in diesem Dorf bleiben würde, das übrigens halb zerstört war...

»War das ihr Wunsch? Hast du etwas von ihr gewußt?« fragte Hassan.

Die Stimme der Alten mischte sich ein. Der Pächter hörte sie ganz deutlich: »Du wirst ihm sagen... du wirst ihm sagen...«

»Die Toten sprechen, das sage ich euch«, dachte Said, »aber wenn sie es dir nicht selbst sagt... Hast du sie gekannt, weißt du, daß ihr scheues Herz unter dem knorrigen Körper immer dort weilte... O du, Held der Berge!«

Said dachte die letzten Worte mit besonderem Hohn. Machte sich sofort heftige Selbstvorwürfe. Beantwortete stammelnd Hassans Frage... Der Dialog zwischen den beiden Männern blieb in der Schwebe. »Die Toten sprechen«, wiederholte Said anklagend; die heraufbeschworenen Jahre glitten endgültig hinter seinen Rücken, scheinbar endgültig – was blieb, war nur der Leichnam, der erneut auf dem Boden abgestellt wurde.

Ein Mann aus dem Geleitzug trat vor, stieß das Friedhofstor auf. Die Träger nahmen ihre Last noch einmal auf die Schultern, die anderen begaben sich ungeordnet zu der Grube, die auf beiden Seiten von frischen Erdhügeln gesäumt war.

Said blieb stehen, lehnte sich an den schmächtigen Feigenbaum. In diesem Moment erkannte er, daß die Vergangenheit nun endlich abgeschlossen war, nicht nur der gestrige Krieg mit all seinen Erschütterungen, sondern ein herber Geschmack des Lebens, eine bestimmte Art, sich zu verbeugen, sich in Gegenwart einer einschüchternden Dame zu setzen, in einer Hütte zu atmen. Alles begann neu, man begrub – wen, eine alte Frau? Man trug die Schwermut zu Grabe, aber auch die Noblesse und ihre unerbittliche Strenge.

Der Pächter verließ als erster den Friedhof, das fiel einigen Kleinbürgern aus der Stadt auf. In den nächsten Tagen fiel ihnen auch auf, daß Hassan, der Erbe, sich überhaupt nicht als Erbe von irgend etwas fühlte, weder von Vermögen noch von Land, daß für ihn nur das Vermächtnis der Toten zählte, seiner Kameraden, von denen er im Laufe seiner turbulenten, noch so nahen Vergangenheit zweifellos zu viele hatte begraben müssen.

III

Der Friedhof schlief. Alle Teilnehmer des Leichenzuges brachen auf, manche allein, andere in kleinen Gruppen. Hassan stand aufrecht da, wartete darauf, daß der Totengräber seine Arbeit beendete.

Eine edle Arbeit, urteilte er; er hätte dem Mann vorschlagen können: »Bruder, gib mir die Schaufel, ich kann das auch... ich kann das gut!«

Wiederholung der traditionellen Gesten: für den- oder für diejenige, die mit einer geschmeidigen Bewegung des Ellbogens die Brote in den Backofen schiebt, für die halb blinde Greisin, die mit erhobenem Arm die Nabelschnur über dem Bauch der Wöchnerin durchtrennt, für den Mann, der im Fallen die Schultern einzieht, wenn ihn die tödliche Kugel getroffen hat, schließlich für jenen, der mit präzisen Spatenstichen die Erde auf ein Gesicht wirft, das zur Verwesung bereit ist, auf die verwundbare Gestalt des Leichnames...

In diesem Augenblick, nicht früher, am noch offenen Grab, wird die Auflehnung plötzlich stärker, tiefer... Aber das menschliche Wesen, das dort unten liegt, wer auch immer es sein mag, wird von Ruhe erfaßt, resigniert oder verbittert, je nachdem, wenn sein lebendiger Bruder mit der grausamen Geste beginnt – grausam, aber sanft. (»Erde, verhülle, Erde, löse auf, Erde, schick deine Totenwürmer aus, Erde... meine Mutter!«)

Hassan läßt den Totengräber gehen. Drückt dem Schwerarbeiter etwas Geld in die Hand. Erhält dafür Segenswünsche. Endlich allein mit der Großmutter. Allein nach fünf Jahren Schweigen. Sie ist tot, sagt sich Hassan wieder verbittert vor. Rührung? Wozu...

Ein Glück, sie vergangenen Abend noch lebend angetroffen zu haben, aber er hatte immer gewußt, daß ihr Wille, auf ihn zu warten, stärker sein würde... Trotzdem, fünf Jahre!

In den letzten Tagen mißt Hassan die Zeit. Andere fassen sie bereits zusammen: »sieben Jahre«, so wie es in klassischen und gleichförmigen Geschichten heißt: »der Siebenjährige Krieg«, »der Hundertjährige Krieg«. Die endgültige Formel diesmal: »der Befreiungskrieg«. Befreiung vom Dekor und von den anderen, aber...

Endlich allein, erkennt Hassan, wie sehr ihn diese Zeremonie seit dem Morgen belastet hat; so viele Menschen, soviel Kommen und Gehen, so viele Worte, soviel Herumlaufen... Warum?... Wozu?... Weil die Großmutter entschlafen ist?

Früher, das war früher einmal, sagt er sich, plötzlich leicht gereizt, daß der Tod soviel Aufwand erforderte...

Ihn mit endlosen Vorsichtsmaßnahmen empfangen, ihm antworten, wenn er mit seiner schwarzen Visage plötzlich ein Haus verdüstert, ein Familiennetz durchlöchert hat, ihm mit dürftigen Worten antworten, mit gemeinsamen Gebeten, mit Seufzern der Frauen.

»Das war einmal«, wiederholte er schaudernd. Wandte dem Grab von feuchtem Grau den Rücken zu.

Der junge Mann – dreißig Jahre alt, düstere Miene, ein durchschnittliches Gesicht, leicht gelockte Haare, schon grauweiß, die Figur etwas gedrungen – machte einige Schritte in diesem Garten der Toten: vereinzelte Blumen, von der Hitze verdorrtes Gras, in einer Ecke einige knorrige Ölbäume; besonders von dort drüben, in der Nähe einer verwitterten Mauer, genoß man eine herrliche Aussicht auf die Altstadt und den Hafen. Im Hintergrund das Mittelmeer.

Hassan erkennt die Stelle wieder, zwischen der Mauer und einem Kuppelbau, der ihm einst ein imposantes Monument zu sein schien, von dem aber nur Trümmer übrig sind: in diesen Winkel hatte er sich als Kind geflüchtet, wenn er Yemma Hadda jeden Freitag auf den Friedhof begleitete. Sie kam hierher, um sich am Grab ihrer Tochter zu verneigen – der kleine Junge entfernte sich von den Gräbern, wollte den monotonen Singsang der Gebete und Gespräche nicht hören, den jede Frau führt, die dem Tod ihre Reverenz erweist.

»Komm her und bete am Grab deiner Mutter!« ermahnte ihn irgendeine Nachbarin, die seine Großmutter begleitete.

Der Junge wandte sich ab, suchte den vertrauten Ort auf, in der Nähe der Mauer, am Kuppelbau – dem Mausoleum eines Heiligen aus dem vorigen Jahrhundert, so wurde behauptet.

Hassan lehnt sich wie früher an diese Mauer, betrachtet die kleine Stadt: eine verengte Landschaft, die sich ihre altertümliche quasi-rustikale Schönheit bewahrt hatte, im Zentrum der römische Zirkus, ein riesiges und ausgestochenes Auge aus rötlichem Stein, Ruinen, die den Anschein kürzlicher Verzweiflung erwecken. Der weiße Marktflecken hatte sich nicht verändert, schien sich aber mit einer neuen Atmosphäre umhüllt zu haben. Der Hafen nahm sich jetzt so dürftig aus, mit seinem Dutzend stillgelegter Barken und Fischerboote, seinem alten Leuchtturm an der Außenseite, seiner scheinbar endgültigen Erstarrung.

Alle Einwohner haben sich in diesen letzten Jahren der entgegengesetzten Richtung zugewandt, den kargen Bergen, von denen einst Bergbewohner mit nackten Füßen herabkamen, schwer beladen mit Körben voller Barbarie-Feigen oder getrockneter Bohnen, von denen heute ein neuer Geruch zu wehen scheint, der die ranzige Vergangenheit dieser so lange in ihrer Dekadenz zusammengepferchten Stadt vertreiben wird.

»Aus den Bergen ist ein lachender Tod herabgestiegen, anmutig wie diese Orte, ein Tod mit Flügeln des Sieges!«

Hassan verließ den Friedhof, schloß das Tor wie eine Haustür, so als wäre er hier zu Gast gewesen. Ohne einen Blick zurückzuwerfen, ging er den steinigen Abhang hinab, der zu den angrenzenden Vierteln führte, den ärmlichsten der Stadt. Erst jetzt machte er sich Gedanken über die Großmutter:

Jener Pächter gestern... Was wollte er mir sagen, er, den ich nicht zum Reden zu bringen verstand? Er war erschütterter als ich, das steht fest! Er hat Yemma Hadda geliebt...

Hassan stellte das ohne Gemütsbewegung fest. Er hatte das Gefühl, innerlich ausgetrocknet zu sein. »Eine Registriermaschine«, so hätte er sich treffend definiert. In den vergangenen Tagen, in der Hauptstadt, hatte er fast ungerührt der Entfesselung krampfhafter Freude beigewohnt.

Er durchquerte die Stadt. Nickte zwei- oder dreimal kurz als Antwort auf die Grüße von Ladeninhabern. »Nach Hause zurückkehren...« Er zwang sich, diese Regel zu befolgen, so als lastete das Gesetz doch noch auf ihm. Beim Gedanken an die Entscheidungen, die er nun treffen mußte, wurde er leicht verdrossen: Was sollte mit Aïcha und ihrem Sohn geschehen? Fest stand jedenfalls, daß sie nicht allein in dem Haus bleiben konnten... Und er selbst – wußte er wirklich, wohin? Seit einiger Zeit fühlte er sich nirgends zu Hause, auch wenn er mittlerweile daran gewöhnt war, sich überall einzugewöhnen, vorausgesetzt, er konnte das Gebirge sehen, wenn er seinen Blick auf den Horizont richtete, die dunklen Gipfel, den Kamm. Offenbar eine Notwendigkeit für den Rekonvaleszenten.

Er stieß die Tür auf, betrat das Haus, nachdem er laut gehustet hatte, begab sich sofort in den ersten Stock hinauf, ohne nach irgend jemandem zu rufen. Kleiderrascheln, Geflüster: Die Nachbarinnen, die noch immer hier waren, versteckten sich. Mit gesenktem Kopf stieg er die Treppe hinauf, zu den Räumen, die Hadda für ihn reserviert hatte.

In einem dieser Zimmer hatte er am vergangenen Abend seinen Schülerschreibtisch vorgefunden, dessen Schubladen mit alten Briefen vollgestopft waren. Er hatte nichts Spezielles gesucht; einige Zeilen in seiner einstigen Schrift – Zitate aus Büchern in einem Heft, das er vor fünfzehn Jahren angelegt hatte – rührten ihn ein wenig. Ihm fehlte aber der Mut, in seiner eigenen Vergangenheit herumzuwühlen. Später, in der Stunde der Bilanz, der Klarstellung...

Er betrat dasselbe Zimmer, strich mit der Hand über ein, zwei Bücher, die er abends aus den Regalen genommen hatte, während die Großmutter unten im Sterben lag. Er streckte sich auf einem Diwan aus. Im Zimmer war es frisch: Die Vorhänge waren seit dem Morgen geschlossen, im Hintergrund stand ein riesiger Kleiderschrank, der nach Naphtalin roch. An der Wand ihm gegenüber hing ein naiver Stich, wie er in allen einfachen Häusern zu finden war, mit Abraham, seinem Sohn und Gabriels heiterem Antlitz – ein Stich, den Hassan selbst dort angebracht hatte: zweifellos zu einer Zeit, als er die Folklore pflegte, um seine Ängste zu verbergen. Er betrachtete das Bild mit trockenem Herzen, sogar mit verhärtetem.

Dann drehte er seinen müden Körper auf die Seite und versuchte einzuschlafen, was ihm aber schwerfiel.

Ich, die anonyme Stimme, die die Toten begleitet, der unsichtbare Nebel, der auf alle Trennungen folgt, das unwirkliche Durcheinander, das von einem Todeskampf das krampfhafte Zucken, von einem letzten Seufzer die Sättigung und von Haddas letztem Blick – Wachsmaske, gähnende Augen, zur Zeit, als Hassan eintrat – die erstarrte

Hoffnung entleiht, ich folgere manchmal: Bei einer Beerdigung beerdigt man oft nicht den, von dem man es glaubt.

Der Tote liegt natürlich wartend da, sehnsüchtig (in die Länge gezogene Formalitäten und Zeremonien stellen seine Geduld mitunter auf eine harte Probe) – Sehnsucht nach der Erde, nach ihrem Sand, in dem allmählich jede Pore versinken würde, nach ihrem Grundwasser, das – sobald der Totengräber sein Werk vollendet hat – den Rücken und den Schädel des Menschen befeuchtet, der nun endlich wieder vegetativ wird. Sobald die Friedhofsstille wiederhergestellt ist – glückselige Einsamkeit –, atmet der Tote ein letztes Mal auf, eine Erlösung, die nicht einmal die Würmer der Mutter Erde bemerken. Dann beginnt endlich sein Sturz in den Abyssus – wollüstiges Abdriften, langsames Ertrinken...

Überflüssig zu erwähnen, daß ich nur von den Toten dieser sonnigen Erde spreche, von jenen, die das Glück haben, nicht in plombierten Kisten eingesperrt zu werden. Sie brauchen nicht zu warten, bis das Holz verfault ist, bis die Plombe verrottet, bevor ihnen die wahre Befreiung zuteil wird, die darin besteht, daß sie ihre ursprüngliche Gestalt wieder annehmen, ohne Gesichtszüge, ohne Persönlichkeit, Pflanze und menschliches Gedächtnis auf geheimnisvolle Weise miteinander verwoben...

Ich bin die kollektive Stimme, die dort in der Tiefe des immensen Schallochs des Planeten umherwandelt, zwischen diesen unterirdischen Präsenzen, zwischen diesen Bewohnern der Tiefe, ich bin die Stimme, die kommt und geht, die den einen berührt und den anderen umkreist. Wer kann schon sagen, warum die Toten sprechen? Ich tauche an der Oberfläche auf, ich streife herum, ich verfolge einen Lebenden, ich verhexe einen Unschuldigen, ich lasse einen Greis kindlich summen, vor allem aber durchbohre ich einen gesunden Erwachsenen, der vergeßlich ist, der schon abtrünnig geworden ist oder es sein möchte... Die alte Hadda... Ihr Begräbnis: ein unwichtiges Ereignis, Wellengekräusel einer halb versunkenen Welt, nach dem Krieg und noch mehr nach der Brandung der ersten Friedenstage. Die alte Hadda: Als sie geboren wurde, im vorigen Jahrhundert, in jenem Dorf, wo der Pächter Said noch heute wohnt, da hatte eine Generation der Niederlage diesen Winkel der Erde bevölkert... Algerien... Ein Erdenfleck, in den sich gelegentlich (für fünf Jahre oder zehn oder fünfzig) die düstere Pfeilspitze der Zeit bohrt, Herzen und Fleisch schärft... Sind die Menschen demütig, ist die Not groß?

Als junges Mädchen wuchs Hadda in dieser Nostalgie auf, zunächst ein durchschnittliches Frauenschicksal, in der Lebensmitte eine unvorstellbare herausfordernde Handlung, die den ganzen weiteren Lebensweg veränderte... Ein bäuerliches Leben, dann urplötzlich diese Verweigerung – oh, im Grunde eine bescheidene Verweigerung –, aber damals begann sich ein Gesicht abzuzeichnen: die schwermütige Dame von echter wiedergefundener Noblesse, Stolz einer Maske, die sich nicht mehr als Maske zu erkennen gibt, sondern als echtes Warten, als herbe Hoffnung...

Ich, die Begleiterin der Toten, ich fasse für die alte Hadda deren Lebensmuster so gut wie möglich zusammen. Eine Beerdigung, gewiß ohne geschichtliche Bedeutung, aber die Melancholie einer armen Kusine, die Träumereien eines Pächters während des Leichenzugs haben Bestand, während alle Blicke ausschließlich auf den Enkel gerichtet sind. Sein Herz gleicht jedoch einer dürren Ebene. Schlimmer als das Vergessen. Trotzdem sprechen die Toten. Die Stimme der Alten murmelt in Aïchas Nähe, sie rührt die Erinnerung des Pächters in Treue an. Was begreift jener Mann davon, dem Haddas letzte Hoffnungen galten? Nichts.

Hassan, »der Held der Berge«, wie ihn Said verbittert ge-
nannt hatte, Hassan hat sich auf dem Diwan in seinem
Zimmer ausgestreckt. Dreht seinen müden Körper auf
die Seite. Möchte einschlafen.
Ich, die Stimme, die bestürzt, die von einem zum anderen
strömt, die in einem verharschten Herzen plötzlich durch
Erinnerungen, durch altes Geflüster, durch Musik für
Tauwetter sorgt, ich, die ich in den Stunden oder manch-
mal auch Tagen nach einer Beerdigung Skrupel habe,
mich zurückzuziehen und deshalb dableibe, um umher-
zustreifen wie ein Betrunkener, der seinen Weg sucht,
ich messe angesichts des Schläfers auf dem Diwan die
unüberwindliche Distanz zwischen ihm und Hadda, die
als wahre Dame in die Erde gebettet wurde und nun
schon den Kopf eines gequälten Ungeheuers hat... Die
Toten sprechen, gewiß, wer könnte ihren Doppelsinn er-
messen?

An den folgenden Tagen hielten verschiedene Verant-
wortliche in der Stadt, wo Yemma Hadda residiert hatte,
flammende Reden über die neu zu schaffende Ordnung,
über die verwundete Gesellschaft, die nun aber endlich
frei war und etwas Neues aufbauen konnte. Auch Hassan
gehörte zu den Rednern: zwei- oder dreitausend Menschen lauschten ihm auf dem Platz; unter den Zuhörern
auch viele Frauen, im Hintergrund stehend, ein wogen-
des Feld weißer Schleier.

Lang und breit beschwor Hassan die Toten, alle im
Dickicht eingescharrten Toten, die Toten der Schlachten,
die Toten der Massaker, »alle Toten, die gern gelebt hätten«, sagte er. Er erhielt so lang anhaltenden Beifall, daß
das Kreischen der Frauen in schmachtenden Spiralen
vom Platz über dem Hafen, wo die Versammlung statt-
fand, zum Friedhof emporstieg, wohin Aïcha allein ge-

kommen war, um sich zu sammeln. Es war der siebte Tag nach Yemmas Tod. In ihrer Nähe betrachtete ihr kleiner Sohn – schon fünf Jahre alt – über die Mauer hinweg das Panorama der Stadt, die von den beweglichen und bunten Flecken der Versammlung schillerte.

1970/1978

Ein Tag im Ramadan

An den Fastentagen zieht sich die Zeit in die Länge, die Häuser werden tief, die Schatten durchsichtig, und der Körper erschlafft.

»Er wandert durch die Jahreszeiten«, begann Lla Fatouma.

»Er wandert, der Fastenmonat, er wandert«, trällerte Nadjia.

»Ihr werdet es selbst sehen, wenn er in den Winter fällt! Sanft und weich wie Wolle ist der winterliche Ramadan« – und Lla Fatouma machte sich, schwerfällig und stattlich, wieder an die Hausarbeit.

»Ich erinnere mich daran«, murmelte Houria, die älteste Tochter, »als ich mit zehn Jahren zum erstenmal fastete... ja, da war es Winter!«

»Nein, Herbst«, korrigierte die zweite. »Die Orangen waren noch grün, da bin ich mir ganz sicher. Ich war acht Jahre alt und durfte nur jeden zweiten Tag fasten.«

Nfissa beobachtete ihre Schwestern, ohne ein Wort zu sagen. Der Vater war ausgegangen, Lla Fatouma verrichtete jetzt ihr Gebet in einer Ecke des großen Wohnzimmers, während Nfissa die Schaffelle aufeinanderstapelte, die sie für die Siesta benutzt hatten. Die anderen machten sich irgendwie zu schaffen, aber ziemlich planlos, denn in den ersten Tagen des Ramadan geriet die Haushaltsroutine immer etwas aus den Fugen.

Die Zeit zieht sich in die Länge, die Häuser werden tief, die Schatten durchsichtig, und der Körper erschlafft: Nfissas Geist analysiert wieder, schweift dann aber unkonzentriert durch die Erinnerungen – früher, zur gleichen Jahreszeit wie heuer, konnten sie und Nadjia es kaum erwarten zu fasten (wann würde man es ihnen endlich erlauben? Man weigerte sich, sie mitten in der Nacht für das stärkende Mahl zu wecken). Einst, erst gestern noch...

Gestern befand sich Nfissa im Gefängnis... Der Ramadan inmitten richtiger Häftlinge, jenes Gefängnis in Frankreich, wo man sie zusammengepfercht hatte, sechs ›Aufständische‹ – wie sie bezeichnet wurden –, die man vor Gericht stellen wollte.

Sie hatten das Fasten in der freudigen Stimmung von Asketen begonnen: das Exil und die Ketten wurden unwirklich, eine Befreiung des Körpers, der in der Zelle kreist, aber plötzlich nicht mehr gegen die Mauern anrennt; zwei Französinnen, die im selben Netzwerk gefangen waren, hatten sich der islamischen Observanz angeschlossen, und wie hatte – trotz der Fadheit der Abendsuppe – innere Ruhe die grauen Stunden erleuchtet, wie hatte der Gesang der Nachtwachen gleichsam eine Brücke über das Meer hinweg geschlagen, hin zu den Bergen der Heimat!

»Der erste Ramadan fernab des Leidens!« murmelte Lla Fatouma, bevor sie sich in die Küche begab.

»Er ist aber noch immer davon erfüllt!« seufzte Houria leise.

Nur Nfissa, die so tat, als würde sie lesen, hörte ihre älteste Schwester. Sie schlug die Augen zu ihr auf: achtundzwanzig und schon Witwe.

»Wenn er mir wenigstens ein Kind hinterlassen hätte, einen Sohn, der sein Bild in mir lebendig hielte!« hatte sie monatelang geklagt.

»Ein Kind ohne Mann aufzuziehen – du weißt nicht, wie dornenvoll das ist!« entgegnete die Mutter. »Du bist noch jung, Gott wird dir einen neuen Ehemann zuführen, Gott wird dein Haus mit einer reichen Ernte an kleinen Engeln segnen!«

»Gott gebe es!« respondierten die anderen im Chor. Aus der Küche begann es verführerisch nach gegrilltem Paprika zu riechen.

»Schon vier Uhr... Nur noch zwei Stunden Geduld!«

»Ich habe weder Hunger noch Durst verspürt!« rief Nadjia herumwirbelnd. Sie glaubte unversehens, auf irgendeinem Fest zu sein, schaltete das Radio ein, machte einen Tanzschritt.

»Lachend und frohen Herzens fasten«, erklärte sie mit gespielter Fröhlichkeit. »Mein Fasten wird doppelt zählen!«

Houria war hinausgegangen, einen Hauch von Nostalgie hinterlassend. Nfissa betrachtete ihre jüngere Schwester lange: neunzehn Jahre alt, mit stolz leuchtenden Augen, von fast beängstigender Zartheit.

»Du solltest nicht so laut sein«, riet sie mit einem nachsichtigen Lächeln. »Houria erinnert sich an früher...«

»Auch ich habe meine Erinnerungen! Du magst im Gefängnis gewesen sein, aber auch ich war eingesperrt, hier in diesem Haus, das du herrlich findest!«

Nadjias Stimme wurde trotzig: Sie sprang auf, stieß ein kurzes, schrilles Lachen aus und blieb herausfordernd vor Nfissa stehen, zu einem neuen Streit bereit.

»Fang nicht wieder damit an!« knurrte Nfissa und wandte sich ihrer Lektüre zu.

»Wenn du in Zorn gerätst, wird dein Fasten nicht gottgefällig sein!« vermittelte Lla Fatouma von der Küchenschwelle her mit freundlicher Stimme.

Sie hatte nackte Arme, weil sie sich ungezwungen ihrer Organzabluse entledigt hatte und nur ein auf altmodische Art besticktes Unterhemd trug. Sie hatte soeben den Teig für die kleinen Kuchen geknetet und wollte sich nun, von der Anstrengung noch gerötet, im Wasserbecken auf dem Hof die Hände waschen. Das Haus war vorübergehend ein Königreich der Frauen, denn der Vater kam erst bei Sonnenuntergang zurück, wenige Minuten, bevor der Ruf des Muezzins durch die Rebstöcke und matten Jasminlianen drang. Die Dorfmoschee war nicht weit entfernt.

Nadjia zuckte bei den Worten ihrer Mutter in ohnmächtiger Traurigkeit die Achseln. Lla Fatouma hatte verstanden, ohne den Dialog gehört zu haben: Während der letzten zwei Kriegsjahre hatte Nadjia auf Befehl ihres Vaters ihr Studium unterbrechen müssen. Seit der Unabhängigkeit wollte sie es wieder aufnehmen, wollte in die Stadt gehen und arbeiten, Volksschullehrerin oder Studentin sein, ganz egal, aber jedenfalls arbeiten; ein Familiendrama bahnte sich an.

»Der Ramadan gleicht einem Waffenstillstand: Es schweige jeder Groll! Ein schwarzes Herz wird niemals Vergebung erlangen...«, murmelte Lla Fatouma auf dem Rückweg.

Sie durchquerte das Zimmer, zog mit den langsamen Bewegungen einer Königin ihre Bluse wieder an und kehrte zu ihren Kochtöpfen zurück.

Als das Fasten gebrochen wurde, warteten Nfissa und Nadjia vor dem niedrigen, mit Speisen beladenen Tisch, bis alle anderen, einschließlich des Vaters, das Abendgebet beendet hatten. Während des Mahls wurde kaum ein Wort gesprochen, wegen des Vaters, der gleich nach dem Kaffee wegging, um einer religiösen Nachtwache beizuwohnen. Anschließend kamen Nachbarinnen zu Besuch, schnatterten im Hof, schlugen ihre Schleier zurück, ließen sich unter schweren Seufzern auf den Diwanen nieder.

»In diesen sieben Kriegsjahren ist jeder zu Hause geblieben!« begann eine von ihnen.

»Wie hätten wir es auch übers Herz bringen sollen, Kaffee zu trinken, während unsere Tochter in den Händen des Feindes war!« rief eine andere, an Nfissa gewandt, und umarmte sie unter Segenssprüchen.

Nadjia begrüßte die Besucherinnen, tauschte mit ihnen die endlosen Höflichkeitsformeln aus, zog sich sodann unauffällig zurück. Vergeblich wollte Nfissa sie zurückholen.

»Nein!« schnaubte sie. »Quasseln, Kuchen essen, sich vollstopfen, bevor der neue Tag anbricht – nur dafür all das Leid und Blut? Nein, das lasse ich nicht gelten … Ich« – und ihre Stimme wurde von Tränen erstickt – »ich habe geglaubt, weißt du, daß sich all das ändern würde, daß etwas Neues anbrechen würde, daß…«

Nadjia schluchzte laut, vergrub das Gesicht im Kissen, auf dem Bett ihrer Kindheit.

Nfissa ging hinaus, ohne etwas zu antworten.

»Wenn man wenigstens die Erinnerung auslöschen könnte!« sagte inmitten der allgemeinen Unterhaltung eine Greisin, die ihre beiden Söhne im Krieg verloren hatte. »Dann könnte man den Ramadan früherer Jahre wiederfinden, die Heiterkeit von einst.«

Schweigen breitete sich aus, unsicher, durchtränkt mit Schwermut.

»Selig sind die Märtyrer des Glaubens!« sagte Lla Fatouma ernst, während sie, eine Teekanne in der Hand, wieder ins Zimmer trat.

Der Geruch der Minze breitete sich bis in den nachtumhüllten Hof aus, und Houria trat ins Freie, um ihre Tränen abzuwischen.

1966

»Mütterchen«, bettelte Nfissa im Bett, an die Ahne geschmiegt, »erzähl uns von deinem Mann... Niemand außer dir hat ihn gekannt... nicht einmal Vater!«

Die Urgroßmutter behielt einen klaren Kopf. Es war Ramadan; in der nahen Stadt stattete während der ungezwungenen abendlichen Feiern jeder seinen Freunden einen Besuch ab, und die Kinder trabten durch schattigen Gassen, schleppten volle Kuchenbleche ins Backhaus.

Der Vater hatte zuvor Nüsse, Mandeln, Datteln und Rosinen mit nach Hause gebracht; er hatte sie in kleinen Häufchen vor seinen vier Töchtern ausgeschüttet. Man hatte die Ahne aus ihrer religiösen Andacht gerissen, um unter ihren Augen die Palmenherzen zu entblättern.

»Erzähl uns von deinem Mann, Mütterchen«, bettelte nun auch Nadjia.

»Ich wurde mit zwölf Jahren verheiratet... Als einziges Mädchen war ich von meinem Vater verwöhnt worden. Da war ich nun in meinem neuen Heim und konnte rein gar nichts: weder Brot kneten noch mit dem Couscous-Sieb umgehen... und ich hatte keine Ahnung von der Wollverarbeitung! Was ist denn schon eine Frau wert, die davon nichts versteht?... Eines Tages bringt mein Schwiegervater seiner Alten eine Tonne Wolle mit, und sie teilt sie zwischen ihren vier Schwiegertöchtern auf, mich eingeschlossen. Jede mußte alles allein machen: die Wolle waschen, schlagen, säubern, dann kämmen und spinnen, und daraus schließlich etwas weben, sei es ein Gewand für den Gemahl oder aber...«

»Und all das hast du gelernt?« rief Houria.

»Mit zwölf Jahren?«

»Wißt ihr, meine Mädchen, was mir am allerschwersten gefallen ist? Morgens früh aufzustehen! Wie ich damals

157

schlafen konnte, wie ich in eurem Alter schlafen konnte... Eines Tages, ich weiß nicht warum, bin ich erst um
acht aufgewacht... Um acht Uhr, könnt ihr euch das vorstellen?«

Die Greisin schüttelte den Kopf und lächelte schel-
misch, während sie mit dem Zeigefinger ihr Gebiß betastete.

»Meine Schwiegermutter, empört über meine Faulheit,
hatte zu meinem Mann gesagt: ›Hol ihren Vater her! Wir
haben doch keine Prinzessin ins Haus genommen!‹ Natürlich hatte sie recht... Ich wache also auf, ich gähne, ich
strecke mich, als ich plötzlich meinen Vater hinter der
Tür meines Zimmers husten höre. Ich springe erschrocken aus dem Bett. Am ganzen Leibe zitternd, lasse
ich ihn herein. Mein Vater fragt mich ruhig: ›Was ist los?
Warum hat man mich kommen lassen?‹

›Nichts, nichts‹, antworte ich verwirrt. ›Ich habe heute
morgen verschlafen.‹

Er mustert mich streng und droht: ›Wenn ich noch einmal herkomme und dich um diese Zeit im Bett vorfinde,
wirst du blutige Tränen weinen!‹

Dann ist er weggegangen.«

Alle Mädchen hatten sich jetzt auf dem breiten Bett um
die Urgroßmutter geschart.

»Und dann... erzähl weiter!«

»Jahre später habe ich erfahren, wie es weiterging...
Nachdem er mein Zimmer verlassen hatte, traf mein Vater auf der Straße meinen Schwiegervater, der sein bester
Freund war. Offenbar hatte er sich in seinen Zorn hinein-
gesteigert, und diesmal war es ein echter Zorn: ›Nur weil
sie um acht aufgestanden ist, und das auch noch im Ramadan, holt ihr mich her! Sie ist doch noch ein Kind, wie
ihr wißt; ich hatte dich ausdrücklich gewarnt!‹

Der andere mußte ihn anscheinend um Verzeihung bitten... Ich wußte aber natürlich nichts davon, und von

diesem Tag an hatte ich solche Angst, beim Aufwachen meinen Vater hinter der Tür husten zu hören, daß ich schon um vier Uhr morgens, in der ersten Dämmerung, aufstand, zur selben Zeit wie mein Mann, der sich zur Arbeit auf die väterlichen Felder begab. Ich hatte schon das Brot geknetet und im Ofen gebacken, manchmal auch das Essen auf den *kanoun* gestellt, bevor meine Schwiegermutter und meine Schwägerinnen aufstanden… Dadurch hatte ich anschließend den ganzen Vormittag Zeit, um im Haus am Webstuhl zu sitzen und an einer Decke oder einem Wollschleier zu arbeiten.«

»Ist das der Webstuhl, der dort drüben steht?« fragte eines der Mädchen.

»Derselbe«, erwiderte die Ahne. »Ich will mich ja nicht rühmen, aber nach einigen Jahren im Haus meines Mannes hatte ich im Spinnen und Weben nicht meinesgleichen… Meine Schwiegermutter pflegte von mir zu sagen: ›Schaut euch nur mal Fatima an, sie spinnt Wollfäden, so fein wie die Zunge einer Schlange.‹«

Die kleinen Mädchen machten es sich auf dem Bett so richtig bequem, eine Öllampe wurde entzündet, und Nfissa fragte wieder:

»Dein Mann, Mütterchen, du hast uns noch nichts über ihn erzählt!«

»Mein Mann, nun, möge Gott ihm vergeben und die ewige Seligkeit gewähren, mein Mann wurde nach dem Tod des ›Alten‹, der ein gerechter Mann gewesen war, gewalttätig und brutal… Er schlug mich manchmal… Einmal fast grundlos: Ich hatte nach dem Frühstück vergessen, einen Teller mit Kuchen wegzuräumen. Er kam gegen Ende des Vormittags nach Hause, entdeckte mein Versehen, griff nach dem *taimoum*, dem Stein, den er für seine Waschungen benutzte… Er hat ihn mir ins Gesicht geworfen… Der Stein riß mir die Stirn auf, direkt über dem Auge (Der Prophet, gesegnet sei er, hat mich beschützt!), und mein Mann betete unerschütterlich weiter.«

»Und dann?«

»Dann... Meine Schwägerinnen verlieren den Kopf, weil mein Vater für jenen Tag seinen Besuch angesagt hat. Was werde ich ihm wohl sagen? Wenn er gewußt hätte, daß mein Mann mich schlägt, hätte er mich auf der Stelle mitgenommen. Meine Schwägerinnen flehen mich also an: ›Erfinde eine Lüge! Wir wollen nicht, daß du uns verläßt!‹ Sogar die Alte hat mich beschworen und mir geraten: ›Sag deinem Vater, es wäre die Färse gewesen!‹ – ›Das war die Färse, die du mir geschenkt hast‹, sage ich ihm, als er besorgt nach der Ursache meiner Verletzung fragt. ›Als ich sie melken wollte, hat sie ausgeschlagen.‹ – ›Verflucht sei diese Färse, die um ein Haar meine Tochter umgebracht hätte!‹ schrie mein Vater und schwor sofort auf den Koran, daß er diese Färse noch am selben Tag mitnehmen und ins Schlachthaus bringen würde... Und ich, ich habe die ganze Nacht geweint, weil ich diese Färse so liebte... aber ich weinte leise, damit mein Mann schlafen konnte!«

Lag es am Heraufbeschwören all dieser Erinnerungen, daß die Ahne plötzlich wieder die Dorfmoschee zu besuchen begann?

»Das solltest du nicht tun«, sagte ihr Sohn, bevor er mit Nfissa und Nadjia, die er in die Stadt mitnahm, auf seinen Pferdekarren stieg. »Sehr wenige Frauen gehen dorthin, seit das hier jetzt Frankreich ist.«

»Frankreich?« brummelte die Alte. »Was geht mich das an?«

Zu dieser Zeit weinte sie einmal einen ganzen Tag lang, und ihr Kummer war zweifellos genauso groß wie einst über den Verlust der Färse: Der Imam des Dorfes war gestorben.

»Zwanzig Jahre lang hatte ich hinter ihm gebetet... Er

konnte das *tarawih* so schön sprechen: zuerst die längsten Suren rezitieren, dann die kürzesten, danach zwanzig Kniefälle.«

Der siebte Tag nach seinem Tod fiel zufällig mit dem Beginn des Ramadan zusammen, und obwohl der Scheich schmerzlich vermißt wurde, begrüßte man diesen glückseligen Monat doch fröhlich: Die Kinder entzündeten Kerzen, liefen durch die Gassen und sangen Hymnen, und die Männer beteten die ganze Nacht hindurch...

Am 27. Fastentag wagte es Lla Toumia, die Erinnerung an die Toten zu beschwören, während Omar und Rachid in einer Ecke geschickt mit Aprikosenkernen spielten.

»Mein Vater verbrachte in seiner Jugend diese ›Nacht des Schicksals‹ damit, möglichst viele Suren zu rezitieren. Einmal brach er bei dieser Gelegenheit sein Fasten mit einem Apfel und stürzte in die Moschee. Er las sechzig Suren hintereinander, ohne innezuhalten... Schließlich unterbrach ihn sein Lehrmeister: ›Knie nieder, o Mahmoud!‹ Mein Vater kniete nieder, und sein Meister ging hinaus.«

»In der Nacht des 27. Tages«, erinnerte sich die alte Tante, die gerade zu Besuch war, »lesen die *tolbas* den Koran abwechselnd, und jeder steht dabei nur auf einem Bein... Dabei packte sie der Wetteifer: Wer hält am längsten durch, wer wird im religiösen Rausch seinen Körper nicht mehr spüren?«

»Das war früher so! Heutzutage, in dieser neuen Zeit, regiert doch nur der Unglaube... Unsere eigenen Söhne (die Sprecherin erhob sich und machte Anstalten zu gehen), ja, unsere eigenen Söhne werden manchmal zu Ungläubigen!« stöhnte sie, während sie sich in ihren Schleier aus steifer Seide hüllte.

»Die Besten sind verschwunden!« seufzte die Alte.

Die Kinder, Mädchen und Jungen, rückten an solchen Abenden eng zusammen, wenn die Nostalgie der Horde unerklärlicherweise die Herzen erfaßte (jeder Vorwand genügte: eine Hochzeit, ein Todesfall).

»Euer Ururgroßvater«, fuhr die Ahne fort, »möge Gott sich seiner Seele erbarmen! – er hatte fünf Söhne, und einer davon war euer Urgroßvater…

Der erste, Baba Taieb, hatte eine Manie: In regelmäßigen Abständen stieß er einen Schrei aus: ›O Allah!‹ Manchmal tadelten ihn seine Brüder, denen das peinlich war: ›Gedenke des Herrn in deinem Herzen oder flüstere Seinen Namen, aber wozu diese laute Anrufung?‹ – ›Das ist nicht meine Schuld! Es passiert, ohne daß ich es will, es verschafft mir Erleichterung!‹ … Eines Tages kam ich mit einer Gruppe anderer Frauen vom Friedhof zurück; von ferne sehen wir einen Mann daherkommen, in einen weiten grünen Mantel gehüllt, vielleicht ein etwas grelles Grün, aber trotzdem das Grün des Islam. Plötzlich ein Schrei: ›O Allah!‹ – ›Der Ärmste‹, sagte eine Frau, ›das muß ein Derwisch sein!‹ – Ich mußte zugeben, natürlich mit einer gewissen Verbitterung: ›Das ist kein Narr, das ist einer, der nur gern als Derwisch angesehen werden möchte… Das ist der Bruder meines Mannes!‹ … Stellt euch vor, sogar bei Begräbnissen stellte er sich zwischen die rezitierenden *tolbas*. Sobald diese kurz innehielten, um Luft zu holen, brüllte er: ›O Allah!‹, und wir, seine weiblichen Angehörigen, seine Frau, seine Töchter, wir klagten in unserer Ecke: ›Baba Taieb, der sich nicht benehmen kann!‹«

Die Erzählerin verstummte, ließ die Gebetsschnur durch ihre Finger gleiten, fuhr sodann fort:

»Der zweite Sohn hatte den Spitznamen: ›der Pilger, der nach Mekka gezogen und nackt zurückgekehrt ist‹.«

»Nackt?« wurde laut gelacht.

»Man hatte ihn dort beraubt, und er trug nur noch seine *gandoura*. Alle seine Brüder mußten Geld zusammenlegen, um ihm Kleider zu kaufen. Als er seine ganzen Ersparnisse eines Schuhflickers in die Reise nach Mekka gesteckt hatte, hatten sie versucht, ihn davon abzubringen: ›Spar dein Geld lieber für dein Alter auf, du hast nicht einmal Söhne!‹ – ›Nein‹, erwiderte er, ›diesmal gilt mein ganzes Verlangen dem Hause Gottes.‹ Und so brach er denn auf.«

»Der dritte?« fragte eine schüchterne Stimme.

Die Erzählerin ließ sich Zeit; in ihren feuchten Augen schimmerte das Licht der Vergangenheit.

»Der dritte, ein Postkutschenkondukteur, war ein Ehrenmann: Hadj Bachir, der mit vierzig auf der Straße, die in die Ebene hinabführt, den Tod fand. Die Postkutsche neigte sich gefährlich zur Seite, er sprang vorsorglich hinaus und fiel in den Graben, aber die Kutsche stürzte um und begrub ihn unter sich. Die anderen Reisenden, die sich nicht von der Stelle bewegt hatten, waren allesamt unversehrt… Ihn brachten sie in die nächste Stadt, legten ihn ins Vestibül eines maurischen Bades und ließen ihn dort sterben: man erzählt, daß der Tod einen halben Tag gebraucht hatte, um ihn zu holen. Einige Straßenhändler, die ihn kannten, blieben vor ihm stehen, legten nachdenklich einen Augenblick der inneren Sammlung ein und gingen traurigen Herzens weiter: ›Welch ein Mann liegt da im Sterben!‹ seufzten sie… Es heißt, daß eine sengende Hitze sich an jenem Tag über die Stadt senkte.«

»Hat denn niemand einen Arzt geholt?« fragte ein junger Zuhörer.

»Zu jener Zeit«, entgegnete die Ahne in schroffem Ton, »verstand man unter Arzt und Hospital automatisch einen französischen Arzt, ein französisches Hospital…«

»Der vierte«, fuhr sie nach längerem Schweigen fort, »wurde ›der Sudanese‹ genannt, weil er sieben Jahre im Sudan gelebt hatte… ›Wie ist es dort, Onkel?‹ fragten seine Nichten und Neffen nach seiner Rückkehr. ›Sie schlafen den ganzen Tag auf dem Bauch‹, erzählte er. ›Sobald die Sonne untergeht, stehen sie auf und dann – was für Nächte! Tanz, Gesang, Gedichtwettbewerbe, Zirkel für Erzähler… In diesen Ländern lebt man bei Mondlicht!‹ Manchmal sagte er auch: ›Wenn ich ihnen vom Wasser erzählt habe, das bei uns durch die Abflußgräben läuft, haben sie gelacht, mir nicht geglaubt oder einfach gesagt: ›Lebt ihr denn im Paradies?‹«

»Und der fünfte, Mütterchen?« fragte ein Kind.

»Der fünfte – das war euer Urgroßvater, möge Gott ihm Seinen Schutz angedeihen lassen… Ich habe ihn mit zwölf Jahren geheiratet, er war achtundzwanzig…« Sie verstummte.

Etwas später setzte sie ihre Erzählung fort, aber in einem anderen Ton; die niedlichen Gesichtchen um sie herum erinnerten sie wahrscheinlich an eine ähnliche Szene: sie selbst als Zwölf- oder Dreizehnjährige, jung verheiratet, in ihrem neuen Heim jene vorfindend, die man damals ›die Alte‹ nannte und die sich mit ihren achtzig Jahren nicht zum Sterben entschließen konnte…

»Das war die Mutter meines Schwiegervaters, die Großmutter von allen, aber sie war ihnen allen unerwünscht, so sehr, daß sie sich schließlich nur in meinem Zimmer aufhielt. Acht Jahre lang kam sie nicht aus ihrem Winkel hervor. Ihre Schwiegertöchter – darunter meine Schwiegermutter – liebten sie nicht. Solche Dinge gab es leider sogar damals schon. Als sie immer schwächer wurde, warnte ich die anderen im Hof, aber sie antworteten nur: ›Die Alte stirbt nicht, die wird uns noch alle beerdigen!‹ – Acht Tage später schloß ich ihr die Augen und ging wieder hinaus, um ihnen mitzuteilen: ›Mma Rkia ist tot‹ – und sie fingen an zu schluchzen, diese erbärmlichen Kreaturen, sich die Haare zu raufen…«

Die Erzählerin verstummte für kurze Zeit, zwinkerte mit den Augen:

»Während dieser acht Jahre in ihrer Ecke redete sie mit

mir, oh, wie sie redete! Und ich hörte ihr zu... In jenem Jahr, als die Franzosen unsere Stadt besetzten, war sie jung verheiratet. Die ganze Familie hatte sich im größten Zimmer versammelt, das die Ausmaße eines Schuppens hatte, und niemand verließ es, weder Mann noch Frau. Nur der Scheich selbst, euer Vorfahr, der Sohn eines türkischen Janitscharen und einer Berberin, hielt Wache auf der Schwelle, Tag und Nacht... Und in jenen schrecklichen Tagen brachte Mma Rkia ein Mädchen zur Welt. Von draußen hörte man den Lärm des Gemetzels und des Kugelhagels, aber neben ihr begann ihre Schwägerin das Geschick der Wöchnerin zu verfluchen: ›Ein Mädchen! Du gibst uns ein Mädchen!... Das taugt nur für ein Sklavengeschlecht!‹ – ›Ist das meine Schuld?‹ dachte Rkia, und sie schämte sich. Erst später sagte sie sich: ›Ob Mädchen oder Junge – saßen wir nicht alle dort, zusammengepfercht wie in einem Hühnerhof, wenn der Schakal naht?‹... ›Ach, mein Liebling‹ – sagte die Alte zu mir –, ›ich höre diese Frau noch immer ihre Verwünschungen ausstoßen, mich verfluchen... Plötzlich stieß meine neugeborene Tochter ein erstes Wimmern aus, mitten in eine Stille hinein, dann ein zweites, längeres und lauteres, und dann starb sie... Ich habe immer gedacht, daß Gott sie mir wegen der Verwünschungen meiner Schwägerin genommen hat, die einem Geschlecht von Klageweibern entstammte, diese verfluchte Person... Später hatte ich fünf Jungen, fünf Jungen, aber kein einziges Mädchen, o weh... Das war in jenem Jahr, als die Franzosen unsere Stadt besetzten!‹ seufzte Mma Rkia.«

1965

EPILOG

Verbotener Blick, abgerissener Ton

I

Am 25. Juni 1832 geht Delacroix für eine kurze Zwischenstation in Algier an Land. Er hat gerade einen Monat in Marokko verbracht, wo er in eine Welt von extremem visuellem Reichtum eintauchte (prächtige Kostüme, furiose *fantasias*, der Prunk eines Königshofes, malerische jüdische Hochzeiten und pittoreske Straßenmusikanten, edle Raubkatzen: Löwen, Tiger usw.).

Dieser so nahe und zeitgenössische Orient eröffnet sich ihm als totale und überwältigende Neuheit. Ein Orient, wie er ihn sich für *Der Tod des Sardanapal* erträumt hatte – aber hier frei von jeder Assoziation mit Sünde. Zudem ein Orient, der sich – und das ist nur in Marokko der Fall – dem Einfluß der Türken entzieht, die er seit dem *Massaker auf Chios* verabscheut.

Marokko erweist sich für ihn deshalb als Ort, wo Traum und Inkarnation eines ästhetischen Ideals miteinander verschmelzen. Delacroix kann kurze Zeit später zu Recht schreiben: »Ich sehe Menschen und Dinge seit meiner Reise in ganz neuem Licht.«

In Algier hält sich Delacroix nur drei Tage auf. Dieser kurze Besuch in einer unlängst eroberten Hauptstadt führt ihn, dank eines glücklichen Zusammentreffens verschiedener Umstände, in eine Welt ein, die ihm während seiner marokkanischen Rundreise fremd geblieben ist. Zum erstenmal betritt er ein Reservat besonderer Art: das der arabischen Frauen.

Die Welt, die er in Marokko entdeckt und auf Skizzen festgehalten hat, ist im wesentlichen männlich, kriegerisch, mit einem Wort – viril. Was sich seinen Augen dort darbot, war das ständige Spektakel von Äußerlichkeiten, die sich in Prunk, Lärm, Pferden und schnellen Bewegungen erschöpften. Doch als er von Marokko nach Algerien kommt, überschreitet Delacroix eine subtile Grenze, die alle Zeichen neu setzen und das auslösen wird, was der Nachwelt von dieser einzigartigen ›Orientreise‹ im Gedächtnis bleibt.

Das Abenteuer ist bekannt: Der Chefingenieur des Hafens von Algier, ein Monsieur Poirel, hat einen *chaouch* in seinen Diensten, einen ehemaligen Kapitän von Kaperschiffen – vor 1830 auch *rais* genannt –, der nach langen Diskussionen einwilligt, Delacroix Zutritt zu seinem Haus zu gewähren.

Ein Freund des Freundes, Cournault, berichtet uns die Einzelheiten dieses Besuchs. Das Haus befand sich in der damaligen Rue Duquesne. Delacroix, begleitet vom Ehemann und zweifellos auch von Poirel, durchquert einen ›dunklen Gang‹, an dessen Ende völlig unerwartet und in ein fast unwirkliches Licht getaucht der eigentliche Harem vor ihm liegt. Dort warten Frauen und Kinder auf ihn, »inmitten einer Unmenge Seide und Gold«. Die Frau des ehemaligen *rais*, jung und hübsch, sitzt vor einer Nargileh. Delacroix – so berichtet Poirel es Cournault, der es für uns aufgeschrieben hat – »war wie berauscht von dem Schauspiel, das sich ihm darbot«.

Man kommt ins Gespräch, wobei der Ehemann den Vermittler und Dolmetscher spielt. Delacroix möchte alles über »dieses neue und für ihn mysteriöse Leben« wissen. Auf den zahlreichen Skizzen, die er anfertigt – verschiedene Positionen sitzender Frauen –, notiert er, was ihm am wichtigsten erscheint, was er keinesfalls vergessen darf: genaue Farbangaben (»Schwarz mit goldenen Linien, lackiertes Violett, dunkles indisches Rot« usw.)

mit Details der Kostüme, eine vielfältige und fremdartige Mischung, die seine Augen verwirrt.

Diese kurzen Anmerkungen, grafisch oder geschrieben, deuten auf eine fiebrige Hand, einen trunkenen Blick hin: flüchtiger Augenblick einer dahinschwindenden Offenbarung, die sich auf der schwankenden Grenze zwischen Traum und Wirklichkeit hält. Cournault notiert: »Dieses Fieber, das Sorbets und Früchte kaum zu lindern vermochten.«

Die völlig neuartige Vision wird als reines Bild wahrgenommen. Und weil diese viel zu neuen Sinneseindrücke die Realität des Bildes trüben könnten, zwingt sich Delacroix, auf seinen Skizzen jeden Namen und Vornamen der Frauen zu notieren. Aquarelle sind, fast wie Wappen, mit Namen versehen: Bayah, Mouni, Zora ben Soltane, Zora und Khadoudja Tarboridji. Skizzierte Frauenkörper, herausgerissen aus der Anonymität der Exotik.

Dieser Überfluß an seltenen Farben, diese Namen mit ihrem fremdartigen Klang – ist es das, was den Maler betört und begeistert? Ist es das, was ihn schreiben läßt: »Das ist schön! Das ist wie zu Homers Zeiten!«

Dieser Besuch bei den isolierten Frauen, der nur wenige Stunden dauerte – welchen Schock oder doch zumindest welche vage Bestürzung hat er dem Maler versetzt? Er durfte einen flüchtigen Blick ins Herz des Harems werfen, aber ist der Harem wirklich so, wie er ihn sieht?

Delacroix nimmt von diesem Ort einige Gegenstände mit: Pantöffelchen, eine Schärpe, ein Hemd, eine Pluderhose. Keine banalen Trophäen eines Touristen, sondern greifbare Beweise für eine einmalige, flüchtige Erfahrung. Traumspuren.

Er muß seinen Traum berühren können, ihn über die bloße Erinnerung hinaus am Leben erhalten, er muß die in seinen Notizbüchern eingefangenen Skizzen und Zeichnungen vollenden. Es ist das Äquivalent eines fetischistischen Zwanges, verstärkt durch die Gewißheit, daß es sich hier um ein absolut einmaliges Erlebnis handelt, das sich nie wiederholen wird.

Nach Paris zurückgekehrt, wird der Maler zwei Jahre an dem Bild seiner Erinnerung arbeiten, die ihm durch eine stumme, unausgesprochene Unsicherheit ständig zu entgleiten droht, obwohl sie so gut dokumentiert und sogar durch Gegenstände gestützt ist. Er macht daraus ein Meisterwerk, das uns auch heute noch Fragen aufgibt.

Die Frauen von Algier in ihrem Gemach: drei Frauen, zwei davon vor einer Nargileh sitzend. Die dritte, im Vordergrund, halb liegend, einen Ellbogen auf Kissen gestützt. Eine Dienerin, zu drei Vierteln in Rückenansicht, hebt einen Arm, so als wolle sie den schweren Wandbehang beiseite schieben, der diese abgeschlossene Welt maskiert; eine fast nebensächliche Person, dient sie scheinbar nur dazu, die schillernden Farben, die Aureolen um die drei anderen Frauen bilden, bis an den Bildrand fortzuführen. Der eigentliche Sinn des Gemäldes besteht in der Beziehung, die diese drei Hauptfiguren zu ihren Körpern und zu ihrem Gefängnis haben. Diese resignierten Gefangenen eines geschlossenen Raumes, der von einem traumhaften Licht erhellt ist, einem Licht, das keinen Ursprung zu haben scheint, ein Treibhauslicht, Aquariumlicht – dank Delacroix' Genialität sind sie uns nahe und zugleich fern, in höchstem Maße rätselhaft.

Fünfzehn Jahre nach diesen Tagen von Algier erinnert sich Delacroix erneut daran, macht sich wieder an die Arbeit und präsentiert bei der Ausstellung von 1849 eine zweite Version der *Frauen von Algier*.

Die Komposition ist fast identisch, aber diverse Veränderungen lassen rückblickend den latenten Sinn des Gemäldes deutlicher hervortreten. Bei diesem zweiten Bild, wo die Gesichtszüge etwas unschärfer und die Dekorelemente weniger kunstvoll ausgearbeitet sind, hat sich das Blickfeld erweitert. Dieser größere Ausschnitt hat ein dreifaches Resultat: die drei Frauen, die nun tiefer in ihrem Refugium versinken, von uns zu entfernen; eine Wand des Zimmers vollständig zu enthüllen und zu entblößen, so daß sie mit größerem Gewicht auf der Einsamkeit dieser Frauen lastet; den unwirklichen Charakter des Lichts zu betonen, das deutlicher zum Ausdruck bringt, was im Schatten als unsichtbare, aber allgegenwärtige Drohung verborgen ist, durch Vermittlung der Dienerin, die wir jetzt kaum noch sehen, die aber dort ist, sehr aufmerksam.

Frauen, die immer nur warten. Plötzlich nicht so sehr Sultaninnen als vielmehr Gefangene. Sie treten zu uns, den Betrachtern, in keinerlei Beziehung. Sie liefern sich unseren Blicken weder aus, noch verweigern sie sich ihnen. Fremdartig, aber schrecklich präsent in dieser dünnen Atmosphäre der Abgeschiedenheit.

Elie Faure erzählt, daß dem alten Renoir, wenn er auf dieses Licht in den *Frauen von Algier* zu sprechen kam, unwillkürlich dicke Tränen über die Wangen rollten.

Sollten auch wir weinen wie der alte Renoir, aber nicht aus künstlerischen, sondern aus ganz anderen Gründen? Nach anderthalb Jahrhunderten diese Baya, Zora, Mouni und Khadoudja heraufbeschwören. Diese Frauen, die Delacroix – vielleicht wider seinen Willen[1] – so zu sehen vermochte wie niemand zuvor, hören seitdem nicht auf, uns etwas Unerträgliches zu sagen, das auch heute noch durchaus aktuell ist.

Delacroix' Gemälde wird als Annäherung an den femininen Part des Orients wahrgenommen – zweifellos der erste derartige Versuch in der europäischen Malerei, die daran gewöhnt war, das Thema der Odaliske der Literatur zu überlassen oder aber nur die Grausamkeit und Nacktheit des Serails zu beschwören.

Wenn wir zu ergründen versuchen, welcher Art der ferne und nahe Traum ist, der sich in den verlorenen Augen der drei Algerierinnen widerspiegelt – Nostalgie oder vage Sanftmut –, geraten wir, ausgehend von ihrer offenkundigen Geistesabwesenheit, selbst alsbald ins Träumen, träumen unsererseits von der Sinnlichkeit. So als erstreckte sich hinter diesen Körpern – und bevor die Dienerin den Vorhang wieder fallen läßt – ein Universum, in dem sie noch immer leben könnten, bevor sie sich für uns, die Betrachter, in Positur setzen.

Denn genau das sind wir – Betrachter. In Wirklichkeit ist uns dieser Blick verboten. Wenn Delacroix' Gemälde unbewußt fasziniert, so nicht in erster Linie wegen dieses künstlichen Orients, den er uns in einem Halbdunkel von Luxus und Schweigen präsentiert, sondern weil es uns in Erinnerung bringt, daß wir normalerweise nicht das Recht haben, diese Frauen zu beobachten. Das Gemälde selbst ist ein gestohlener Blick.

Und ich sage mir, daß Delacroix sich nach mehr als fünfzehn Jahren vor allem an jenen ›dunklen Gang‹ erinnerte, an dessen Ende, in einem Raum ohne Ausgang, sich die Gefangenen des Geheimnisses hieratisch aufhalten. Jene, deren fernes Drama man nur aufgrund dieser unerwarteten Kulisse erahnen kann, zu der die Malerei hier wird.

Sehen uns diese Frauen deshalb nicht an, weil sie träumen, oder aber weil sie, ausweglos eingeschlossen, uns überhaupt nicht mehr wahrnehmen können? Nichts ist von der Seele dieser sitzenden Trauergestalten zu spüren, die in ihrer Umgebung zu ertrinken scheinen. Sie bleiben sich selbst fern, ihren Körpern, ihrer Sinnlichkeit, ihrem Glück.

Zwischen ihnen und uns, den Betrachtern, gab es die Sekunde der Enthüllung, den Schritt, der über das Vestibül der Intimität hinausführte, das ertappte Rascheln eines Diebes, eines Spions, eines Voyeurs. Nur zwei Jahre zuvor hätte der französische Maler dabei sein Leben riskiert...

Was also zwischen diesen Frauen von Algier und uns steht, ist das Verbot. Neutral, anonym, allgegenwärtig.

Lange Zeit hat man geglaubt, daß jener Blick nur deshalb gestohlen war, weil es sich um den Blick eines Fremden handelte, der nichts mit dem Harem und mit der Stadt zu tun hatte.

Seit einigen Jahrzehnten – in dem Maße, wie hier und dort der Nationalismus triumphiert – kann man feststellen, daß innerhalb dieses sich selbst überlassenen Orients das Bild der Frau nicht anders wahrgenommen wird: vom Vater, vom Ehemann und, auf kompliziertere Weise, vom Bruder und vom Sohn.

Im Prinzip dürfen nur sie die Frauen betrachten. Den anderen Männern der Familie (und jeder Vetter, in der Kindheit Spielgefährte, wird zum potentiellen ›Voyeur‹) zeigt die Frau – während einer ersten Phase der Auflockerung herkömmlich sehr strenger Sitten – zwar nicht ihren ganzen Körper, aber doch wenigstens Gesicht und Hände.

Die zweite Phase dieser Auflockerung ist paradoxerweise vom Schleier abhängig[2]. Da er Rumpf und Gliedmaßen völlig verhüllt, erlaubt er der Trägerin, die sich derart bedeckt hält, in der Männerwelt ihrerseits zur möglichen ›Diebin‹ zu werden. Sie tritt dort fast nur als flüchtige Silhouette in Erscheinung, speziell, wenn nur ein Auge frei bleibt. Die Großzügigkeit des ›Liberalismus‹ gibt ihr, in bestimmten Fällen und an bestimmten Orten, ihr zweites Auge zurück und somit ihr normales Sehvermögen: jetzt sind, dank des kleinen Schleiers, beide Augen weit geöffnet, nehmen die Außenwelt hellwach wahr.

Ein anderes Auge ist nun also da: der weibliche Blick. Aber dieses befreite Auge, das zum Symbol einer Errungenschaft – in Richtung auf das Licht anderer zu, weg von der Einsperrung – werden könnte, wird statt dessen als Bedrohung empfunden, und der Circulus vitiosus feiert Auferstehung.

Gestern demonstrierte der Hausherr seine Autorität über die abgeschlossenen Frauenräume dadurch, daß er nur sich selbst das Recht vorbehielt, die Frauen zu betrachten, daß er die Blicke anderer zu verhindern wußte. Das weibliche Auge, das sich fortbewegt, wird nun seinerseits, so scheint es, von den Männern gefürchtet, die in den maurischen Cafés herumsitzen, während das Phantom unwirklich, aber rätselhaft an ihnen vorbeigeht.

Diese erlaubten Blicke (das heißt die des Vaters, des Bruders, des Sohnes und des Mannes), die sich auf Auge und Körper der Frau richten – denn das Auge jenes, der dominiert, such zunächst das andere Auge, das des Dominierten, bevor es den Körper in Besitz nimmt –, enthalten ein Risiko, das um so unkalkulierbarer ist, als die Ursachen dem Zufall unterliegen können.

Es genügt eine Kleinigkeit – plötzliche Überschwenglichkeit, eine unbedachte, ungewohnte Bewegung, ein plötzlich flatternder Vorhang, der ein Geheimnis preisgibt[3] – und schon ist die Gefahr groß, daß auch die anderen Augen des Körpers (Brüste, Geschlechtsorgan, Nabel) den Blicken preisgegeben sind. Und das bedeutet das Ende für die Männer, für diese verwundbaren Wächter: Es ist ihre Nacht, ihr Unglück, ihre Schmach.

Verbotener Blick: denn es ist wahrlich verboten, den Frauenkörper zu betrachten, den man einkerkert, vom zehnten bis zum vierzigsten oder fünfundvierzigsten Lebensjahr, zwischen vier Wänden oder bestenfalls zwischen Schleiern. Aber es besteht auch die Gefahr, daß der weibliche Blick, für die Bewegung in der Öffentlichkeit befreit, es jeden Moment wagen könnte, auch die anderen Blicke des frei beweglichen Körpers zu entblößen. So als könnte plötzlich der ganze Körper anfangen, Blicke zu werfen – ›herauszufordern‹, wie das der Mann übersetzt... Und ist eine Frau, die beobachtet – eine Frau in Bewegung, folglich ›nackt‹ –, zudem nicht eine neue Bedrohung für das männliche Vorrecht zu starren?

Der sichtbarste Fortschritt für die arabischen Frauen bestand deshalb – zumindest in den Städten – darin, den Schleier abzulegen. Viele Frauen haben, oft nach einer Backfischzeit oder auch einer ganzen Jugend in totaler Abgeschiedenheit, die Erfahrung der Entschleierung am eigenen Leibe gemacht.

Der Körper verläßt das Haus, und man hat erstmals das Gefühl, als wäre er allen Blicken ›preisgegeben‹: Man versteift sich, hastet voran, schaut angestrengt vor sich hin.

Arabische Dialekte haben für diese Erfahrung bezeichnende Ausdrücke: »Ich gehe nicht mehr *beschützt* aus dem Haus« (d. h. verschleiert, verhüllt), wird die Frau sagen, die sich vom Tuch befreit; »ich gehe *entkleidet, entblößt* aus«. Der Schleier, der einen allen Blicken« entzogen hat, wird tatsächlich als ›Kleidungsstück an sich‹ empfunden, und ihn nicht mehr zu haben, bedeutet, total preisgegeben, total exponiert zu sein.

Was den Mann betrifft, der bereit ist, sich an der schüchternsten, langsamsten Entwicklung seiner Schwester oder Frau zu beteiligen, so ist er dazu verurteilt, fortan in Unbehagen und Unruhe zu leben, weil er glaubt, daß die Frau – sobald sie den Gesichtsschleier und sodann auch den Körperschleier abgelegt hat – gar nicht anders kann als im nächsten Stadium das fatale Risiko einzugehen: das andere Auge, das Geschlechts-Auge zu enthüllen. Bei diesem zwangsläufigen Abrutschen sieht er auf halbem Wege einen einzigen Haltepunkt: den ›Bauchtanz‹, der in den Kabaretts das Nabel-Auge Grimassen schneiden läßt. Demzufolge birgt der Körper der Frau, sobald diese das Warten und geduldige Herumsitzen in abgeschlossenen Räumlichkeiten aufgibt, von Natur aus Gefahren. Bewegt er sich in einem offenen Raum? Dann nimmt der Mann plötzlich nur noch eine bestürzende Vielfalt von Augen wahr: Augen dieses Körpers wie Augen, die diesen Körper betrachten.

Um dieses weibliche Abdriften herum kristallisiert sich die paranoide Besessenheit des beraubten Mannes heraus. (Schließlich ist der einzige Mann in Algier, der 1832 dem fremden Maler Zutritt zum Harem gewährt, ausgerechnet ein besiegter kleiner Korsar, der nun als *chaouch* einem französischen Beamten gehorchen muß.)

Als im Jahre 1830 in Algerien der Einfall der Franzosen beginnt – der, koste es, was es wolle, auf den Schwellen der verarmten Serails gestoppt wird –, da geht mit der fortschreitenden Eroberung des Außenraums eine immer unerbittlichere Kälte in den internen Beziehungen einher: Die Kommunikation zwischen den Generationen und noch mehr zwischen den Geschlechtern wird immer schwächer.

Diese Frauen von Algier, die seit 1832 auf Delacroix' Gemälde regungslos verharren – wenn es gestern vielleicht noch möglich war, in ihrer Starrheit den nostalgischen Ausdruck von Glück oder von Erfüllung durch Unterwerfung zu finden, so erschüttert uns heute ihre verzweifelte Bitterkeit zutiefst.

Zu Zeiten heroischer Kämpfe war die Frau Beobachterin und Ruferin: Sie verfolgte die ganze Schlacht mit dem scharfen Blick einer Augenzeugin, und sie feuerte den Krieger durch lautes Kreischen zum Durchhalten an (ein langgezogener Schrei, der den Horizont durchbohrte, wie ein endloses Glucksen des Unterleibs, ein sexueller Ruf in vollem Flug).

Doch das ganze neunzehnte Jahrhundert hindurch sind die Kämpfe, die sich immer mehr in den Süden des Landes verlagern, eine ununterbrochene Abfolge von Niederlagen. Immer noch beißen Helden ins Gras, wobei sie die Blicke und Stimmen der Frauen aus der Ferne wahrnehmen, von jenseits der Grenze, die eine Grenze des Todes, wenn schon nicht des Sieges sein muß.

Aber für die Männer des Zeitalters der Unterwerfung, ob nun Feudalherren oder Proletarier, ob nun Söhne oder Liebhaber, bleibt die Bühne zwar dieselbe, und die Zuschauerinnen haben sich nicht bewegt, doch die Männer, die keine Helden sind, beginnen, mit retrospektiver Angst von diesem Blick zu träumen.

Während sich draußen eine ganze Gesellschaft in der Dualität Besiegte – Sieger, Ureinwohner und Eindringlinge abschottet, kommt im Harem, der auf eine Hütte oder Höhle reduziert ist, der Dialog fast endgültig zum Erliegen. Wenn man diesen einzigen noch verbliebenen Beobachter-Körper doch nur einschließen, ihn immer mehr einkerkern könnte, um die Niederlage zu vergessen! Aber jede Bewegung, die an die zornige Auflehnung der Vorfahren erinnern könnte, erstarrt unabänderlich und verstärkt dadurch die Unbeweglichkeit, die aus der Frau eine Gefangene macht.

In der mündlichen Kultur Algeriens, hauptsächlich in den besetzten kleinen Städten, entwickelt sich – in Gedichten, Liedern und sogar in den Figuren der langsamen oder nervösen Tänze – das fast einmalige Thema der Verletzung, das die lebhafte Improvisation ablöst, die zum Thema ›ironische Sehnsucht‹ paßte.

Daß die erste Begegnung der Geschlechter nur über den Eheritus und seine Zeremonien möglich ist, wirft ein bezeichnendes Licht auf das Wesen einer Obsession, die unsere soziale und kulturelle Wirklichkeit entscheidend prägt. Eine schmerzhafte Wunde ätzt den Körper der Frau durch den Trick einer Verherrlichung der Jungfernschaft, die alsbald rücksichtslos zerstört wird, wobei die Heirat das Martyrium auf triviale Weise heiligt. Die Hochzeitsnacht wird im wesentlichen zur Nacht des Blutes. Nicht zur Nacht des Kennenlernens, noch weniger zur Nacht des Genusses, sondern zur Nacht des Blutes, zur Nacht der Blicke und des Schweigens. Deshalb auch der schrille Chor langer Schreie, ausgestoßen von den anderen Frauen (krampfhafte Schwesternschaft, die sich in die blinde Nacht aufzuschwingen versucht), deshalb auch der Pulverlärm, der das Schweigen kaschieren soll.[4]

Der Anblick des mit Blut besudelten Geschlechtsorgans verweist quasi auf den allerersten Anblick zurück, den der gebärenden Mutter. Ihr Bild steigt auf, ambivalent und in Tränen gebadet, total verschleiert und gleichzeitig nackt und ausgeliefert, die blutbefleckten Beine vor Schmerz zuckend.

Der Koran sagt, man hat es oft wiederholt: »Das Paradies befindet sich zu Füßen der Mütter.«

Während im Christentum der Verehrung der jungfräulichen Mutter eine besondere Bedeutung zukommt, versteht der Islam unter ›Mutter‹ in erster Linie nicht die Quelle der Zärtlichkeit, sondern die Frau ohne Genuß. In der obskuren Hoffnung, daß das Geschlechts-Auge, das ein Kind geboren hat, keine Gefahr mehr darstellt. Nur die Mutter darf deshalb schauen.

II

Zur Zeit des Emirs Abdelkader werden Nomadenstämme, die ihm treu sind – die Arbaa und die Harazélias – im Jahre 1839 vom traditionellen Feind, den Tedjini, im Fort ›Ksar el Hayran‹ belagert. Am vierten Tag der Belagerung erklimmen die Angreifer bereits die Mauern, als ein junges Mädchen der Harazélias namens Messaouda (›die Glückliche‹) sieht, daß ihre Stammesbrüder sich zur Flucht wenden, und schreit:

»Wohin rennt ihr denn? Hier, hier sind die Feinde!
Muß euch ein Mädchen zeigen, wie Männer sich
benehmen müssen?
Also gut, seht her!«

Sie steigt auf den Wall hinauf, schlüpft hinaus, den Feinden entgegen. Und während sie sich freiwillig der Gefahr aussetzt, deklamiert sie:

»Wo sind die Männer meines Stammes?
Wo sind meine Brüder?
Wo sind sie, die für mich
Liebeslieder sangen?«

Daraufhin eilen die Harazélias ihr zu Hilfe, und die Tradition berichtet, daß sie dabei diesen Ruf des Krieges und der Liebe brüllen:

»Sie glücklich, hier sind deine Brüder,
hier sind deine Liebhaber!«

Elektrisiert vom Appell des jungen Mädchens, schlagen sie den Feind zurück. Messaouda wird im Triumph zurückgebracht, und seitdem singt man in den Stämmen Südalgeriens ›Messaoudas Lied‹, das diese Tatsachen erzählt und mit einer Verherrlichung der heroischen Verletzung endet:

»Messaouda, du wirst immer
eine Zange zum Zähneziehen sein!«

Eine ganze Anzahl von Episoden aus der Geschichte der
algerischen Widerstandskämpfe des letzten Jahrhunderts
zeigt uns tatsächlich Frauen als Kriegerinnen, aus der traditionellen Rolle von Zuschauerinnen ausgebrochen sind.
Ihre furchtbaren Blicke stacheln den Mut an, aber plötzlich, wenn äußerste Verzweiflung um sich greift, ist ihre
bloße Gegenwart, sogar im dichtesten Schlachtgetümmel,
von entscheidender Bedeutung.

Andere Erzählungen über den weiblichen Heroismus
illustrieren die Tradition der feudalen Königin-Mutter
(Intelligenz, Organisationstalent und ›viriler‹ Mut), nach
dem fernen Vorbild der Berberin Kahina.

Die schlichtere Geschichte von Messaouda scheint mir
einen neuen Aspekt einzuführen: Gewiß, sie variiert das
Thema von Heroismus und Stammessolidarität, aber hier
wird in erster Linie ein Zusammenhang zwischen dem
Körper in Gefahr (durch die völlig improvisierte Bewegung) und der Stimme hergestellt, die ruft, herausfordert
und verletzt. Die schließlich vom Risiko der Feigheit befreit und den siegreichen Ausgang ermöglicht.

»Sei glücklich, hier sind deine Brüder, hier sind deine
Liebhaber!« Erschrecken diese Brüder und Liebhaber
hauptsächlich über den Anblick des völlig exponierten
Frauenkörpers, oder sind sie eher elektrisiert von der rennenden Frauenstimme? Von diesem Schrei, der sich endlich den Eingeweiden entrungen hat, der das Blut des Todes und der Liebe streift. Und das ist die Offenbarung:
»Sei glücklich!«

Nur Messaoudas Lied preist dieses Glück der Frau, die
in improvisierter und zugleich gefährlicher Bewegung
ist, die – kurz gesagt – kreativ ist.

In unserer nahen Vergangenheit des antikolonialen Widerstands ist von Messaouda leider wenig zu spüren. Vor dem Befreiungskrieg fand man bei der Suche nach nationaler Identität, sogar wenn sie die Beteiligung von Frauen mit einschloß, Gefallen daran, auch die ungewöhnlichsten und anerkanntesten Kriegerinnen ihrer Körper zu entkleiden, diese Frauen als ›Mütter‹ zu verklären. Als dann aber während der sieben Jahre des nationalen Krieges das Thema der Heldin wahre Begeisterungsstürme hervorruft, stehen dabei gerade die Körper der jungen Mädchen im Mittelpunkt – die ich ›Feuerträgerinnen‹ nenne –, die der Feind einkerkert. Eine Zeitlang verschmolzen Harems mit Gefängnissen wie dem Barberousse, und die Messaoudas der Schlacht von Algier wurden ›Djamila‹ genannt.

Was haben wir seit Messaoudas Appell und der Antwort ihrer ›Brüder und Liebhaber‹, seit diesem Vorwärtsdrang des befreiten weiblichen Stolzes an ›Aussprüchen‹ unserer Frauen, an weiblichen Worten aufzuweisen?

Delacroix' Gemälde zeigt uns zwei Frauen, die offenbar bei einer Unterhaltung überrascht wurden, aber es ist ihr Schweigen, das uns erreicht. Das abrupte Verstummen jener, die ihre Lider senken oder ins Leere starren, wenn sie miteinander reden. So als hätten sie irgendein Geheimnis, über dessen Bewahrung die Dienerin wacht, von der wir nicht wissen, ob sie eine Spionin oder eine Komplizin ist.

Von Kindheit an drillt man Mädchen auf den »Kult des Schweigens, der eine der größten Kräfte der arabischen Gesellschaft ist«[5]. Was ein französischer General und ›Araberfreund‹ als »Kraft« bezeichnet, empfinden wir als eine zweite Verstümmelung.

Sogar das ›Ja‹, das der *fatiha* bei der Trauung folgen muß, wobei der Vater seine Tochter fragt – der Koran verpflichtet ihn dazu –, wird fast überall im moslemischen Raum geschickt erstickt. Die Tatsache, daß das junge Mädchen nicht gesehen werden darf, wenn es seine Zustimmung gibt (oder sie verweigert!), zwingt es, die Vermittlung eines männlichen Repräsentanten in Anspruch zu nehmen, der ›an ihrer Stelle‹ spricht. Schreckliche Vertauschung einer Stimme durch eine andere, die zudem der illegalen Praxis erzwungener Ehen Vorschub leistet. Eine entbehrte, vergewaltigte Stimme, bevor es zu der anderen Quasi-Vergewaltigung kommt.

Doch sogar ohne *ouali* ist man sich darüber einig, daß die Braut dieses ›Ja‹, das aus ihrem Mund erwartet wird, wegen ihrer ›Schamhaftigkeit‹ vor Vater und Rechtsvertreterin auch durch Schweigen oder durch ihre Tränen zum Ausdruck bringen kann. Und es ist verbürgt, daß es im alten Persien eine noch charakteristischere Praxis gab[6]: bei der Segnung der Eheschließung erklärt der junge Mann seine Zustimmung laut und deutlich; die Braut ist in ein Nebenzimmer verbannt, umgeben von anderen Frauen, in der Nähe der Tür, die mit einem Vorhang verhängt ist. Um dieses notwendige ›Ja‹ zu erzeugen, stoßen die Frauen den Kopf des Mädchens gegen die Tür, so daß es stöhnt.

Auf diese Weise bringt die Frau das einzige Wort, das von ihr erwartet wird, dieses ›Ja‹ zur Unterwerfung, unter dem Deckmantel der Schicklichkeit nur mit größtem Unbehagen über die Lippen, entweder unter der Einwirkung von physischem Schmerz oder aber durch die Zweideutigkeit der Tränen.

Es wird erzählt, daß im Jahre 1911 die Frauen (Mütter und Schwestern) bei mehreren algerischen Feldzügen um die Lager herumirrten, wo die Rekruten, die sogenannten ›Eingeborenen‹, zusammengepfercht waren. Die Frauen weinten und zerkratzten sich die Gesichter. Das Bild der in Tränen schwimmenden Frau, die sich hysterisch verletzt, wird bei den damaligen Ethnologen zum einzigen Bild ›in Bewegung‹: keine Kriegerinnen mehr, auch keine Dichterinnen. Wenn es sich nicht um unsichtbare und stumme Frauen handelt, wenn sie überhaupt noch mit ihrem Stamm verbunden sind, dürfen sie nur als ohnmächtige Furien in Erscheinung treten. Schweigen sogar bei den tanzenden Prostituierten aus dem Stamm Ouled-Nails mit ihren bis zu den Füßen verhüllten Körpern, ihren mit Schmuck behängten Gesichtern, mit dem rhythmischen Klirren der Fußringe als einzigem Geräusch.

Von 1900 bis 1954 erleben wir in Algerien eine zunehmende Abschottung der einheimischen Gesellschaft, die in immer stärkerem Maße enteignet wird, nicht nur, was ihren Lebensraum betrifft, sondern bis hin zu den Stammesstrukturen. Der orientalisierende Blick – zuerst der Militärdolmetscher, später der Fotografen und Cineasten – kreist um diese geschlossene Gesellschaft, wobei besonders das ›weibliche Geheimnis‹ betont wird, um auf diese Weise die Feindseligkeit der ganzen gefährdeten Gemeinschaft der Algerier zu vertuschen.

Doch auch das kann nicht verhindern, daß während dieser ersten Hälfte des zwanzigsten Jahrhunderts die räumliche Einengung zu einer Festigung der verwandtschaftlichen Bindungen geführt hat: zwischen Cousins, Brüdern usw. Und bei den Beziehungen zwischen Brüdern und Schwestern wurden letztere zumeist – wieder jenem ›Ja-Schweigen der Tränen‹ zufolge – zugunsten der männlichen Familienmitglieder entrechtet: auch dies eine neue Form dieses uralten Vertrauensmißbrauchs, dieser Veräußerung von materiellem Besitz und Körper.

In diesem riesigen Gefängnis derart doppelt eingesperrt, hat die Frau nur noch das Recht auf einen Freiraum, der sich wie Chagrinleder immer mehr zusammenzieht. Nur die Beziehung Mutter – Sohn wird immer enger, bis sie alle anderen Kommunikationen blockiert.

So als vollzöge sich die immer schwierigere Verknüpfung mit den Wurzeln für diese neuen Proletarier ohne Land und bald auch ohne Kultur durch die Nabelschnur.

Doch über diese Festigung der Familienbande hinaus, von dem nur die Männer profitieren, gibt es die Rückbesinnung auf die mündlichen Quellen der Geschichte.

Töne der Mutter, die – Frau ohne Körper und ohne individuelle Stimme – den Klang der kollektiven und obskuren Stimme wiederfindet, die zwangsläufig asexuell ist. Denn in diesem Strudel der Niederlage, der in tragischer Unbeweglichkeit geendet hat, sucht man anderswo[7] nach Modellen für ein zweites Atemholen und frische Sauerstoffzufuhr, anderswo, nicht in jenem riesigen Schoß, wo die große Schar von Müttern und Großmüttern im Schatten der Patios oder Hütten die emotionale Erinnerung gepflegt hatte...

Echos der verlorenen Schlachten des vorigen Jahrhunderts, Details in leuchtenden Farben – eines Delacroix durchaus würdig – aus dem Munde von Erzählerinnen, die weder lesen noch schreiben können. Die Flüsterstimmen dieser vergessenen Frauen haben unersetzliche Fresken entworfen und auf diese Weise unseren Sinn für Geschichte geweckt.

Auf diese Weise wird die überhöhte Präsenz der Mutter (Frau ohne Körper oder, im Gegenteil, mit vervielfachtem Körper) zum solidesten Knoten in einer fast totalen Kommunikationslosigkeit zwischen den Geschlechtern. Doch gleichzeitig scheint die Mutter auf dem Gebiet des Wortes tatsächlich den einzigen authentischen Ausdruck einer kulturellen Identität entwickelt zu haben, einer auf die heimatliche Scholle, auf das Dorf, den Ortsheiligen und manchmal sogar auf den ›Clan‹ beschränkten Identität, gewiß, die aber immerhin konkret und voll glühender Liebe ist.

So als verhüllte die Mutter uns ihren Körper, um als

Stimme der allumfassenden Ahne zurückzukehren, als zeitloser Chor, in dem die Geschichte nacherzählt wird. Aber eine Geschichte, von der das archetypische Bild des Frauenkörpers abgespalten ist.

Vereinzelte Tupfer einer zögernden Zeichnung bleiben übrig, Reste einer Frauenkultur, die langsam erstickt: Terrassenlieder von Mädchen[8], Vierzeiler der Frauen von Tlemcen[9], herrliche Trauergesänge der Frauen von Laghouat, eine ganze Literatur, die leider zusehends entschwindet, um schließlich jenen Wadis ohne Mündung zu gleichen, die sich im Sand verlieren.

Folkloristisches Lamento jüdischer und arabischer Sängerinnen bei algerischen Hochzeiten, und ganz allmählich geht diese veraltete Sanftmut, diese verliebte Nostalgie, die von Anspielungen fast frei ist, von den Frauen auf die halbwüchsigen Töchter über, auf die künftigen Opfer, so als schlösse sich das Lied in sich selbst.

Wir, Kinder in den Patios, wo unsere Mütter uns noch jung und heiter vorkommen, mit Schmuck behängt, der sie nicht erdrückt – noch nicht! –, der sie oft in harmloser Eitelkeit schmückt, wir, vom matten Raunen verlorener Frauenstimmen umgeben, wir nehmen noch ihre alte Wärme wahr… aber nur selten das Verdorren. Diese Inselchen des Friedens, dieses Zwischenspiel, das unser Gedächtnis bewahrt hat – hat das nicht etwas von jener vegetativen Autonomie der Algerienrinnen des Gemäldes an sich, eine völlig separate Welt der Frauen?

Eine Welt, aus der sich der Junge entfernt, sobald er größer wird, aus der sich heute aber auch das Mädchen entfernt, das eine Emanzipation anstrebt. Speziell für Mädchen ändert sich durch diese Distanzierung letztlich nur der Schauplatz ihrer Stummheit: sie tauschen das Frauengemach und die frühere Gemeinschaft gegen eine oft trügerische Zweisamkeit mit dem Mann ein.

Und so verdorrt diese Welt der Frauen – wenn sie nicht mehr mit dem Geflüster einer komplizenhaften Zärtlichkeit summt, mit verlorenen Klagen, kurzum mit der Romantik einer zerronnenen Verzauberung – schlagartig zu einer Welt des Autismus.

Plötzlich offenbart die Realität der Gegenwart ihr ungeschminktes Gesicht, das keinen Bezug zur Vergangenheit hat: Der Ton ist wirklich abgerissen.

III

Als der Befreiungskrieg in Algerien gerade erst beginnt, lebt Picasso von Dezember 1954 bis Februar 1955 täglich in der Welt von Delacroix' *Frauen von Algier*. In der Konfrontation mit diesem Gemälde erschafft er um die drei Frauen herum und mit ihnen eine total verwandelte Welt: fünfzehn Leinwände und zwei Lithographien tragen denselben Titel.

Es ist für mich ein bewegender Gedanke, daß der geniale Spanier auf diese Weise einen Wandel der Zeiten ankündigt.

Bei Einbruch unserer ›kolonialen Nacht‹ schenkte uns der französische Maler Delacroix seine Vision, die – wie Baudelaire bewundernd feststellt – »das berauschende Parfum eines verrufenen Hauses verströmt, das uns sehr schnell zur unergründeten Vorhölle der Traurigkeit führt«. Dieses Parfum eines verrufenen Hauses hatte eine sehr lange Vorgeschichte und sollte im Laufe der Zeit noch konzentrierter werden.

Picasso hebt den Fluch auf, sprengt das Unglück, entwirft mit kühnen Linien ein völlig neues Glück. Eine Vorwegnahme, die uns in unseren Alltag leiten müßte.

»Picasso hat die Schönen des Harems immer gern befreit«, kommentiert Pierre Daix. Eine glorreiche Befreiung des Raumes, ein Erwachen der Körper im Tanz, in der ausgelassenen, verschwenderischen Bewegung. Aber eine der Frauen, plötzlich riesengroß, bewahrt auch bei ihm distanzierte, majestätische Ruhe. So als wollte er mit diesem Bild eine Moral verbinden: Es gilt, eine Verbindung zwischen der einstigen abgeklärten Ausgeglichenheit (die Dame, die früher in ihrer mürrischen Traurigkeit erstarrt war, bewegt sich zwar immer noch nicht, ist nun aber ein Fels an innerer Kraft) und dem improvisierten Ausbruch in einen offenen Raum wiederzufinden.

Denn es gibt keinen Harem mehr, seine Tür ist weit geöffnet, und das Licht flutet ungehindert herein; es gibt nicht einmal mehr eine spionierende Dienerin, nur eine andere Frau, die ausgelassen tanzt. Und schließlich sind die Heldinnen völlig nackt – mit Ausnahme der Königin, die aber immerhin ihre Brüste triumphierend zur Schau stellt –, so als hätte Picasso die Wahrheit der Umgangssprache entdeckt, die im Arabischen die ›Entschleierten‹ als ›Entblößte‹ bezeichnet. So als sei diese Entblößung für ihn zudem nicht nur Symbol einer ›Emanzipation‹, sondern auch Symbol einer Wiedergeburt dieser Frauen in ihren Körpern.

Zwei Jahre nach dieser Intuition des Künstlers trat bei der Schlacht von Algier das Geschlecht der Bombenträgerinnen in Erscheinung. Sind diese Frauen nur die Schwestern, die Kameradinnen der Nationalhelden? Bestimmt nicht, denn alles läuft so ab, als hätten letztere, isoliert, außerhalb des Clans, seit den 20er Jahren und fast bis 1960, einen weiten Weg zurückgelegt, bis sie ihre ›Geliebten‹ (im Sinne von Messaoudas Lied) wiederfanden, und das im Schatten der Gefängnisse und Mißhandlungen durch Legionäre.

So als hätte es der Guillotine und der ersten Opfer im kalten Morgengrauen bedurft, damit die jungen Mädchen ihrerseits um ihre Blutsbrüder zittern und das auch zugeben[10]. Bis dahin, bei den Vorfahren, hatte die Begleitung im Geheul des Triumphes und des Todes bestanden.

Es stellt sich die Frage, ob die Bombenträgerinnen, die den Harem verließen, aus purem Zufall die direkteste Ausdrucksweise gewählt haben: exponierte Körper, die andere Körper angriffen. Und tatsächlich haben sie diese Bomben so hervorgeholt, als handle es sich um ihre eigenen entblößten Brüste, und die Granaten sind neben ihnen explodiert, dicht neben ihnen.

Manche von ihnen kehrten später von der Folter zerschunden zurück, die Geschlechtsorgane von Elektroschocks versengt.

Wenn Vergewaltigung als Tatsache und ›Tradition‹ des Krieges schon an sich schrecklich banal ist, seit es Kriege gibt, so wurde sie – als unsere Heldinnen ihr zum Opfer fielen – zur Triebfeder für einen schmerzhaften Aufstand, der von der algerischen Gemeinschaft als Trauma erlebt wurde. Die öffentliche Anprangerung in Zeitungen und durch Gericht trug natürlich dazu bei, die skandalöse Resonanz zu verstärken: Wer die Dinge beim Namen nannte, sofern es um Vergewaltigung ging, mußte mit ausgesprochen mißbilligender Einmütigkeit rechnen. Eine Wortgrenze fiel, wurde übertreten, ein Schleier zerriß angesichts einer bedrohten Realität, aber die Verdrängungsmechanismen waren so stark, daß sie unweigerlich wieder Oberhand bekamen. Dadurch wurde eine Solidarität im Unglück hinweggeschwemmt, die kurze Zeit wirksam gewesen war. Was Worte während des Krieges entschleiert haben, wird nun wieder mit dem dichten Mantel der Tabuthemen verhüllt, wodurch der Sinn einer Offenbarung ins Gegenteil verkehrt wird. Und wieder macht sich das dumpfe Schweigen breit, das der zeitweiligen Wiederherstellung des Tones ein Ende setzt. Der Ton wird erneut abgeschnitten, abgerissen. So als sagten die Väter, Brüder oder Cousins: »Wir haben für die Entschleierung der Worte einen zu hohen Preis bezahlt!« Wobei sie freilich vergessen, daß jene Aussagen im gemarterten Fleisch der Frauen eingebrannt sind, Aussagen, für die sie jedoch durch ein Schweigen bestraft werden, das sich überall ausbreitet.

Der Ton wieder abgerissen, der Blick wieder verboten – die Barrieren der Vorfahren werden neu errichtet.

»Das Parfum eines verrufenen Hauses«, hat Baudelaire gesagt. Es gibt keine Serails mehr. Aber die »Struktur des Serails«[11] versucht ihre Gesetze auch im vagen Neuland durchzusetzen: Gesetz der Unsichtbarkeit, Gesetz des Schweigens.

Ich sehe im bruchstückhaften Gemurmel von einst die einzige Möglichkeit, das Gespräch zwischen Frauen wieder in Gang zu bringen, jenes Gespräch, das Delacroix auf seinem Gemälde eingefroren hat. Ich erhoffe mir eine konkrete und tägliche Befreiung der Frauen nur von der weit zur Sonne hin geöffneten Tür, die Picasso später eingeführt hat.

Februar 1979

1 Das revolutionäre Talent des Malers Delacroix steht im Widerspruch zum Traditionalismus des Mannes Delacroix. Sein äußerst konservatives Frauenbild wird deutlich, wenn er nach seinem Besuch in Algier in bezug auf den Harem folgende Tagebucheintragung macht:
»Das ist schön! Das ist wie zu Homers Zeiten. Die Frau in ihrem Gemach, die sich mit Kindern beschäftigt, Wolle spinnt oder herrliche Stoffe bestickt. Das ist die Frau, wie ich sie verstehe.«

2 Die verschleierten Frauen sind zunächst einmal Frauen, die sich frei bewegen können und demzufolge im Vorteil gegenüber den total isolierten Frauen sind, die man am häufigsten unter den Ehefrauen der sehr Reichen findet. Gemäß der Korantradition darf der Mann seiner Frau nicht verbieten, wenigstens einmal wöchentlich ins Bad zu gehen. Aber wenn er nun reich genug ist, um in seinem eigenen Haus ein *hamam* einbauen zu lassen?
In meiner Heimatstadt gingen Frauen in den 30er Jahren verschleiert ins Bad, aber sie gingen nur nachts!
Die verschleierte Frau, die sich tagsüber auf den Straßen einer Stadt frei bewegt, ist folglich während einer ersten Phase durchaus eine ›fortschrittliche‹ Frau.
Da der Schleier aber später als Unterdrückung des Körpers angesehen wurde, habe ich junge Frauen gekannt, die sich als Teenager weigerten, dem Gebot der Verschleierung in der Öffentlichkeit nachzukommen. Das hatte zur Folge, daß sie hinter vergitterten Fenstern eingesperrt blieben und die Außenwelt nur von ferne sahen... Eine halbherzige Maßnahme in den neuen bürgerlichen Kreisen: die Ehefrauen mög-

lichst viel in Privatwagen herumfahren zu lassen (die sie selbst steuern), um auf diese Weise den Körper zu schützen (das Blech übernimmt die Rolle des Stoffes früherer Zeiten) und möglichst wenig ›exponiert‹ zu sein.

3 Die Tradition berichtet von einer Liebesgeschichte zwischen dem Propheten Mohammed und Zaineb, der schönsten seiner Frauen. Eine Liebesgeschichte, die auf einem einzigen Blick beruhte.
Zaineb war mit Zaid verheiratet, dem Adoptivsohn des Propheten. Dieser mußte eines Tages mit Zaid sprechen und näherte sich deshalb dessen Zelt. Zaineb antwortete ihm, denn Zaid war nicht da. Sie hielt sich hinter einem Wandbehang verborgen, aber »ein Windhauch hob den Vorhang an«, und die junge Frau, die leicht gewandet war, wurde sichtbar, worauf Mohammed sich betört zurückzog.
Zaid schenkte Zaineb daraufhin die Freiheit. Aber Mohammed mußte warten, bis sich ein Koranvers einstellte, der eine Verbindung mit der Exfrau eines Adoptivsohns legitimierte. Er heiratete Zaineb, die, zusammen mit Aïcha (und oft in Konkurrenz zu ihr), eine seiner Lieblingsfrauen blieb (siehe: Gaudefroy-Demonbynes: Mahomet).

4 Siehe ein Hochzeitslied aus dem Westen Algeriens:
»O ihr Mädchen, ich bitte euch,
laßt mich mit euch schlafen!
Jede Nacht werde ich eine von euch
›explodieren‹ lassen mit Pistole und Gewehr...«

5 Siehe: »La femme arabe« (»Die arabische Frau«) von General Daumas, kurz vor dem Tod des Verfassers im Jahre 1871 geschrieben, 1912 veröffentlicht.

6 Siehe: P. Raphael du Mans: Etat de la Perse en 1660, Paris 1890.

7 ›Anderswo‹, weil die Entstehung des politischen Nationalismus ebenso auf die Emigration von Arbeitern nach Europa in den 20er Jahren wie auf das Eindringen neuer Ideen aus dem arabischen Orient zurückzuführen ist, wo zahlreiche arabophone und moslemische Gelehrte ausgebildet wurden (Bewegungen der P.P.A. und der *ulémas*).

8 Die ›Terrassenlieder‹ sind die Lieder des Bokala-Spiels, bei dem die Mädchen Verse aufsagen, die als Weissagungen gelten.

9 Es handelt sich um die *hawfis*, eine Art populärer gesungener Frauenpoesie. Ibn Khaldoun erwähnt bereits dieses traditionelle Genre, das er *mawaliya* nennt.

10 Siehe: Zora Drif: »La mort de mes frères« (»Der Tod meiner Brüder«), vor 1962 geschrieben.

11 »La structure du serail« (»Die Struktur des Serails«), 1979.

Il n y a pas d'exil	(›Es gibt kein Exil‹): erstmals veröffentlicht in ›La Nouvelle Critique‹, Paris 1959, Sondernummer über die algerische Literatur.
Les morts parlent	(›Die Toten sprechen‹): in Auszügen veröffentlicht in ›Algérie-Actualité‹, 1969.
Nostalgie de la horde	(›Nostalgie der Horde‹): Dieser Text war ursprünglich, wie mehrere an-

dere, ein Bestandteil der Komposition meines Romans ›Les Alouettes naives‹, ed. Julliard, 1967. Ich habe beschlossen, dieses »kollektive weibliche Gemurmel« ans Ende dieses Bandes zu setzen, weil die Erinnerungen der Ahnenkette hier bis in die 30er Jahre des 19. Jahrhunderts zurückreichen, als Delacroix nach Algier kam, nicht als Eroberer wie alle anderen Ausländer, sondern als interessierter Augenzeuge.

Nachwort
zur amerikanischen Ausgabe

von
Clarisse Zimra

An einem milden Frühlingstag des Jahres 1957 nahm eine junge Algerierin – sie war noch keine einundzwanzig – in Paris ein Taxi zu Julliards, dem bekannten Verlag, der gerade ihren ersten Roman *La Soif* (dt. Die Zweifelnden) angenommen hatte. Der Vertrag, den sie unterzeichnen sollte, war im Grunde wertlos, weil sie noch nicht volljährig war. Aber die junge Autorin hatte viel größere Sorgen. Ein Fototermin war mit *Elle* vereinbart, einer erfolgreichen, intellektuell angehauchten Frauenzeitschrift, deren Redakteur auch biographische Angaben wünschte. Weil sie sich Sorgen machte, wie ihre Familie wohl auf eine Geschichte reagieren würde, in der von Erotik die Rede war und die sie außerdem zu einer Zeit geschrieben hatte, als sie eigentlich für ihre Examen hätte lernen müssen, beschloß sie impulsiv, ihre Haare abzuschneiden, ihr Geburtsdatum zu ändern und ein Pseudonym zu verwenden[1]. Es klappte nicht. Einige Wochen später kam ihre Mutter, die beim Friseur in der Zeitschrift blätterte, ihr auf die Spur.

Während das Taxi durch die Straßen von Paris fuhr, bat die junge Schriftstellerin ihren Verlobten, einen algerischen Nationalisten, der sich bald auf der Flucht vor der französischen Polizei befinden würde, ihr die neunundneunzig rituellen Anrufungen für Allah aufzuzählen, in der Hoffnung, darunter ein geeignetes Pseudonym zu finden. Sie wählte *djebbar* aus, ein Wort, das Allah als ›unversöhnlich‹ preist, schrieb es in der Eile aber falsch, nämlich ›djébar‹, wodurch sie das klassische Arabisch unbeabsichtigt in den landessprachlichen Ausdruck für

›Heiler‹ verwandelte. Der Accent aigu wurde bald weggelassen, aber zumindest ein französischer Gelehrter, der mit dem Arabischen vertraut ist, Jacques Berque, nannte sie ›Djebbar‹, als er 1985 ihren Roman *L'amour la fantasia* (Die Liebe, die *fantasia*) rezensierte. Auf ›Assia‹ verfiel sie, wie sie sagt, »einfach, weil es ein Vorname war, der sich in der ganzen Familie großer Beliebtheit erfreute« (unv.). Aber er hat weitreichende symbolische Resonanzen. In der arabischen Standardsprache bedeutet er Asien und den mysteriösen Orient, ›orientalisiert‹ folglich die Trägerin. Zufällig ist es auch der Name der ägyptischen Prinzessin, die Moses rettete und deshalb in der algerischen Folklore als Heilige verehrt und ›Pharaos Schwester‹ genannt wird. In der Landessprache heißt so die Blume, die wir als Immortelle oder Edelweiß kennen. Mehr als zwanzig Jahre später, in den vorliegenden Erzählungen, die 1980 unter dem Titel *Femmes d'Alger dans leur appartement* veröffentlicht wurden, bezeichnet sich die ›Heilerin‹ im Text einmal als *sourcière*, als Rutengängerin, die in die unterirdische Realität des weiblichen Schweigens einzudringen versucht, um das totenartige Leben im Harem zu beschwören und ihren vergessenen Schwestern eine Art Unsterblichkeit zu schenken.

Assia Djebar wird oft die begabteste Künstlerin genannt, die in diesem Jahrhundert aus der moslemischen Welt hervorgegangen ist. Feministin, bereitwilliges Sprachrohr für ihre ans Haus gefesselten Schwestern, furchtlose Kritikerin ihrer traditionalistischen Brüder, selbstbewußte Schriftstellerin der Dritten Welt und ebenso selbstbewußte internationale Referentin, ist Djebar eine Frau der Kontraste, deren Einsatz inmitten der Wirren des Postkolonialismus bewundernswert ist.

Zu Beginn der 80er Jahre war die ehemalige Universitätsdozentin, die viele Einladungen amerikanischer Universitäten abgelehnt hatte, »weil ich dort eine Rolle spielen müßte, die mir nicht liegt« (unv.), eine gefragte akademische Referentin, im Westen genauso zu Hause wie in ihrem heimatlichen Islam. Das hängt mit den Begleitumständen der Entstehung dieser Erzählungen zusammen, die »ihrem Herzen nahestehen«. Nachdem ihr schon ein Jahr zuvor mit *La nouba des femmes du mont Chenoua* (Die Feier der Frauen vom Berg Chenoua) – ein Film, dessen Drehbuch von ihr stammte, bei dem sie Regie führte und den sie auch selbst produzierte – ein ungewöhnlicher Erfolg gelungen war, führten die *Frauen von Algier* sie endgültig auf die internationale Bühne zurück. Film und Buch wurden in Frankreich, Deutschland und Italien sehr gelobt, und *Nouba* erhielt beim Filmfestival von Venedig den ersten Preis. Obwohl die Erzählungen zunächst einmal die traurige Situation algerischer Durchschnittsfrauen zum Thema haben, werfen sie Fragen auf, von denen sich auch Frauen anderer Gesellschaftsstrukturen angesprochen fühlen. In *Frauen von Algier* geht es um den hohen Preis des Krieges für Männer und Frauen, um den genauso hohen Preis einer Tradition, die beiden Geschlechtern ihre menschliche Würde und Integrität verweigert, und um die verheerenden Auswirkungen eines Systems, bei dem sich eine Hälfte den persönlichen und politischen Bedürfnissen der anderen Hälfte total unterordnen muß. Diese Erzählungen verleihen der »inappropriate/d other«[2] westlicher Patriarchate eine Stimme und einen Körper, der stummen Gefährtin des Eingeborenen, die in doppelter Hinsicht ›anders‹ ist: anders als der Westen und anders als der Mann. Es ist dieselbe Frau, die in Conrads *Heart of Darkness* (dt. Das Herz der Finsternis) verzweifelt die Lippen bewegt, ohne daß ein Laut zu vernehmen ist; es ist dieselbe Eingeborene, die sich auf diesem Kontinent in den wildesten Klippen von Prosperos Insel versteckt: zum Schweigen gebracht, ausradiert, unsichtbar. Und sie ist Calibans Sycorax, die – wie Shakespeare sagt – in Algier geboren ist. Weit davon entfernt, nur auf die desolate Lage der algerischen Frau beschränkt zu sein, sprechen diese Erzählungen uns alle an.

Abgesehen von unzähligen kritischen Essays, Zeitungsartikeln, Vorworten für die Werke anderer Schriftstellerinnen und mehreren Übersetzungen (u. a. war sie an den Übersetzungen zweier Romane aus dem Arabischen ins Französische beteiligt) hat Assia Djebar einen Gedichtband, vorliegende Erzählungen, sieben Romane (der achte befindet sich im Druck, und sie hat den neuesten abgeschlossen) sowie ein Theaterstück geschrieben – viele andere hat sie adaptiert, als sie in den 70er Jahren zusammen mit ihrem ersten Mann ein Experimentiertheater am Rande von Paris leitete, wo sie gelegentlich auch selbst Regie führte. Sie hat zwei lange Filme gemacht. Ein Film über ihr eigenes Leben, vom französischen Fernsehen produziert, wird im Sommer oder Herbst 1992 gedreht werden. Und 1993 wird sie ihren dritten Film in Algerien drehen.

Spezialisten für die Literatur der Dritten Welt bewundern Assia Djebars Werke schon seit vielen Jahren. Aber es war ihr erster Roman nach fast zwei Jahrzehnten, *L'amour la fantasia*, mit dem sie die Herzen ihrer Leser zurückeroberte. *Les alouettes naives* (Die naiven Lerchen) war 1967 erschienen, und viele hatten befürchtet, daß sie nie wieder eine Zeile veröffentlichen würde. Wochenlang ein Bestseller in Frankreich und Nordafrika, erhielt *L'amour* 1985 den Franko-Arabischen Freundschaftspreis für Literatur. In der normalerweise zurückhaltenden *Times Literary Supplement* war Ivan Hill nicht nur von »einer leidenschaftlichen Identitätssuche, sondern auch von der kulturellen und historischen Ausbeute an Bildung und Gedankengut« sowie von »Djebars linguistischem Vergnügen« beeindruckt. In Frankreich, wo *L'amour* zuerst veröffentlicht wurde, herrscht unter den Kritikern seltene Einmütigkeit. Jacques Berque, ein hervorragender Experte in vergleichender Kolonialgeschichte, äußerte sich zu ihrer ›Latinität‹ und schwärmte im *Nouvel observateur*, einem Blatt mit leichter Linkstendenz: »Dieser glänzende Ausbruch von Romantik, dieses Nachdenken über Soziologie, diese halbbiographische Beichte... verbinden sich zu einer kunstvoll gewebten Erzählung, die den Leser weit, sehr weit von Camus' strengem Mittelmeer-Klassizismus wegführt«[3]. In Anbetracht der Tatsache, daß Camus in den letzten fünfzig Jahren als kompetenter Kenner Algeriens galt, war Berques Vergleich alles andere als zufällig. In nachfolgendem Interview distanziert sich Djebar kühl von dem berühmten, in Algerien geborenen Franzosen und beansprucht mit scharfem Gespür für ihr eigenes Territorium »das ganze Algerien, einschließlich des Hinterlands, während Camus nur die Küste umarmte«.

Als moslemische Frau, die nach dem französischen System erzogen wurde, während ihr Land sich de facto noch unter kolonialer Herrschaft befand, und als Zeugin eines fast acht Jahre währenden brutalen Krieges ist Assia Djebar die einzige Schriftstellerin ihrer Generation, der es gelang, sowohl vor der Unabhängigkeit ihres Landes als auch danach eindrucksvolle Leistungen zu erbringen. In ihren Werken geht es immer um Probleme, die mit dem Übergang von kolonialer zu postkolonialer Kultur zu tun haben: um die Definition einer Nationalliteratur, um die Debatte über kulturelle Authentizität, um die problematische Frage der Sprache und um die Integration der Frau in eine patriarchalische Gesellschaft[4]. Vor diesem Hintergrund betrachtet, erhellen die *Frauen von Algier*, ein Markstein auf dem Weg zu neuen Ufern, die Absichten der frühen Arbeiten und deuten den Beginn einer Meditation über Geschichte an: die Geburtsstunde einer starken feministischen Stimme, die schreckliche Wahrheiten ausspricht, aber ohne Groll und Bitterkeit – »meine eigene Art von Feminismus«, wie sie selbst sagt.

Verletzt über die Kontroverse, die ihr erster Film in Algerien ausgelöst hatte, und der Behauptung Glauben schenkend, daß Kurzgeschichten sich nicht gut verkaufen, hatte sie das Manuskript einem kleinen französischen Feministinnenverlag überlassen[5], anstatt sich mit Algeriens staatlich kontrolliertem SNED herumzustreiten, der früher ihr Stück *Rouge l'aube* (Rote Morgendämmerung, 1969) und ihren Gedichtband *Poèmes pour l'Algérie heureuse* (Gedichte für ein glückliches Algerien, 1969) veröffentlicht hatte. Seit *Nouba*[6], einem vom Staat finanzierten Film, standen die Zensoren ihren Arbeiten mißtrauisch gegenüber. Als ich Assia Djebar im Jahre 1976 zum erstenmal in Algier traf, bereitete sie gerade die Dreharbeiten für diesen Film vor. Bei unserem ersten Gespräch gestand sie, das Projekt als reinen Dokumentarfilm über den Krieg, als Glorifizierung männlichen Heldentums präsentiert zu haben, um die Zensur zu überlisten. Sie verwandelte ihn prompt in einen halb fiktiven Bericht über die Beteiligung der Frauen an diesem Krieg, wobei sie mit harscher Kritik an den menschlichen und sozialen Kosten eines solchen Heroismus nicht sparte.

Die Frauen von Algier wurden in erster Linie für ein algerisches Publikum geschrieben. Bedauerlicherweise war Algerien aber nicht bereit, die Risse in seinem sozialistischen Spiegel zu betrachten. Die überwältigend positive Aufnahme der Erzählungen in Frankreich, wo Menschen sie heute noch auf der Straße ansprechen und mit ihr darüber reden wollen, war für sie eine totale Überraschung. Seitdem gab es zumindest eine Neuauflage (1983). Auch in Italien wurden *Die Frauen von Algier* ein großer Erfolg (sie erleben derzeit ihre dritte Auflage), wozu zweifellos auch ihr genauso erfolgreicher erster Film beitrug, vielleicht auch die Tatsache – das vermutet jedenfalls Assia Djebar selbst –, daß »italienische Feministinnen… aus allen Gesellschaftsschichten« stammen, eine diskrete, trockene Anspielung auf den ziemlich hochgestochenen Ton des französischen Feminismus. Einen scharfen proletarischen Kontrast hierzu bildete Antonella Boralevi, die Assia Djebar die ganze erste Seite der Literaturbeilage des *Messaggero* widmete und sie als *Pasionaria* des modernen Algeriens feierte (23. März 1988). In den USA nannte die gebürtige Tunesierin Hédi Abdeljoud, die ihre wissenschaftliche Ausbildung in Amerika erhielt, die Erzählungen »einen Wendepunkt in Djebars Karriere und in der Ästhetik des Maghreb insgesamt«[7].

In Nordafrika wird Assia Djebar gelobt oder streng zensiert, abhängig von den ideologischen Schwankungen der jeweiligen Regimes. Im Mittleren Osten ruft sie Kontroversen hervor, seit sie als Sponsorin der französischen Übersetzung von *Ferdaous* fungierte, eines Romans von Nawal Al Saadawy[8], der ehemaligen ägyptischen Gesundheitsministerin, einer Soziologin und Medizinerin, die entlassen und schließlich sogar eingesperrt wurde, weil sie über Frauenprobleme gesprochen hatte, darunter auch über die schreckliche Erfahrung ihrer eigenen rituellen Beschneidung als Kind. Mit kompromißloser Ehrlichkeit spricht Djebar über eine Kultur, die eine Glorifizierung der weiblichen Biologie zum Zwecke einer um so größeren Unterdrückung der Frau einsetzt. Ihr zuletzt veröffentlichtes Werk, *Loin de Médine* (Fern von Medina, 1991), eine Meditation über islamische Geschichte, ausgelöst durch die blutigen fundamentalistischen Straßenschlachten des Jahres 1988 in Algerien, könnte sie zur Persona non grata in Saudi-Arabien machen, wo die heilige Stadt Medina liegt. Médine beschreibt den Kampf des Propheten gegen feindselige kriegerische Stämme in der saudiarabischen Wüste. Djebar beschäftigt sich in erster Linie mit dem guten Dutzend Frauen in der Umgebung des Propheten, um uns daran zu erinnern – falls wir es vergessen haben sollten –, daß der Islam ohne den Mut dieser Frauen möglicherweise nicht überlebt hätte. Im Untertitel ›Töchter Ismaels‹ genannt, werden ihre physischen und spirituellen Wanderungen inmitten des religiösen Patriarchats geschildert[9].

Médine lieferte den Stoff für einen Dokumentarfilm, der im französischen Fernsehen zweimal gezeigt wurde und überall in Europa Beachtung fand. In Algerien und Marokko gingen Menschen auf die Straße, als Auszüge aus *Médine* veröffentlicht wurden, »die Bärtigen, um mich zu verbrennen, und die Bartlosen, um mich zu verteidigen« (unv.). Die blutigen Ereignisse im Winter/Frühjahr 1992, die dem überwältigenden Sieg der FIS (Front islamique de salut, Islamische Heilsfront) folgten; die Weigerung der Fundamentalisten, trotz der demokratischen Wahlen die Macht zu teilen; der Rücktritt von Präsident Chedli und die Machtübernahme durch die Armee, gegen die Djebar von Paris aus öffentlich protestierte – das alles hat ihre schlimmsten Befürchtungen wahr werden lassen. In jeder größeren algerischen Stadt entstanden Frauengruppen, und Tausende Frauen gingen auf die Straßen, um sich gegen die geplante Rückkehr zum religiösen Recht aufzulehnen. Während dieser Essay geschrieben wird, ist die arabische Übersetzung von *Médine* in Arbeit, muß in der arabischen Welt aber erst noch erscheinen; die bisherigen Reaktionen deuten jedoch darauf hin, daß die Veröffentlichungen nicht unbemerkt vonstatten gehen werden.

Nachfolgendes Interview ist aus mehreren Gesprächen verschiedener Jahre entstanden. Das erste wurde 1976 auf der Terrasse eines vornehmen Hotels hoch in den Hügeln von Algier geführt. Weder sie noch ich hätten es uns leisten können, hier zu wohnen, aber die weiten, offenen Gärten ermöglichten ein vertrauliches Gespräch. Sie deutete an, daß es besser sei, wenn ich nicht den Eindruck erwecke, sie zu interviewen. In Algeriens brandneuer Verfassung war der Islam soeben wieder Staatsreligion geworden, und damit läutete die Totenglocke für die öffentliche Teilnahme der Frauen an der neuen Gesellschaft; trotz Präsident Boumédiennes offizieller Kampagne für die Emanzipation der maghrebinischen Frau waren auf Algiers Straßen keine Frauen zu sehen, ob nun verschleiert oder nicht. Unsere nächste Begegnung kam 1987 zustande, während der Jahreskonferenz der Gesellschaft für Afrikanische Literatur in der Cornell University, wo wir über das Projekt sprachen, *Die Frauen von Algier* ins Englische zu übersetzen. Aber infolge des riesigen Erfolgs ihres Romans von 1987, *Ombre sultane* (Der Schatten der Sultanin), war Assia Djebar beschäftigter denn je. Erst im Sommer 1990 konnten wir beide uns in dem kleinen, mit Flieder überrankten Hof hinter ihrem winzigen Haus am Rand von Paris zusammensetzen, einem Haus, das große Ähnlichkeit mit einer algerischen Villa hat.

Als ich sie nach einem dreistündigen Gespräch verließ, in dem auch von ihren Schwierigkeiten nach Fertigstellung des ersten Films die Rede gewesen war, versprach ich, ihr die Kopien zu schicken, wenn sie im Gegenzug weitere Fragen beantworten würde. Sie ist immer noch eine algerische Beamtin, eine Gastdozentin beim Algerischen Kulturzentrum in Paris. Einige dieser Zusatzfragen waren zweifellos viel zu direkt formuliert. Wie ihre erste ablehnende Antwort klarmacht, war sie nicht gewillt, »ausgesprochen autobiographische Details« preiszugeben. Schließlich führten wir im Sommer 1991 ein weiteres dreistündiges Gespräch, und im Dezember 1991 ein letztes einstündiges, beide wieder auf Band aufgezeichnet.

Aus diesen verschiedenen Unterhaltungen zusammengeschnitten, umspannt das nachfolgende Interview ein langes und vielseitiges Berufsleben; die Beziehung zwischen Schreiben und Filmemachen wird ebenso erörtert wie ihre wechselnde Poetik, deren Beziehung zu den anderen Künsten und zum Französischen, der Sprache der Eroberer (»sie kamen, sie töteten, sie eroberten«). Schließlich läßt Djebar uns flüchtige – höchst verführerische – Blicke auf ihre gegenwärtige Arbeit werfen, auf die beiden letzten Bände eines geplanten Quartetts (*L'amour* und *Ombre sultane* sind die beiden ersten Bände), eines Quartetts, das – so sagt sie – wie eine »architektonische Metapher« gelesen werden sollte.

Trotz ihrer Wachsamkeit offenbarte sie allmählich immer mehr von ihrem Werk, bis hin zu jenem *cœur intime*, jenem innersten Herzen oder Kern (das französische Wort kann beides bedeuten), dessen Schutz ihr ursprünglich so wichtig gewesen war. Letztlich liefert sie uns reiches autobiographisches Material, auch wenn sie selbst das wahrscheinlich abstreiten würde. Ich habe lieber nicht nachgefragt.

DAS GEDÄCHTNIS EINER FRAU UMSPANNT JAHRHUNDERTE

Ein Interview
mit Assia Djebar

CZ: Assia Djebar, können Sie uns etwas über Ihre Herkunft erzählen, über Ihre Familie, Ihre Schulzeit? Was hat die ehrerbietige Tochter traditioneller moslemischer Eltern, aufgewachsen in puritanischer Umgebung, wie Sie selbst oft gesagt haben, was hat diese Tochter dazu verleitet, in einer Kultur, die Frauen nicht zum Schreiben ermutigte, eine französische Schriftstellerin zu werden?

AD: Ich befürchte, daß ich das nicht kann. Ich ertrage solche ausgesprochen autobiographischen Fragen nicht, und Sie sehen an meinen anderen Interviews, daß ich sie nie ordentlich beantworten konnte. Mutter, Vater, Bruder, Schwester – sie sind hier nicht von Interesse. Man hat mich schon zu oft nach ihnen gefragt.

CZ: Ich möchte nicht indiskret sein und werde meine Frage deshalb anders stellen. *Die Frauen von Algier in ihrem Gemach* wurden in einem Land veröffentlicht, wo Kurzgeschichten sich kaum verkaufen lassen, und doch ging das Buch weg wie warme Semmeln. Es war als eine Art Tagebuch moslemischer Probleme gedacht, und doch wurde es über Grenzen hinweg begeistert aufgenommen. Es war für Frauen der Dritten Welt bestimmt, und doch erkannten sich Frauen der Ersten Welt darin wieder. Wie sollten Leser an dieses Werk herangehen?

AD: Wenn ich gebeten werde, mich einem Publikum vorzustellen, das vielleicht nicht alle meine Werke gelesen hat, so tue ich das mit folgenden Worten: »Ich wurde in Algerien geboren. Am Alter zwischen zwanzig und dreißig Jahren schrieb ich vier Romane. Dann veröffentlichte ich etwa zehn Jahre lang nichts mehr. Zwei Jahre arbeitete ich an einem Film, der sich mit den Frauen meines Stammes beschäftigte, wobei ich mich auf das vertraute Territorium meiner Kindheit begab, tief darin eintauchte. Hinterher kehrte ich zur Schriftstellerei zurück. Ich war gerade vierzig geworden. Zu dieser Zeit fühlte ich mich endlich voll und ganz als französischsprachige Schriftstellerin, obwohl ich durch und durch Algerierin blieb.«

Ich will damit folgendes klarstellen: Was mich interessiert, ist die Beziehung zwischen Schriftstellerei und Autobiographie, denn im Gegensatz zum üblichen Schema der Frauenliteratur westlicher Tradition, die ausgesprochen subjektiv ist, habe ich das Schreiben anfangs als Wette, fast als Herausforderung betrieben, mit dem Ziel, meinem eigenen Ich so fern wie nur irgend möglich zu bleiben. In meinen literarischen Arbeiten klammerte ich mein persönliches Leben total aus. Und dann kam der Roman *Les alouettes naives*.

CZ: Wenn ich richtig verstehe, haben Sie sich in den frühen Romanen sozusagen vor sich selbst versteckt. Wie haben Sie es geschafft, aus dieser Deckung hervorzukommen?

AD: Das weiß ich noch ganz genau. Ich kann Ihnen heute sogar den exakten Punkt nennen, an dem ich plötzlich blockiert wurde. Ich schrieb *Les alouettes naives* und skizzierte gerade das Leben eines jung verheirateten Paares. Anfangs dachte ich, daß dieses ganze private Zeug nicht in den Roman gehörte, weil es vom übrigen Inhalt wegführte, weil mitten in einer Kriegsgeschichte plötzlich von gegenseitiger erotischer Erfüllung die Rede wäre. Heute glaube ich, daß ich zwar *dachte*, ich würde so weit wie nur möglich von mir selbst entfernt schreiben, daß meine fiktive Welt mich im Grunde aber plötzlich eingeholt hatte. Ich konnte nichts dagegen tun. Mein Leben als Frau hatte mir ein Bein gestellt.

CZ: Kritiker haben im allgemeinen Ihre beiden Kriegsromane *Les enfants du nouveau monde* (Die Kinder der neuen Welt) und *Les alouettes naives* in engem Zusammenhang gesehen. *Alouettes* signalisiert jedoch einen radikalen Wendepunkt in Ihrem Schaffen, und danach haben Sie nie mehr zurückgeblickt. Die erotische Selbstfindung der Frau steht hier im Mittelpunkt, symbolisch und strukturell. Weibliche Erotik bildet das *cœur intime* des Romans. Die erwachende Erotik der Frau nimmt das Zentrum des Mittelteils einer dreiteiligen Struktur ein – strukturell das Zentrum des Zentrums.

AD: Als ich in *Alouettes* endlich erkannte, daß ich nicht dagegen ankam, als ich begriff, daß Schreiben einen immer auf sich selbst zurückwirft, daß es immer zu jenem innersten Kern oder Herzen zurückführt, wie Sie es so richtig nennen, nun, da hatte ich das Gefühl, als würde ich... als würde ich mich in doppelter Weise exponieren. Erstens, weil ich als Algerierin, die jedoch ein westliches Leben führte – oder jedenfalls diesen Anschein erweckte –, ohnehin schon etwas exponiert war. Und zweitens, weil ich mir noch viel exponierter vorkam, wenn ich meine innersten Gefühle offenbarte. Deshalb zog ich es lange Zeit vor zu schweigen. So als könnte ich nicht über jenen innersten Kern hinaussehen, so als… so als wäre das Schreiben eine Art Selbstmord.

Ihre Fragen zwingen mich jetzt, mir selbst die Frage zu stellen: Warum sind mir autobiographische Fragen ein solches Greuel? Ich glaube, das kommt daher, weil ich in meinen ersten drei Romanen meinem eigenen Leben systematisch den Rücken zuwandte – kurz gesagt, weil ich mich energisch gegen die autobiographische Dimension des Schreibens sperrte. Diese Erkenntnis führt mich heute dazu, meine heftige Reaktion auf Ihre früheren biographischen Fragen neu zu überdenken. Heute bin ich fast froh, daß Sie sie gestellt haben. Na ja… fast!

CZ: Dieser Mittelteil von *Alouettes* ist ein Problem, was die Entwicklung der Handlung betrifft, er unterbricht die lineare Abfolge und zerbricht die zeitliche Struktur. Aber er ist in bezug auf Bilder und deren Symbolik von größter Bedeutung, denn dieselben Bilder verwenden Sie auch in *Frauen von Algier*. Es gibt keine zufälligen Symbole beim Schreiben.

AD: Sie zwingen mich zurückzublicken, in meinen Erinnerungen zu wühlen. Ich selbst lebte damals in einem seligen Glückszustand, ich erlebte eine Liebesgeschichte außerhalb des Zeitgeschehens, und dieses private Glück war ein bißchen statisch. Da lebte ich nun inmitten so vieler anderer Exilierter. Ich beschloß, einen Roman zu schreiben, der die verschiedenen Stadien des unter ihnen erwachenden politischen Bewußtseins schildern würde. Es waren größtenteils junge Leute, und nicht alle waren Kriegsversehrte – ein sehr gemischter Haufen. Mein Verhältnis zur Autobiographie, das damals vielleicht seinen Anfang nahm, bestand hauptsächlich in der plötzlichen Erkenntnis, daß wir alle nur Randfiguren waren, Akteure auf den Seitenlinien, um einen Ausdruck zu gebrauchen, der manchen Leuten nicht gefallen wird.

CZ: Verglichen mit Ihren frühen Romanen, die ziemlich kurz waren, ist *Alouettes* ein dickes Buch von fast fünfhundert Seiten. Einige Stücke daraus, die wie Überreste wirken oder aber deutlich als Fortsetzungen zu erkennen sind, wurden später in *Frauen von Algier* aufgenommen, das dreizehn Jahre später veröffentlicht wurde. Was hat Sie dazu bewogen? Waren sie in politischer Hinsicht zu brisant, um früher veröffentlicht zu werden?

AD: Diese Erzählungen stehen meinem Herzen noch immer nahe. Beispielsweise stürzte bei ›Die Toten sprechen‹ das autobiographische Element förmlich über mich herein, eine mächtige Welle, ausgelöst durch den Tod meiner eigenen Großmutter acht Tage nach Algeriens Unabhängigkeit am 1. Juli 1962. Was die letzte Geschichte betrifft, ›Nostalgie der Horde‹, so gab meine ehemalige Schwiegermutter mir die Idee dazu ein; sie zeigte mir, daß das Gedächtnis einer Frau Jahrhunderte umspannt – das Gedächtnis einer einzigen Frau. Sie erzählte mir von einer vergessenen alten Frau, die ihr von den früheren Zeiten zu erzählen pflegte. Und dies ist genau die Art und Weise, wie algerische Frauen die Vergangenheit überliefern: Sie erzählen die Geschichte der Kolonisation, aber sie erzählen sie anders als die Geschichtsbücher. Während ich ihr zuhörte, dachte ich mir: »Ich werde eine Sammlung von Erzählungen schreiben.« Ich wollte der ganzen Welt zeigen, daß ich als Schriftstellerin einen zweiten Anlauf nehme, in einer neuen Tonart. Sobald ich diese Entscheidung getroffen hatte, fühlte ich mich mit mir selbst versöhnt. Zehn Jahre lang hatte ich zwar keinen regelrechten Bruch, aber doch eine Art Loslösung von mir selbst erlebt. Ich hatte eine Entdeckung gemacht: Über sich selbst zu schreiben bringt einen in tödliche Gefahr.

CZ: Gab es noch andere Gründe? Ich denke dabei an die Ereignisse auf Algeriens politischer Bühne, an das langsame Anziehen der Schraube in bezug auf die bürgerlichen Freiheiten der Frauen. Und war es in ästhetischer Hinsicht nicht Ihr Film, dieses neue Medium, das in erster Linie das Auge forderte, der Sie zwang, Ihre Sicht der Dinge zu überdenken? Oder wurden Sie noch immer von dem alten Problem der Sprache geplagt?

AD: Ah, das Problem der Sprache! Ich weiß, ich habe vielen Interviewern erzählt, daß mein Schweigen etwas mit meinem problematischen Verhältnis zur Sprache zu tun hatte. In erster Linie behauptete ich das, um in Ruhe gelassen zu werden[10]. Aber Ihre Fragen zwingen mich zum Nachdenken, und ich bin davon überzeugt, daß etwas anderes zugrunde lag – daß dieses Schweigen seine Ursache tief in mir selbst hatte. Ich weiß beispielsweise, daß ich bis *L'amour la fantasia* warten mußte, um wirklich die Kontrolle über meine Arbeit zu übernehmen, um mein innerstes Wesen in meine Werke einzufügen. Sie haben auch in dieser Hinsicht recht. Ohne die

Hilfe der Malerei, ohne die ›Vermittlung‹ von Malern hätte ich es nicht geschafft.

CZ: Aber Sie behaupten nicht, daß die Frage der Sprache überhaupt keine Rolle spielte, oder?

AD: Es war nicht die Sprache als solche, sondern das, was ich als Abgrund zwischen den beiden Sprachen bezeichne, zwischen Arabisch und Französisch, einen Abgrund, der den gähnenden Abgrund zwischen zwei Gesellschaften widerspiegelt, die immer noch Seite an Seite leben, einander aber beharrlich den Rücken zuwenden. Ich habe es oft gesagt. Die Erziehung, die ich von meiner Mutter und anderen Verwandten erhielt, basierte auf zwei unumstößlichen Regeln: Erstens, sprich nie über dich selbst; und zweitens, wenn es sich gar nicht vermeiden läßt, so sprich zumindest ›anonym‹.

CZ: Anonym? Ich glaube, das müssen Sie für Leser, die nicht aus dem Maghreb stammen, näher erläutern. Wie streng war dieses Tabu? Und galt es nur für eine gemischte Gesellschaft?

AD: Das Tabu gilt auch heute noch, und zwar sogar dann, wenn Frauen unter sich sind. Werfen Sie einen Blick auf *L'amour la fantasia*. Wenn Frauen unter sich sind, dürfen nur die älteren reden, die jüngeren müssen schweigen. Diese Generationenordnung ist für Männer genauso obligatorisch. Die älteren Männer haben immer den Vorrang vor den jüngeren, die oft überhaupt nicht zu Wort kommen.
Anonymes Sprechen bedeutet, daß man *nie* die erste Person Singular benutzen darf. Als ich nach dem Krieg nach Hause kam, lebte ich im Haushalt meiner

Schwiegermutter in einem sehr traditionellen Milieu. Sobald ich mit einer Gruppe Frauen allein war, stellte ich Fragen, wollte persönliche Meinungen oder persönliche Einzelheiten erfahren. Aber die Frauen reagierten immer äußerst zurückhaltend, unabhängig von ihrem Alter. Es kam ihnen so vor, als wollte ich herumschnüffeln; es kam ihnen anstößig vor. Ich hingegen hatte auch im Westen Erfahrungen gesammelt, westliche Verhaltensweisen angenommen. Wenn ich einen Roman schreibe, muß ich die entgegengesetzte Strategie anwenden: Um eine westliche Erzählung zu schreiben, muß ich subjektiv reden, das heißt in der ersten Person. Damals habe ich begriffen, daß das Problem über den territorialen Aspekt dieses Abgrunds zwischen den beiden Sprachen weit hinausgeht. Zwischen *Alouettes* (1967) und *L'amour* (1985) lagen achtzehn Jahre, und innerhalb dieses Abgrunds dienten *Frauen von Algier*, wie Sie selbst gesagt haben, als Wegweiser zu einem neuen Territorium.

CZ: Ich habe immer vermutet, daß es der Film war, der Ihnen den Durchbruch ermöglichte. Indem Sie lernten, einen Film zu machen, lernten Sie auch, auf eine neue, andere Art zu schreiben. Würden Sie mir darin zustimmen?

AD: Absolut. Der Film war ein entscheidender Faktor. Nach den zwei Jahren Filmarbeit, in denen ich vor allem Augen und Ohren eingesetzt hatte, begann ich die erste Erzählung, ›Die Frauen von Algier in ihrem Gemach‹, und schrieb sie außerordentlich schnell nieder, obwohl ich zehn Jahre nichts veröffentlicht hatte. Wie Sie wissen, sollte die Geschichte ursprünglich als Keimzelle für das nächste Filmprojekt dienen, einen Film über die städtischen Frauen von Algier. Es war als Gegenstück, als Ergänzung zu *Nouba* gedacht, einem Film über die bäuerlichen Frauen im Hinterland.

CZ: Und was ist aus diesem Filmprojekt geworden?

AD: Mein Privatleben nahm eine andere Wendung. Ich heiratete meinen zweiten Mann, einen algerischen Dichter, der in Paris lebte. Wenn ich diesen zweiten Film gedreht hätte, hätte ich nach Algerien zurückkehren und vielleicht zwei Jahre meines Lebens in das Projekt investieren müssen. Die Filmproduktion ist eine ziemlich langwierige Prozedur. Statt dessen kehrte ich mit großer Erleichterung und Freude zum Schreiben zurück: Ich hatte wieder die Kontrolle. Diesmal nahm ich weder die Position einer beobachtenden Außenseiterin ein noch die einer algerischen Frau oder eines kolonialisierten Wesens. Ich definierte mich selbst als *Blick*, ich wollte meinen ureigenen Raum auf ganz bestimmte Weise betrachten. Das wäre auch der Ausgangspunkt meines Films über Algier gewesen.

CZ: Eine Vielzahl von Blicken – darum geht es ja auch in Delacroix' Gemälde *Die Frauen von Algier in ihrem Gemach*. Wer sieht wen an? *L'amour la fantasia* beginnt auf ganz ähnliche Weise. Ich würde das Ihre Matrixszene nennen. In *L'amour* hat sich ganz Algier auf den Wällen versammelt, Männer, Frauen, Kinder, alle starren die mit der Flut einlaufenden Schiffe der Invasoren an, während diese Invasoren ihrerseits an Deck stehen und die Stadt anstarren, die sie erobern wollen. Wer ist Subjekt, wer Objekt: Wissen sie es selbst?

AD: Diese Parallele ist mir gar nicht aufgefallen, aber Sie haben natürlich völlig recht. Was haben Sie vorhin gesagt? Es gibt keine zufälligen Symbole beim Schreiben. Ohne die vorangegangene Filmerfahrung, die meiner Schriftstellerei den Blick einer Filmemacherin verlieh, hätte ich das nie geschafft. Das Filmen gab dem Schreiben eine bestimmte Sicht der Dinge, und Französisch wurde meine Kamera. Im Gegensatz dazu beginnt meine Filmarbeit immer mit dem Ton. Die Musikkundlerin, die sich so für alte Lieder begeistert – sehr lange Zeit war ich sie, oder sie war ich. Ich ging oft ins Institut, um mir alte Volkslieder aus Laghouat oder Tlemcen anzuhören. Und jetzt fällt mir auch ein, daß ich – als ich Geschichte unterrichtete – immer mündliches Material mit verwendete, fast ohne darüber nachzudenken.

CZ: Welchen Zusammenhang sehen Sie dann zwischen den ›neuen‹ Erzählungen, jenen, die nach *Alouettes* geschrieben wurden, und den anderen, die ich vorhin als Überreste oder Fortsetzungen von *Alouettes* bezeichnet habe und die Sie in die Sammlung aufgenommen haben?

AD: Sie sind durch das Thema der Erinnerung und durch die Frage nach unserem Verhältnis zur Erinnerung miteinander verknüpft. Ich hatte als erstes ›Ein Tag im Ramadan‹ geschrieben, aber ich verstand diesen Zusammenhang selbst erst, nachdem ich ›Weinende Frau‹ und ›Frauen von Algier‹ geschrieben hatte und plötzlich das Bedürfnis verspürte, meine Großmutter mit ins Spiel zu bringen, die Vergangenheit in einen Dialog mit der Gegenwart zu verwickeln. Aus dem Bedürfnis heraus, ihre immaterielle Stimme zu hören, ersann ich ›Die Toten sprechen‹. Danach erkannte ich verwundert, daß ich das Material für einen Band Erzählungen beisammen hatte. Delacroix' Gemälde fiel mir erst hinterher ein.

CZ: Man könnte also sagen, daß Delacroix' Gemälde zwar nicht aus Auslöser für das Schreiben diente, aber doch als Auslöser einer Selbsterkenntnis; es ermöglichte Ihnen den klaren Rückblick auf das soeben vollendete Werk, und dieser Blick erhellte Ihre Position zu dem Maler, dem Westler, ebenso wie Ihre Position zu der Welt der Frauen, die Sie geschildert hatten.

AD: So ist es. Ich habe das Nachwort kurz nach meinem Umzug in das kleine Haus geschrieben, das Sie ja kennen. Zufällig entdeckte ich damals, daß es einer anderen algerischen Schriftstellerin gehört hatte, Elissa Rhais, einer Frau jüdischer Herkunft, die ausgewandert war und ihre letzten Jahre in jenem Haus verbracht und dort geschrieben hatte. Ich fühlte mich dort unter ihrem schwesterlichen Schutz und beschloß, ihre Erben ausfindig zu machen und es zu kaufen. Das ist mir auch gelungen.

Ich verbrachte einige Wochen mit dem Epilog, webte eine Art Textmeditation, die den gedanklichen Hintergrund für die soeben zusammengestellten Geschichten abgeben würde. Damals überlegte ich – Sie werden mir wahrscheinlich nicht zustimmen –, ob ich den Epilog nicht lieber als Vorwort verwenden sollte. ›Verbotener Blick‹ wäre in diesem Fall die Ouvertüre gewesen. Was halten Sie davon?

CZ: Ich glaube, daß Ihr erster Instinkt richtig war. Hätten Sie ›Verbotener Blick‹ an den Anfang gestellt, so wäre der Gesamttenor des Werkes viel schroffer gewesen, viel mitleidloser. In der jetzigen Form ist es schon schier unerträglich. Es wird auch im Ausland als Ihr radikalster Essay angesehen, wie man schon daraus ersehen kann, daß er ohne die Erzählungen zweimal ins Englische übersetzt wurde.

AD: Der Epilog sollte die Erzählungen vereinen. Das kurze Vorwort, die Ouvertüre, habe ich erst im Anschluß daran geschrieben. Das gab mir die Möglichkeit, das Problem einer Sprache der Frauen, der Bewegung dieser Frauenstimme und meiner eigenen Beziehung zum Arabischen aufs Tapet zu bringen, und es half mir auch, meine eigene Art von Feminismus zu definieren.

CZ: Sind die starken weiblichen Vorfahren, denen Sie Ihre Reverenz erweisen, für Ihren Feminismus verantwortlich?

AD: Für mich war Feminismus von jeher mit der Frage der Sprache verknüpft, aber nicht nur mit der französischen. *Die Frauen von Algier* sind meine erste Antwort auf die offizielle Politik der Arabisierung, die ich verabscheue. In meinen Filmen habe ich mit den verschiedenen Versionen der arabischen Sprache in Algerien experimentiert. Ich hatte für *Nouba* einen arabischen und einen französischen Soundtrack. Ich lebte in der Sprache des Hinterlands, eine Erfahrung, die in krassem Gegensatz zu den gegenwärtigen Bestrebungen steht, dem Land eine Version des klassischen Arabisch aufzuzwingen, diese ›Arabisierung von oben‹, die für mich das linguistische Äquivalent von Krieg verkörpert. Das offizielle Arabisch ist eine autoritäre Sprache, eine Sprache der Männer. Wie Sie selbst gesagt haben, gibt es in meinem fiktiven Universum nur sehr wenige gute Männer. *Die Frauen von Algier* sind eine Welt ohne Männer.

CZ: Zumindest kann man sagen, daß Sie mit den Männern hart ins Gericht gehen. Nehmen Sie nur einmal den Enkel in Ihrer Lieblingsgeschichte ›Die Toten sprechen‹.

AD: Nun, ich bin an meinem richtigen Geburtstag, am 30. Juni, zurückgekommen, buchstäblich am Vorabend der Unabhängigkeit. Wie Sie sich vorstellen können, habe ich eine ganze Anzahl dieser Guerillakämpfer kennengelernt, die sich nach ihrer glorreichen Heimkehr in Apparatschiks verwandelten.

CZ: So unsympathisch einige von ihnen auch dargestellt sind, so großzügig und oft sogar mitleidig können Sie andererseits zu Männern sein. Nehmen wir wieder ›Die Toten sprechen‹.

AD: Sie sind selbst viel zu großzügig. Mein Mitleid erschöpfte sich im Grunde darin aufzuzeigen, daß weder Männer noch Frauen imstande gewesen waren, die Nabelschnur zu durchtrennen, die sie an eine übermäßig schmerzhafte Vergangenheit kettet. Sie können es immer noch nicht. Deshalb haben meine Frauen auch keine Kinder.

CZ: Wie Sie ja wissen, wurden Sie wegen Ihrer erniedrigenden Porträts von Frauen angegriffen, die – ständig schwanger (oder aber über ihre Kinderlosigkeit verstört) – den fruchtbaren Leib glorifizieren, der doch gerade entscheidend zu ihrer Unterdrückung beiträgt.

AD: Wenn ich an den weiblichen Körper denke, so sehe ich ihn nicht als gebärfähigen, sondern als erotischen Körper. Während ich *Frauen von Algier* schrieb, interessierten mich andere Themen viel mehr: beispielsweise das Problem der Sprache, der Status der Berbersprache und der Berberkultur. Mich bewegte die Frage, wie man den Zusammenhang zwischen dem geschriebenen Wort und der Stimme erforschen konnte – speziell der Frauenstimme.

CZ: Haben Sie auf diese Weise den Feminismus entdeckt?

AD: Ja. Das war eine außerordentlich fruchtbare Periode meines intellektuellen Lebens. Ich pendelte zwischen Paris und Algier hin und her, und dabei dachte ich ständig über die Möglichkeiten eines Dialogs zwischen einer Europäerin und einer Algerierin nach, über die Modalitäten eines solchen Dialogs. Schauen Sie sich an, was in *Frauen von Algier* passiert. Es ist die Algerierin, die der Französin zu Hilfe kommt, während wir zu jener Zeit tagtäglich zu hören bekamen, daß »die Feministinnen aus dem Westen«, wie sie ehrerbietig genannt wurden, uns, den moslemischen Frauen, etwas extrem Wichtiges zu geben hatten, daß sie uns etwas beibringen könnten, daß ihre fertigen Rezepte uns retten könnten.

CZ: Kontinuität oder Diskontinuität: Sehen Sie denn einen radikalen Bruch, der durch Ihren neu gefundenen Feminismus bewirkt wurde? Gibt es bezüglich der *Frauen von Algier* ein Vor und ein Danach?

AD: Kontinuität oder Diskontinuität? Zwei lange Jahre hindurch, als ich den Film drehte, hatte ich ehrfürchtig und verwundert meine eigene Region betrachtet, jene Region, die Camus in *Noces* (dt. Hochzeit des Lichts, 1937) beschrieben hatte. Doch während ich alles beanspruchte, einschließlich des Hinterlands, umarmte Camus nur die Küste. Ich besaß das Ganze, all die vielen Landschaften und die vielen Gesichter. Es war ein Glück sondergleichen, meinen eigenen Raum wiederzufinden. Die Kamera bewegte sich ständig zwischen Vergangenheit und Gegenwart hin und her. Auch *Alouettes* ist durch dieses Hin und Her strukturiert, zwischen der Zeit der Kindheit, der satten Zeit des verlorenen Paradieses, und der Gegenwart. Zwischen meinem Film und meinen literarischen Werken besteht also eine visuelle Kontinuität.

Doch wenn ich den Einfluß der Filmarbeit einmal beiseite lasse, sehe ich auch das Doppelregister in meiner Schriftstellerei, die Diskontinuität. Beispielsweise steht Sarahs westliche Stimme in Gegensatz zur Stimme der Wasserträgerin, in dem Diwan, den Sie lyrisch genannt haben. Das hing mit einem wachsenden Gefühl der Enttäuschung über mein eigenes Land zusammen, das meinem Werk bisher unbekannt gewesen war, ein Gefühl, das von Verzweiflung nicht allzuweit entfernt war. Als ich ein Jahr lang im Hinterland arbeitete (1977), hatte ich eine neue Schranke entdeckt. Materiell lebten die Bauern besser, als sie es unter den Kolonisatoren je getan hatten, aber ihr besseres Los ging einher mit einer allgemeinen rigorosen Rückkehr zur Praxis der Einsperrung von Frauen. Als ich *Frauen von Algier* schrieb, verstand ich plötzlich, daß ich nun festen Grund unter den Füßen hatte. Eine ganze Menge ist gesagt worden: beispielsweise, daß ich die Absicht gehabt hätte, meine früheren Romane zu widerrufen. Die Leute, die das behaupten, wissen nicht, wovon sie reden. Meine früheren Romane sind gut konstruierte, straffe Geschichten. Ich habe oft erklärt, daß ich mein reales Leben darin ausgeklammert hatte. Deshalb finden manche Leute, daß ich die ersten drei Romane ausstreichen und behaupten sollte, meine eigentliche Karriere hätte mit *Alouettes* begonnen. Das tue ich nicht.

CZ: Darf ich es dann wagen, die Frage nach Françoise Sagan zu stellen?

AD: Wagen Sie das ja nicht! Es ist lange her, daß jemand mich als zweite Sagan bezeichnet hat. Wer mich liest, weiß genau, daß unsere Arbeiten gar nicht unterschiedlicher sein könnten. Wir hatten denselben Verleger, das ist alles. Ich spiele diesen eigenartigen Zufall am liebsten herunter. Die Kritik, die damals auf mich herabregnete, berührte mich kaum. Nachdem mein Mann von der Polizei gesucht wurde, lebte ich ständig in solcher Unruhe, daß ich dachte, die Revolution – Korrektur, ich verwende diesen Ausdruck nie, ich sage immer ›der algerische Krieg‹ –, der Krieg sei so sehr ein Teil meines Alltagslebens, daß ich außerstande wäre, ihn in Literatur zu verwandeln. Ich möchte eines klarstellen: Ich habe den Ausdruck ›Revolution‹ *nie* benutzt, nicht einmal zu jener Zeit, als er in aller Munde war, in der Öffentlichkeit ebenso wie im privaten Rahmen. Mit dieser Auslassung möchte ich sagen, daß es *das* ist, was ich unter *Form* verstehe, eine gewisse Härte und Präzision des Denkens. Das bezweckte ich mit *La soif*; und in *Ombre sultane* kam ich darauf zurück. Man könnte es eine Ethik nennen.

CZ: Wenn man einmal von Ihrer Ausbildung zur Historikerin absieht – was hat sonst noch zu Ihrer Berufung beigetragen?

AD: Die Jahre an der höheren Schule waren für mich eine kritische Zeit, denn ich lebte sieben Jahre im Internat und durfte nur einmal in der Woche nach Hause, in das kleine Dorf, wo mein Vater unterrichtete. Unter vier- oder fünfhundert Schülerinnen gab es nur drei oder vier Algerierinnen. Meistens war ich in meinen Klassen die einzige Algerierin, weil ich den schwierigsten Lehrplan gewählt hatte (den Elite-Lehrplan, wie wir zu sagen pflegten). Ich hatte gebeten, Arabisch als Fremdsprache lernen zu dürfen, aber mir wurde gesagt, das sei nicht erlaubt. Um es ihnen zu zeigen, wählte ich daraufhin die schwersten Fächer: Griechisch und Latein. Ich konnte einer Herausforderung nie widerstehen.
Ich durchlebte diesen ganzen Aspekt der Kolonisation, ohne viel Aufhebens davon zu machen. Aber in meinem dritten Schuljahr passierte zweierlei, was für mich von großer Bedeutung war: Ich freundete mich mit der Tochter eines italienischen Siedlers an, und gemeinsam entdeckten wir die Literatur. Wir stolperten über die veröffentlichten Briefe von Alain Fournier an Jacques Rivière, leidenschaftliche Streitgespräche über das Wesen der Literatur[11]. Natürlich war es für sie eine Art Sport: Sie stritten über den frühen Claudel, über Mallarmé, über den frühen Gide – mit anderen Worten, über

die Avantgarde ihrer Zeit, über Schriftsteller, von denen unsere Lehrer behaupteten, sie wären für uns viel zu schwierig. Ihre Leidenschaft hat mich sehr nachhaltig beeinflußt.

CZ: Wie schätzen Sie Ihre eigene Karriere ein? Lesen Sie Ihre eigenen Werke gern wieder?

AD: Daheim, in Algerien, wurde mein erster Roman als unbedeutend eingestuft. Meine Universitätskollegen erwähnten meine Romane nie, oder aber sie erklärten leicht herablassend, daß ihre *Frauen* diese Romane lesen würden. Ich brauchte ziemlich lange, um zu erkennen, daß das rein emotionale Reaktionen gegen alles waren, was von einer Frau stammte. Ich lese meine eigenen Werke nicht wieder, aber ich erinnere mich sehr genau an meine jeweiligen Absichten. Bei *Frauen von Algier* hatte ich mich insofern verkalkuliert, als ich ein algerisches Publikum im Auge hatte, das ich leider nicht erreichte. Sie dürfen nicht vergessen, daß dieses Buch in Algerien nicht erschienen ist. Ich wurde sogar gefragt, wozu ich es eigentlich einem feministischen Verlag angeboten hätte. Die Leute hatten ihre festen Vorstellungen, wer ich sein sollte und wer nicht. Nun, nach *L'amour la fantasia* mußten sie ihre Einstellung ändern. Ich war plötzlich die Autorin eines Werkes, das *Révolution africaine* – bitte erlauben Sie mir zu zitieren, ich kann einfach der Versuchung nicht widerstehen – zum »wichtigsten Buch des Jahrzehnts« erkoren hatte. Ich war nicht mehr jemand, den man gönnerhaft behandeln konnte.

CZ: Werden Sie diesseits und jenseits des Mittelmeers auf verschiedene Weise gelesen? Gibt es Kultur-

spezifische Leserreaktionen auf das Phänomen Djebar?

AD: Ich habe das Paradoxe daran damals nicht verstanden, aber eine Nachbarin in Frankreich sagte mir
kürzlich, daß ihre Freundinnen sich immer noch an
die Veröffentlichung der *Frauen von Algier* erinnern,
daß es für sie »ein wichtiges Ereignis« war. In Algerien habe ich normalerweise eine Leserschaft von
etwa dreißigtausend Personen, die getreulich jedes
meiner Bücher innerhalb von sechs Wochen nach
dem Erscheinen kaufen. Das hätte mir auch in diesem Fall genügt.
Der Verlag *des femmes* verkaufte die ganze erste
Auflage, fünfzehntausend Exemplare, in kürzester
Zeit. Mir war gesagt worden, daß Kurzgeschichten
sich in Frankreich kaum verkaufen lassen. Daß meine nun so erfolgreich waren, rief großes Erstaunen
hervor, um so mehr als die französischen Leser
mich seit *Alouettes* vergessen hatten. So gesehen,
ging die Presse ziemlich großmütig mit mir um, indem sie es mir selbst überließ, wie ich für mein
Buch Reklame machen wollte. Ich lehnte mehrere
Interviews ab, wo Journalisten mich in ihren Shows
haben wollten, damit ich über »die traurige Situation der algerischen Frau« sprechen sollte, obwohl
sie das Buch nicht einmal gelesen hatten.
Dann kam *L'amour la fantasia*. Es war nicht zu übersehen, daß – obwohl die Reaktionen der Fachleute
positiv waren – nur wenige ein solches Buch von
mir erwartet hatten. Was mich am meisten bewegte, waren die Reaktionen der ganz normalen Leser,
die oft aus Afrika oder dem Maghreb ins Exil gegangen waren und mir schrieben oder weite Wege
in Kauf nahmen, um mich zu treffen. Tatsächlich

waren es Männer, die sich von der Frage der Sprache betroffen zeigten, warum, weiß ich auch nicht. Ich spreche nicht von ein, zwei Männern, sondern von sechs oder sieben, die – unabhängig voneinander – dazu Stellung nahmen. Ein syrischer Leser sagte sogar: »Nur Marguerite Duras kann die Frage der Sprache mit ebensolcher Kraft anpacken.« Ich war zwar geschmeichelt, aber ich sehe da keinen Zusammenhang.

CZ: O doch, ich schon. Sie dürfen sich nicht an Duras' Aspekt eines ›agent provocateur‹ des Feminismus stören.
Denken Sie vielmehr an ihre Verwendung des Schweigens als Stilelement, an all die unbewußten Antriebe, die an die Oberfläche sprudeln, fast wie bei einem Proust, der beschlossen hätte, Minimalist zu werden.

AD: Mein Lieblingswerk von Duras ist *Le ravissement de Lol Z. Stein* (dt. Die Verzückung der Lol Z. Stein, 1964). Über ihre anderen Werke könnte ich Vorlesungen halten, weil ich mir einen kritischen Abstand zu ihnen bewahren kann, aber nicht bei diesem Roman. Er berührt mich einfach zu sehr. Ist es Ihnen schon einmal aufgefallen? Von den ›drei großen Damen der französischen Literatur‹ – Duras, Sarraute und Yourcenar – ist keine in Frankreich geboren, keine hatte eine französische Kindheit; Außenseiterinnen alle drei.

CZ: Haben Sie das Gefühl einer geistigen Verwandtschaft mit Duras, die ja auch Filme macht, genau wie Sie? Der Einfluß der Sichtweise auf das geschriebene Wort, etwas in dieser Art?

AD: Ich bin eher von Yourcenar beeinflußt worden, weil auch sie sich intensiv mit Geschichte beschäftigt. Ihr Stil ist ein bißchen kompakt, auf altmodische Weise, aber er gefällt mir. Was Duras betrifft, so berührt mich diese körperlose Stimme, die sich am Rand der Selbstzergliederung befindet. Kurz gesagt, ich lese beide, aber ich habe nicht den Wunsch, mit ihnen zu wetteifern oder sie zu imitieren – nicht daß ich wüßte.

Die französische Literatur hat für mich – pardon, ich weiß, daß sich das schrecklich anhört – nichts mit lebenden Schriftstellern zu tun: Es sind die toten, die ich verehre! Ich habe meine Rechnung mit Frankreich ein für allemal beglichen, indem ich *L'amour la fantasia* schrieb. Natürlich habe auch ich meine Proust-Periode gehabt. Aber ich liebe besonders Dichter wie Henri Michaux, René Char, die ich mit meiner kleinen italienischen Freundin im Internat entdeckt habe. Die Existentialisten mußte ich während meines ersten Jahres an der Universität bis zum Überdruß pauken. Ich nehme an, daß ich mich deshalb nie für sie begeisterte. Zu Beginn des Krieges wurde von pflichtbewußten Revolutionären erwartet, daß sie vorbildliche Ehepaare wie Sartre-Beauvoir oder Aragon-Elsa bewunderten. Für die algerischen Brüder war Aragon der Victor Hugo der Revolution [sie lacht]. Aber für mich kann es zwischen Politik und Kunst keinen Berührungspunkt geben – obwohl ich Aragons *Le fou d'Elsa* bewundere. Ich kann nicht auf diese Weise lesen, weil ich nicht auf diese Weise schreiben kann, nehme ich an. Wenn die Brüder mich deshalb nach meinen Lieblingsschriftstellern fragten, nannte ich Ausländer. Am wichtigsten war – und ist – Cesare Pavese. Die französischen Übersetzungen von Pavese er-

schienen, als ich in Frankreich studierte, 1956 oder 1957, und sie waren für mich eine Offenbarung. Dort fand ich meine eigenen Landschaften, meine Kindheit, die gleichen Menschentypen und Bräuche, wie ich sie aus meinem Dorf kannte.
Von allen Europäern stehen mir seitdem die Italiener am nächsten; ihre Schriftsteller sind in mir heimisch.

CZ: Vielleicht können Italiener Ihre Werke besser verstehen, weil sie unbeschwert von der nordischen Last der französischen Intellektuellen sind, die dazu neigen, ein kühles kartesianisches Gitter über ihre südlichen Emotionen zu legen, oder zumindest vorgeben, das zu tun.

AD: Das habe ich festgestellt, als ich meinen Film in Venedig präsentierte. Meine ersten ernsthaften Beziehungen mit europäischen Frauen, das waren Filmemacherinnen, deutsche und italienische Regisseurinnen. Speziell die italienischen Feministinnen stammen aus allen Gesellschaftsschichten. Sie dachten sich mit einer Großzügigkeit und Wärme in meine Filme hinein, die mir in Frankreich nirgends zuteil wurde. Franzosen konnten ohne weiteres akzeptieren, daß eine Frau Frauen sezierte, aber sie konnten nicht tolerieren, daß ich die koloniale Geschichte sezierte: *ihre* koloniale Geschichte. Die Italiener und Deutschen unterhielten sich mit mir stundenlang über Filme, auch über technische Fragen. Der Zusammenhang zwischen Ton und Bild, den ich in Filmen entdeckte, gab mir den Mut, das Quartett zu beginnen.

CZ: Inwiefern?

AD: Ich weiß, Sie wollen mich nach dem Auslöser fragen, stimmt's? Ich habe meine historischen Forschungen über das neunzehnte Jahrhundert keine zwei Wochen nach Fertigstellung meines zweiten Films, *Zerda*, begonnen[12]. Die Archivdokumente, die ich durcharbeitete, lieferten mir die Anhaltspunkte, die ich brauchte, um mich in *L'amour* zu vertiefen, weil es sich um eine ähnliche Montagetechnik handelte. Denken Sie an den Satz, den ich im Kommentar zu *Zerda* verwende: »Maler und Fotografen kommen immer, nachdem die Schlacht geschlagen ist.« Ich wollte damit sagen, daß Bildarchive nur bedingt geeignet sind, uns in die Vergangenheit, in die Erinnerung zurückzuführen. Deshalb beschloß ich, die französische Sprache zu verwenden, um die Kette gewalttätiger Bilder zurückzuverfolgen – einschließlich der Gewalt, die nicht vor laufenden Kameras geschieht –, so als betrachte man die Eroberung von beiden Seiten zugleich.

Aber der andere Auslöser war, wie bereits gesagt, die plötzliche Erkenntnis, daß ich nie die französische Sprache benutzt hatte, um von Liebe zu sprechen. Ich schlug alle Wörter über Liebe, die ich kannte, in einem arabischen Wörterbuch nach, und ich begann mich zu fragen: Wer bin ich eigentlich? Eine Berberin? Eine Araberin? Ich war eine französischsprachige Schriftstellerin, aber wer oder was war ich im wirklichen Leben? Es gab eine Zone des Schweigens, bewohnt von Wörtern der Liebe, die ich nur auf arabisch sagte und in meiner Erinnerung sicher verwahrte. Eines Morgens schrieb ich dann die berühmten ersten Zeilen von *L'amour la fantasia*, die meinen formellen Eintritt in die französische Sprache beschrieben: »Ein kleines Schulmädchen, das an einem Herbstmorgen zum erstenmal zur Schule geht, an der Hand ihres Vaters.«

CZ: War das auch eine Einführung in das übrige Quartett?

AD: So ist es. Mit *L'amour* wollte ich meine eigene Biographie wiederherstellen, und zu diesem Zweck mußte ich erst meinen Konflikt mit der Sprache beilegen. Damals begriff ich, daß die französische Sprache für mich nichts mit Sartre oder Camus zu tun hatte. Für mich ist Französisch die Sprache jener Leute, die als Eroberer in mein Land kamen. Jene wenigen ersten offiziellen Eroberer – sie kamen, ist töteten, sie eroberten. Sie schreiben und töten, während sie schreiben – *im Akt des Schreibens.* Bevor ich in mein gegenwärtiges Leben eintauchen und meinem eigenen Ich Ausdruck verleihen konnte, mußte ich deshalb die Kindheit dieser Sprache beschreiben, die mich strukturiert. In *L'amour* beschwöre ich folglich die Sprache der Eroberung im neunzehnten Jahrhundert in engem Zusammenhang mit jener des kleinen Mädchens, das sie zum erstenmal schreiben lernt.

CZ: Diese überragende Bedeutung, die Sie der Struktur, der inneren Logik symbolischer Muster in Ihren Geschichten einräumen – ist das eine Weiterentwicklung der straff konstruierten Romane, mit denen Sie Ihre schriftstellerische Karriere begannen?

AD: Ja, das ist mein bestes und konsequentestes Charakteristikum. Ich hätte Architektin werden sollen [sie lacht]. Als ich vor nicht allzu langer Zeit meine Romane in Deutschland vorstellte, stellte ich fest, daß

ich für das Quartett architektonische Metaphern benutzte. *L'amour la fantasia,* der erste Band, ist der
Eingang in ein traditionelles arabisches Haus – Sie
wissen schon, das Vestibül für Besucher, gleich
wenn man von der Straße hereinkommt, nicht der
Patio, der private Innenhof, der für die Frauen reserviert ist, sondern der kleine Hof, der dorthin
führt. *Ombre sultane,* der zweite Band – das sind die
privaten Innenräume, wo die Frauen ganz unter
sich sein können. Der dritte Band ist ebenfalls ein
Buch über Frauen. Im traditionellen Haus pflegten
Frauen – auch Sie haben das bestimmt oft getan –
auf die Dachterrassen zu steigen, um ihre Blicke in
die Ferne zu richten, auf den Horizont. Ich glaube,
ich werde als Titel *Un silencieux désir* (Stilles Verlangen) wählen. Ich steige hinauf in die Zeit vor der
französischen Eroberung, und dann tauche ich wieder in das autobiographische Kindheitsmaterial
von *L'amour* ein, aber von einer anderen Perspekti-
ve aus.
Im vierten Band komme ich auf die frühen historischen Themen zurück, die *L'amour* beherrschen. Diesmal stoße ich noch weiter in die
Vergangenheit vor, in die Zeit vor 1830, vor der
französischen Eroberung. Es ist die Geschichte von
Palastrevolten, türkischen Deys, machiavellisti-
schen Verschwörungen und Gegenverschwörun-
gen – Machtspiele im Mittelmeerraum, an denen
die Franzosen überhaupt nicht beteiligt sind. Sie
existieren nicht mehr.

CZ: Sie kehren also in die Zeit ›davor‹ zurück, in die
     Vorgeschichte zur französischen Geschichte, sozu-
     sagen zu den ›unterirdischen‹ – Ihr Lieblingsaus-
     druck! – Grundmauern?

AD: Genau. Mich läßt die Frage nicht los, wer wir vorher waren. Irgendwo in mir muß wohl etwas Zeugnis von der *métissage* (Rassenkreuzung) ablegen, von jener wilden Mischung, die mein eigener Vater in mich gesät hat. Für mich ist ganz klar: Ich bin die Tochter des Lehrers.

CZ: Was wäre passiert, wenn Sie unter Ihrem eigenen Namen geschrieben hätten? Haben Sie je daran gedacht, nachdem man Sie sowieso entdeckt hatte?

AD: Ich bin oft gefragt worden, warum ich nicht den Namen meines Vaters beibehalten habe, ›Imalayen‹, der herrlich berberisch ist. Damals war ich aber regelrecht von der Idee besessen, daß meine Eltern mich nicht entdecken durften. Außerdem dachte ich, der Name könnte für einen Bucheinband viel zu lang sein. Ich überlegte auch, ob ich den Namen meiner Mutter benutzen sollte: ›Sarahoui‹. Ich hätte den Namen meiner Mutter beansprucht, so wie andere in früheren Zeiten den Clan-Namen zu beanspruchen pflegten. Aber in Mutters Kultur und Tradition wäre das – wie Sie in *Nouba* sehen können – als Prahlerei angesehen worden. Ganz Cherchell hätte sofort die Zusammenhänge erraten. Das wollte ich ihr ersparen. Deshalb blieb ich bei Djebar. Jedesmal, wenn ich ein Werk beende und mit meiner Unterschrift versehen muß, bin ich versucht, die korrekte Schreibweise zu benutzen, entscheide mich dann aber doch dagegen. Irgendwie gefällt mir der Gedanke an diesen Buchstaben, der sich zwischen zwei Sprachen und zwei Kulturen verbirgt. Meine letzte – aber nicht unwichtigste – Motivation ist folglich die Tatsache, daß ich auch ein Abkömmling des Clans meiner Mutter bin und bleibe. Ich bin eine

Tochter von Cherchell, jener Stadt, die für mich Algeriens wahre Hauptstadt ist – vor der Zeit der türkischen Deys, vor Algier, König Joubas Caesarea – und deshalb werde ich das vierte Buch vielleicht *Les oiseaux de la mosaique* (Die Vögel des Mosaiks) nennen.

CZ: Sie beziehen sich dabei auf all die herrlichen Mosaiken, die in Cherchell und Tipasa gefunden wurden?

AD: Römische Mosaiken und libysche Statuen, die unsere Eroberer in den Louvre verfrachtet haben. Ich sehe all diese Statuen nackter Frauen aus früheren Jahrhunderten vor mir, die aus dem Boden meines Heimatlands zum Vorschein kamen. Ich sehe vor mir, wie unsere Männer sie nach der Ankunft der Franzosen ausgraben, aber außerstande sind, sie zu betrachten. Für sie sind das nur nackte heidnische Statuen, und doch *sind* das unsere Großmütter. Ihre Enkelinnen dürfen heute, von Kopf bis Fuß in dichte weiße Schleier gehüllt, nur nachts das Haus verlassen, einmal wöchentlich, für den rituellen Besuch der türkischen Bäder.

CZ: Diese Vögel, die in den schweigenden Mosaiken der Vergangenheit gefangen sind, sind doch – da bin ich mir sicher – die Reinkarnation der naiven Lerchen. Sie haben den Kreis geschlossen.

AD: Ja, ich bin auf die Frage nach der Frau zurückgekommen. Wie Sie sagen – es gibt kein zufälliges Symbol.

Diese eigensinnige Rückkehr zu ihrem Hauptsymbol, dem Frauenkörper, ist typisch für eine Schriftstellerin, die sich ihren Weg unter kolonialen Bedingungen erkämpfen mußte, zusätzlich erschwert durch kulturell bedingte Geschlechtserwartungen. Die Tendenz, gegen etwas zu rebellieren, was von ihr erwartet wird, ist oft der Auslöser für ihre Themenwahl und bedingt auch in nicht geringem Maße die Veränderungen in ihrer Dichtkunst: das allmähliche Eindringen von autobiographischem Material in eine Literatur, die ursprünglich »mein persönliches Leben total ausklammerte«. Denken wir nur einmal an den ersten Roman, der sie berühmt machte und bei dem sie sich der Herausforderung gestellt hatte, »meinem eigenen Ich so fern wie nur irgend möglich zu bleiben«.

Geschichten über unmoralische Charaktere junger Mädchen aus gutem Hause, die eigentlich nichts über derartige Perversitäten wissen dürften, waren zu jener Zeit sehr in Mode. Fast noch ein Teenager, hatte Françoise Sagan kurz zuvor *Bonjour tristesse* veröffentlicht (1954). Djebar schickte ihr Manuskript demselben Verleger, eine Entscheidung, die kein reiner Zufall gewesen sein kann, auch wenn sie das heute behauptet. Die Geste hatte etwas von der Bravade eines James Fenimore Cooper an sich, des Bauernlümmels aus der Neuen Welt, der zur Feder greift, um zu beweisen, daß er genausogut schreiben kann wie der Liebling der Alten Welt, Sir Walter Scott. Der Vergleich mit Sagan wurde als Bewertungsmaßstab für Djebars Talent benutzt. Sogar die positiven Reaktionen in der amerikanischen Presse waren mit Beurteilungen wie »ein Hauch von Sagan« durchsetzt[13]. Für die französischen Fachleute war sie der Beweis, daß die *mission civilisatrice*, die im Grunde darin bestand, ›einen von ihnen‹ in ›einen von uns‹ zu verwandeln, durchaus Erfolg haben konnte. Für die Algerier, die inmitten eines Unabhängigkeitskrieges nach einer engagierten Literatur verlangten, war Assia Djebar eine schamlose Hure. A. Nataf verunglimpfte *La soif* als »bourgeoisen Mist, in dem mit keinem Wort von der algerischen Wirklichkeit des Krieges, Leidens und Mutes die Rede ist«[14]. Mit der Veröffentlichung eines zweiten, ziemlich ähnlichen Romans kurze Zeit später wurde diese Abstempelung weiter gefestigt, auf beiden Seiten des Mittelmeers.

Einige der neuen Geschichten in *Frauen von Algier* wurden geschrieben, um gegen solche schablonenhaften Erwartungen anzukämpfen, und die polemischen Absichten darin sind unverkennbar. ›Weinende Frau‹, an einem einzigen Tag entworfen, verleiht der Wut auf ein Land Ausdruck, in dem die Freiheit von Unterdrückung sich nicht auf Frauen zu erstrecken schien. Leilas bittere Frage in der ersten Geschichte: »Hat es jemals Brüder gegeben?« impliziert kühn, daß die Brüder die Revolution verraten haben, weil sie die Frauen verraten haben. ›Frauen von Algier‹ ist die erste Geschichte, und die Tatsache, daß dies auch der Titel der ganzen Sammlung ist, weist auf die Bedeutung ihrer polemischen Einstellung hin.

Der verwirrende Zustand einer zunehmend fragmentarischen Gesellschaft spiegelt sich im bruchstückhaften Charakter des Bandes wider. In *Frauen von Algier* wird eine ganze Reihe schmerzhafter persönlicher Fragen gestellt, auf die es keine fertigen Antworten gibt. Indem sie neu geschriebene Texte mit älteren mixte, versuchte Assia Djebar, eine Brücke zwischen zwei kritischen Perioden zu schlagen, vor und nach der revolutionären Heimkehr, um »die Vergangenheit in einen Dialog mit der Gegenwart zu verwickeln«. Das führte sie zu formalen Experimenten, die mindestens drei Stilarten zeitigten: erstens die für sie neue traumartige Erzählweise, entstanden aus ihren Filmerfahrungen, wobei sie sich durch verschiedene Ebenen der Wahrnehmung und Zeit bewegt; zweitens der ältere, eher ideologisch geprägte Stil wie in ›Nostalgie der Horde‹, ›Ein Tag im Ramadan‹ oder in ihren Kriegsromanen; und drittens das metafiktive Schreiben über das Schreiben, wie in der Meditation über das Bild vom weiblichen Körper, die das berühmte Nachwort ›Verbotener Blick, abgerissener, Ton‹ gestaltet. Dieses Experimentieren gesteht dem algerischen Ich seinen Platz als Subjekt zu, durch das Abschleifen des literarischen Stils von den bürgerlichen Romanen über Kriegsromane hin zu dem polyphonen Quartett, das jetzt in Arbeit ist. *Die Frauen von Algier* bleiben ein wichtiges Werk für das Verständnis der Evolution von Djebars Korpus. Es ist eine Evolution, die in zunehmendem Maße in einer algerischen Wirklichkeit verankert ist, die sehr persönlich und idiosynkratisch dargestellt wird, die aber gerade deshalb repräsentativ für eine Gemeinschaft ist, die von Erinnerungen an einen Kolonialkrieg gefoltert wird, die in bezug auf ihre wahre Geschichte unsicher und vielleicht in Selbstzweifel verstrickt ist. Das erklärt, glaube ich, auch die eher rückwärts als vorwärts gerichtete Haltung und ebenso die von manchen Kritikern beanstandete, eher regressive als progressive Betrachtungsweise der Frauenfrage. In ihrer Rezension für die breite Öffentlichkeit nennt beispielsweise Marie-Blanche Tahon, die über das selbstauslöschende Dulden der weiblichen Figuren erbittert ist, *Frauen von Algier* »ein im wesentlichen um Männer kreisendes Werk«, eine scharfsinnige Einschätzung[15], mit der sie allerdings alleine dasteht.

Assia Djebar kam im Herbst 1954 nach Frankreich. Am 1. November 1954 brach in Algerien der Krieg aus, nur wenige Monate nach dem französischen Debakel von Dien Bien Phu am 7. Mai. Dies war der Anfang vom Ende des französischen Imperiums. 1958 wurde Assia Djebar von Sèvres ausgeschlossen, der Eliteschule mit sehr beschränkter Zulassungsquote, wo sie als erste Frau aus den Kolonien ein volles Stipendium erhalten hatte; ihr jüngerer Bruder saß im Gefängnis, und ihr brandneuer Ehemann wurde von der französischen Polizei gesucht. In der Hoffnung, auf Schleichwegen in die Heimat gelangen zu können, schmuggelten sich die Neuvermählten in Tunesien ein, aber der Grenzübergang wurde ihnen verwehrt, weil – so Djebar – »vereinbart worden war, die Frauen von dort herauszubekommen – nicht daß es viele gewesen wären« (unv.). Frauen als Kämpfer und logistische Kräfte wurden abgezogen. 1956 war bei einem historischen Geheimtreffen auf algerischem Boden, im Gebiet von La Soummam in der Ostkabylei, zwischen allen rivalisierenden revolutionären Gruppen ein Abkommen erzielt worden, und dabei hatte man unter anderem widerwillig die Teilnahme von Frauen am Krieg erlaubt, hauptsächlich, weil die Verluste unter den männlichen Kämpfern immer höher wurden. Zwei Jahre später war La Soummam nur noch eine schöne Erinnerung. Trotz Frantz Fanons strahlendem Bild von diesen berauschenden Tagen in *A Dying Colonialism*, entstanden sehr schnell Probleme zwischen progressiven, gebildeten jungen Frauen, die ihren Teil zur Befreiung beitragen wollten, und den traditionsbewußten, regressiven männlichen Guerilleros, die sie davon abhalten wollten. Obwohl die Zahl dieser Frauen nie sehr groß war (darin stimmen pro- und antifeministische Kenner überein, und das gibt auch Assia Djebar zu), kann die symbolische Wirkung der weiblichen Präsenz gar nicht hoch genug eingeschätzt werden: Frauen schliefen im Busch auf dem Boden, führten gefährliche Aufträge in den Städten aus, an seltsamen Orten, zusammen mit seltsamen Männern, hatten überall unverschleiert Zutritt und waren keinerlei männlicher Kontrolle unterworfen. Pontecorvos kontroverser Film *The Battle of Algiers* zeigt den Bruch mit moslemischen Tabus auf höchst einprägsame Weise: junge Mädchen (A. Djebar nannte sie später die ›Feuerträgerinnen‹), die den Schleier ablegen und ihre traditionell geflochtenen Haare abschneiden und bleichen, junge Frauen, die mit den französischen Soldaten scherzen und flirten, um die Checkpoints passieren und ihre Bomben im europäischen Distrikt deponieren zu können.

Es war für sie eine bittere Enttäuschung, plötzlich abgeschoben zu werden. Während die erste erfolgreiche Woge aufkommenden Nationalstolzes den Stoff für Assia Djebars dritten Roman lieferte, der den optimistischen Titel *Les enfants du nouveau monde* trug, wurde diese enttäuschende Periode des Lebens zum Gegenstand ihres vierten, viel pessimistischeren Romans *Les alouettes naives*, der mit dem deprimierenden Satz endete: »Der Krieg, der zwischen den Völkern soeben zu Ende gegangen war, brach nun zwischen dem Ehepaar aus.«[16] Dieser Roman verknüpfte erstmals den persönlichen Krieg zwischen Männern und Frauen mit dem größeren Krieg der nationalen Befreiung. Das unterschwellige Unbehagen, das die lyrische Oberfläche von *Alouettes* oft trübt, brach sich schließlich in *Frauen von Algier* Bahn.

Während sie in Tunis mit Flüchtlingen arbeitete, schrieb Assia Djebar aggressive Artikel für Fanon, der damals Herausgeber des revolutionären *El-Moudjahid* war. Die Zeitung – sie wurde erst 1962 zum offiziellen Parteiorgan, nachdem die FLN (Front national de libération, d. h. Nationale Befreiungsfront) als primus inter pares der rivalisierenden Gruppen in jenen *willaya*-Kämpfen triumphiert hatte, auf die in ›Die Toten sprechen‹ so trocken angespielt wird – war damals, so A. Djebar, »die hoffnungsvollste Stimme der Algerier im Krieg« (unv.). In Tunis setzte Djebar auch ihr Geschichtsstudium fort und schrieb unter dem berühmten französischen Historiker Louis Massignon eine Magisterarbeit. Massignon – selbst eine Art Mystiker – war der ideale Leiter eines Forschungsprojektes, das eine Heilige im Tunis des zwölften Jahrhunderts zum Thema hatte. Djebar hatte dieses Thema nicht zufällig gewählt, war hier doch die Frage nach der vorkolonialen Vergangenheit mit der Frage nach der Rolle der Frau bei der Gestaltung dieser Zeit verknüpft. Mythische Stammesgroßmütter als Wächterinnen, die das kollektive Gedächtnis bewahren und weitergeben, sind in Djebars Werken im Überfluß vorhanden: In *Frauen von Algier* ist es die starke Urgroßmutter aus ›Nostalgie der Horde‹, die ihren Urenkelinnen den Zugang zur Vergangenheit ermöglicht. In ›Die Toten sprechen‹ ist es eine andere starke Großmutter, die Familie, Dorf und Clan zusammenhält, während die Männer an der Front sind. Diese Hommage an ihre eigene Großmutter mütterlicherseits ist ein typisches Merkmal von Assia Djebars Fantasie, die immer einen Auslöser im persönlichen Bereich hat. Die mehrmalige Wiederkunft der Ahne vervollständigt die Frauengruppe, die in *Nouba* in der Höhle tanzt und jene wildeste aller Frauen feiert, die Berberkönigin, die Invasoren aufzuhalten vermochte und unter dem Namen Kahina, das heißt »inspirierte Wahrsagerin«, in die Überlieferung einging, ein Titel, der ihre Fähigkeit würdigte, Vergangenheit und Zukunft zu »übermitteln«[17].

Von Tunis ging Assia Djebar nach Marokko, wo ihr dritter Roman entstand. *Les enfants du nouveau monde* schien bedingungslos auf der Seite der Revolution zu stehen. Mit der Anspielung auf die Neue Welt, mit der Hoffnung, daß dieser Krieg – wie der Amerikanische Unabhängigkeitskrieg – zu einer gerechteren Gesellschaft führen würde, war der Vorwurf an die Erste Welt verknüpft, in paternalistischer Absicht die Dritte Welt ›erfunden‹ zu haben. Später, in *Frauen von Algier*, beschrieb sie die Freundschaft zwischen der algerischen Guerillakämpferin und der zurückkehrenden Französin als Umkehrung des bemutternden Wohlwollens der Ersten Welt. Mit jedem neuen Werk wurde ihre Sichtweise oppositioneller.

Obwohl Assia Djebar sagt, daß sie ihre eigenen Werke selten noch einmal liest, behauptet sie, sich genau an ihre jeweiligen Absichten zu erinnern, und so tut sie – in Widerspruch zu den meisten Kritikern – das Thema als unwichtigsten Aspekt ihres dritten Romans ab und lenkt die Aufmerksamkeit statt dessen auf die strukturelle Herausforderung, die sie sich selbst gestellt hatte: eine neue Verwendung von Zeit und Raum, die sie später ›architektonisch‹ nennen würde. *Les enfants* umfaßt nur vierundzwanzig Stunden und beginnt mit einer ungeheuer eindringlichen Szene, deren visueller Effekt einen Vorgeschmack auf ihre Handhabung des geschlossenen und offenen Raums in ihrem späteren Film gibt. Vom traditionellen Ort ihrer Isolierung, dem nicht überdachten Innenhof, aus verfolgen die Frauen begierig die Schlacht, die auf dem Berg über ihnen tobt. Dieser auf nur allzu realen Gesellschaftsformen basierende literarische Effekt, diese binäre Struktur zweier imaginärer Welten, einer männlichen und einer weiblichen, war wohlerwogen[18]. Die zur Untätigkeit und Bewegungslosigkeit verurteilten Frauen können nur zuschauen. Draußen kämpfen die Männer, bewegen sich frei (Djebar verwendet dafür mit Vorliebe das Wort *circuler*, das eine unbeschränkte Autonomie von Körper und Geist implizieren soll). Zu dieser räumlichen und kinetischen Polarität kehrt sie in vorliegenden Erzählungen fast obsessiv zurück, am schärfsten in ›Verbotener Blick‹. Wenn, wie Kritiker versichern, eine solche Topographie eine Konstante der kollektiven Fantasie im Maghreb ist, so hat Assia Djebar sie sich im Namen der Gerechtigkeit angeeignet. Sie wollte lieber die Sache der algerischen Frauen vertreten als – wie ihre schreibenden Brüder es mir Vorliebe taten – die traurige Lage der Söhne beklagen, die sich selbst überlassen blieben, weil ihre verräterischen Väter abwesend waren – von Kateb Yacines *Nedjma* (1956) bis hin zu Rachid Boudjedras *La répudiation* (1969) – oder die von ihren nur allzu präsenten Vätern beherrscht wurden, die jedoch im Grunde besiegt, entmannt und emotional tot waren: von Mohammed Dibs *Le métier à tisser* (1957) bis hin zu Nabile Farès' *Yahia pas de chance* (1970). Nirgends tritt die binäre Topographie von imaginärer Zeit und Raum machtvoller in Erscheinung als in der ersten Erzählung, ›Frauen von Algier‹, wo die zwangsweise Einsperrung einer ehemaligen Kriegsheldin durch ihre revolutionären Brüder geschildert wird, die nun, da der Krieg vorbei ist, nicht mehr wissen, was sie mit Kriegsheldinnen anfangen sollen.

Djebar kehrte am 30. Juni 1962 nach Algier zurück, einige Wochen nach Erscheinen von *Les enfants*. Es war ihr sechsundzwanzigster Geburtstag und der Vorabend der Unabhängigkeit am 1. Juli. Auf den Straßen aller algerischen Städte jubelten Menschenmassen, und es herrschte eine Stimmung der allgemeinen Versöhnung. Doch kaum war ein Jahr vergangen, da versuchte die machthabende Partei auch schon, die Nation zu einem einheitlichen kulturellen Modell zu verschmelzen. Der Historiker Mostefa Lacheraf, nun ein Regierungsmitglied, legte die Parteilinie aus, indem er Schriftsteller angriff, die viel zu bürgerlich waren, und in hitzigen öffentlichen Debatten erweckte er die alte Sprachfrage zu neuem Leben, indem er sie zu einem Test für Patriotismus hochstilisierte[19]. Seine Eröffnungsrede beim ersten Parteikongreß in demselben Jahr enthielt die Forderung, die neue Nation müsse in einem Akt des sprachlichen Reterritorialismus fest im Arabischen verankert werden. Nicht wenige algerische Kritiker stießen ins gleiche Horn.

Assia Djebar, die damals Dozentin an der Universität von Algier war, begann ihren vierten Roman, *Les alouettes naives*, als Katharsis, stellte aber fest, daß sie blockiert war. Als Frau in eine patriarchale Kultur hineingeboren, zapfte sie eine unterdrückte Geschichte an, *ihre* Geschichte, und zum erstenmal wurde ihr nun richtig bewußt, daß es *seine* Geschichte war, die die ihrige unterdrückte. Wenn sprachliche Hegemonie erzwungen werden sollte, wie die neue Nation das wollte, konnte die patriarchale Hegemonie da noch lange auf sich warten lassen? Es dauerte zehn Jahre, in denen sie sich vor Unruhe verzehrte und unter der Wunde des sich selbst auferlegten Schweigens litt, bis sie sich zutraute, den Konflikt in *Frauen von Algier* zu erforschen.

Alouettes wurde von einigen französischen Kritikern freundlich aufgenommen, speziell wegen der außerordentlich einfühlsamen Porträts jener, die man später als ›verlorene Generation‹ bezeichnen würde, nicht mehr geprägt von der französischen Fremdkultur, aber mit ihrer neuen Identität noch nicht richtig vertraut. Die nordafrikanischen Kritiker hingegen waren empört über die sexuelle Freimütigkeit. Westliche Leser könnten das leicht fehlinterpretieren. Wie Djebar in dem Interview für *Contemporary French Civilisation* erklärt, sieht der Islam im Geschlechtsakt keine Sünde, vielmehr eine Huldigung des Schöpfers durch seine Geschöpfe. Aber man kann nicht umhin zu bemerken, daß die Gerechten, die ins Paradies kommen, um mit ewiger Seligkeit belohnt zu werden, Männer sind, und daß die erotischen Priesterinnen des Himmels, die Huris, Frauen sind. Djebar hatte gegen ein Tabu verstoßen, weil sie weibliche Lust schilderte, die nicht mehr im Dienste des Mannes stand. In einem langen inneren Monolog entdeckte die Protagonistin, daß beim Geschlechtsakt ein Teil von ihr unbeteiligt blieb; noch schlimmer, daß ihre erotische Entwicklung ein autonomes Selbstwertgefühl weckte. Ohne aus Djebar eine Feministin vom ersten Tage an machen zu wollen, können wir in ihrem Werk eine stete Entwicklung feststellen, die letztendlich zu dem sehr ausgeprägten Standpunkt gelangte, den sie »meine eigene Art von Feminismus« nennt. Das war teilweise natürlich auf ihre Begegnung mit dem westlichen Feminismus zurückzuführen, teilweise auch auf ihre Erfahrungen beim Filmemachen, nicht zuletzt aber auch darauf, daß sie Erfahrungen in den Flüchtlingslagern und nicht auf dem Schlachtfeld gesammelt hatte, weil einige ›Apparatschiks‹ beschlossen hatten, die Frauen nach Hause zu schicken. Jahre vor *Frauen von Algier*, dem großen Wendepunkt in ihrer Karriere, der sie zur *Pasionaria* der moslemischen Welt machte, wagte sie es, eine Frau als Subjekt und nicht als Objekt der Lust darzustellen.

Mit diesen beiden Kriegsromanen, *Enfants* und *Alouettes*, erweiterte sich ihr Horizont. Der Krieg wurde als großer Schmelztiegel angesehen, der eine Revolution gebiert: die neue Frau, den neuen Mann, die neue Gesellschaft. Aber hinter dieser neuen Gesellschaftsordnung verbarg sich die problematische Frage nach der Einfügung der Frau in das neue Patriarchat, das – wenn auch unter anderem Namen – doch immer noch ein Patriarchat war. Assia Djebars Bemerkung über den Ausdruck *Revolution* macht den Unterschied zwischen Ideal und Realität deutlich, zwischen einer Revolution, deren Früchte der Hoffnung nie richtig reif wurden, und einem Krieg, der bittere Früchte trug.

In den Jahren nach der Veröffentlichung von *Alouettes* nahm das Interesse der Kritiker ab. Djebar vergrub sich in die Theaterarbeit und adaptierte mehrere Stücke für ihren Mann und sein Ensemble im Théâtre de l'Arlequin, einem kleinen Experimentiertheater, und bei einem Stück, das sie übersetzt hatte – Tom Eyens *The White Whore an the Bit Player* – führte sie 1973 auch selbst Regie. Als Meditation über den Medienkult um Marilyn Monroe handelte das Stück von weiblicher Lust und ihrer Darstellung, ein Thema, das in *Frauen von Algier* wieder auftauchen und in *L'amour la fantasia* im Mittelpunkt stehen würde. In jenem Jahr veröffentlichte eine algerische Kritikerin in einer algerischen Zeitschrift, *El Djazairia*, eine vernichtende Beurteilung von Assia Djebars Werken. Farah Ziane brandmarkte erneut Djebars Mangel an sozialem Bewußtsein und bezeichnete ihre Arbeiten als perfektes Beispiel »marginaler Literatur« von einer Autorin »aus wohlhabender Familie, mit konservativen, wenngleich nicht puritanischen Neigungen«[20]. Diese abgenutzten Argumente *ad feminan*, an die sich Djebar mit einer Nüchternheit erinnert, die ihren Schmerz nicht ganz kaschieren kann (»emotionale Reaktionen gegen alles, was von einer Frau stammte«), lagen ganz auf der Parteilinie zur Frage der nationalen Identität, zusätzlich verhärtet durch Algeriens angemaßte Führungsrolle beim Gipfel jenes Jahres, bei dem die Erste Welt davon überzeugt werden sollte, daß die Dritte Welt politisch und kulturell auf eigenen Beinen stehen konnte. Worin würde denn eine authentische algerische Kultur bestehen, sobald man sich nicht mehr der französischen Sprache bediente? Diese Frage hatte großes politisches Gewicht, und sie wurde durch die kulturelle Hegemonie der dominanten arabischsprachigen Gruppe immer wieder aufs Tapet gebracht. Wie Djebars verächtliche Ablehnung einer Politik der ›Arabisierung von oben‹ beweist, ist diese Frage in einem Land, das mehrsprachig ist[21], noch lange nicht entschieden. Jeder Schriftsteller, der sich nach der Unabhängigkeit zwar nachdrücklich als Algerier bezeichnete, aber in einer anderen Sprache als Arabisch schrieb, bewegte sich auf einem Minenfeld.

Assia Djebars trotzige Umarmung der französischen Sprache als Instrument der Selbstbefreiung ist höchst ungewöhnlich. Für die Generation von Schriftstellern, die vor der Unabhängigkeit bekannt geworden waren, allesamt Männer, war Französisch eine problematische Waffe der Opposition gewesen, die eingesetzt wurde, um den Kolonisator zu bekämpfen und gleichzeitig den kolonisierten Vater anzuklagen, der entweder an seiner eigenen Niederlage mitgearbeitet oder aber jedenfalls unfähig gewesen war, seinen Sohn zu retten. Für Djebar wurde Französisch allmählich zum Mittel einer Befreiung, durch Vermittlung ihres zweisprachigen Vaters; auf diese Weise versuchte sie den zunehmend restriktiven Brüdern zu entkommen, den Wächtern über den physischen und intellektuellen Harem. Denken wir an die autobiographische Skizze eines kleinen arabischen Mädchens, das zum erstenmal in eine französische Schule geht, »an der Hand ihres Vaters«. In einem Zeitungsartikel ging sie 1985 so weit, Französisch als »die Beute des kolonialen Krieges« für sich zu beanspruchen[22]. Wenn Dejebar davon spricht, die französische Sprache erbeuten und – in der Ouvertüre – einer »Sprache, die ihrerseits so lange Zeit mit einem Schleier verhüllt war«, eine feministische Stimme geben zu wollen, eignet sie sich die oppositionelle Tradition an und stellt diese gleichzeitig auf den Kopf.

Assia Djebars ungewöhnliche Sprache hat Kritiker so entnervt, daß einige sich bereits bei *Les enfants du nouveau monde* fragten, ob ihr die Beherrschung des kartesianischen Französisch nicht vielleicht abhanden komme. Diese Frage verfolgt sie selbst bis heute gelegentlich und klingt auch in Berques verschlüsseltem Lob ihrer ›Latinität‹ an[23]. Das erklärt auch ihre halb scherzhafte, halb irritierte Antwort auf die Frage nach ihrer Beziehung im Interview. Dieses Aushöhlen der kartesianischen Textur hatten auch Männer versucht (beispielsweise Kateb). Doch bei Djebar wurden solche Stilmittel ausschließlich in den Dienst der Gerechtigkeit für Frauen gestellt. Und so überschnitt sich die Frage der Sprache mit der Strukturierung des Raums und mit dem Bild von der Frau.

In Assia Djebars Texten ist die Sprache des Unterdrückers mit arabischen Kadenzen und Bildern, Redewendungen und Satzkonstruktionen überflutet, die sich in so gewundenen, ineinanderverschlungenen Arabesken bemerkbar machen, daß sie zum Alptraum eines Übersetzers werden können. Diese stilistische Eigenart wird in *Frauen von Algier* deutlich sichtbar, speziell im polyphonen Diwan der Wasserträgerin (ein traditionelles Gedicht wird hier dazu benutzt, dem Leben einer mißbrauchten Frau Würde zu verleihen) und in den langen, kompakten Sätzen des Nachworts. Sie tritt auch in den vielstimmigen Passagen von ›Die Toten sprechen‹ zutage, wo Aïchas heimliche und ausgesprochene Gedanken sich mit Gesprächsfetzen und mit den Kommentaren der allwissenden Erzählerin verflechten. Assia Djebar baut sehr stark auf Typographie und Seitenaufteilung, um polyphone Effekte augenfällig zu machen. Die beiden Geschichten ›Frauen von Algier‹ und ›Die Toten sprechen‹, die keine Stücke aus ihren früheren Werken enthalten und in diesem Sinne neu genannt werden können, zeigen, daß die Schriftstellerin sich der Frage der Sprache voll bewußt war und diese mit der Frauenfrage verbinden wollte. Die Gründe waren sowohl privater als auch politischer Natur: die Jahre des Exils, in denen sie Kontakt mit Flüchtlingen aus verschiedenen Sprach- und Kulturtraditionen hatte; die Universitätsjahre in Algier als Geschichtsdozentin, wo sie »immer mündliches Material mit verwendete, fast ohne darüber nachzudenken«; die brennende Frage, die dem neuen Regime auf den Nägeln brannte, nämlich die Frage einer geeigneten Nationalsprache für das vielsprachige Land; die erklärte Parteipolitik, der neuen Nation eine Einheitssprache zu verpassen; und die Tatsache, daß sie in den Siebzigern drei Jahre lang mit dem Gedanken gespielt, ihn dann aber verworfen hatte, in arabischer Sprache zu schreiben – sie kann klassisches

Arabisch lesen und studiert es wieder. Die Frage, die sich ihr stellte, war jedoch: welches (oder wessen) Arabisch?

Die Filmerfahrung Ende der 70er Jahre, jene zwei Jahre, in denen sie nicht nur in das Dorfleben ihrer Heimat eintauchte, sondern auch in dessen Sprachen, änderte das alles. Das Filmprojekt wurde auch von monatelangen Forschungen am algerischen Institut für Musikwissenschaft und von ihrem anhaltenden Interesse für die Vielfalt der verschiedenen Volkskulturen beeinflußt. So studiert auch Sarah, das Alter ego der Autorin in *Frauen von Algier*, Lieder aus Laghouat, dem von Beduinen beeinflußten tiefen Süden, und aus Tlemcen, einer Berberstadt im Südwesten. Sarahs Name ist sowohl eine biblische Anspielung als auch – ein gutes Beispiel für die Präsenz des Arabischen im französischen Text – die Kurzform von Sarahou, einem Volk, das einst aus der südlichen Sahara kam; es ist auch der Name von Djebars Clan mütterlicherseits in der weiblichen Linie, der Name der Mutter ihrer Mutter, die von hoch verehrten religiösen Führern abstammte: Es ist der Clanname der Großmutter, die als Modell für Yemma Hadda, die Hauptfigur in ›Die Toten sprechen‹, diente und auch der Urgroßmutter in ›Nostalgie der Horde‹ einige Züge (und Erinnerungen) lieh. Bei Assia Djebar ist kein Name rein zufällig.

Was Tlemcen betrifft, eine Stadt unweit der marokkanischen Grenze, so gab es dort eine große jüdische Gemeinde, die aus Spanien – wo maurische Prinzen in Madrid oder Valladollid sehr häufig jüdische Gelehrte und Künstler in ihren Diensten gehabt hatten – musikalische Schätze mitgebracht und über die Jahrhunderte hinweg bewahrt hatten. Daher auch die Erwähnung einer traditionellen jüdischen Sängerin in *Frauen von Algier*.

Ebenso bezeichnet der Titel ihres ersten Films, *Nouba*, nicht nur ein Fest, sondern ist auch der Fachausdruck für die fünf Sätze einer andalusischen Musikgattung, die am maurischen Hof gepflegt wurde. Immer wieder wird in den Erzählungen das Aurès-Gebirge erwähnt, eine Gebirgskette im Südosten, die extrem unzugänglich ist und die Bewohner dadurch lange Zeit vor den nivellierenden Einflüssen der Zentralregierung bewahrte. Diese Menschen galten stets – und haben sich diesen Ruf bis heute bewahrt – als zäh, stolz und ziemlich wild; jedes Dorf war hier eine autonome Enklave, die alle möglichen Invasoren zurückschlug – die Araber, die von Osten her in den Maghreb eindrangen, ebenso wie die Europäer, die von Norden kamen. Die einst halbnomadischen, ausgesprochen unabhängigen Aurès-*chaouias* (das Wort bedeutet ›Schäfer‹ in ihrer Sprache, die dem Kabylischen verwandt ist), deren Frauen längst den Schleier abgelegt haben und selbst ihre Entscheidungen treffen, haben ihre Lebensweise, ihre Sprache und Kultur bewahrt, einschließlich der Kunst, herrliche Teppiche zu weben, die auch in Assia Djebars Werken Erwähnung finden. Es ist kein Zufall, daß die drogenabhängige, unter rasenden Schmerzen leidende und unfruchtbare Leila in ›Frauen von Algier‹ davon träumt, mit einem Kind an ihrer Brust den ganzen Weg bis Lalla Khadidja zurückzulegen, dem volkstümlichen weiblichen Kosenamen für den Berg Tamgout. Das ist der höchste Gipfel (fast 2000 m) einer anderen Gebirgsenklave im Norden, dem Djurdjura-Gebirgsmassiv in der Großen Kabylei. In Djebars Werken stehen berberische und kabylische Kulturen und Völker, die schon vor den Invasionen der Römer und Araber in Nordafrika lebten, für eigensinnig bewahrte individualistische Kulturnormen und einen tief verwurzelten Sinn für historische Unterschiede; mit anderen Worten – sie bilden eine effektive menschliche Barriere gegen das Schreckgespenst einer ›Arabisierung von oben‹. Wie der letzte Band ihres Quartetts beweist – wo römische Mosaiken und libysche Statuen aus dem unterirdischen Schattendasein auftauchen, zu dem die moderneren Söhne ihre nicht-arabische Vergangenheit verurteilt hatten –, ist sich Djebar der Mischung verschiedener Kulturen auf nordafrikanischem Boden lange vor der arabischen Invasion im siebten Jahrhundert voll bewußt.

Dieser Stolz auf die Vergangenheit erklärt auch, warum ihr nächstes – drittes – Filmprojekt das Leben einer kabylischen Frau zum Thema haben soll[24]. Fadhma Aithh Mansour Amrouche, Mutter des berühmten Dichters Jean Amrouche und der Ethnomusikologin und Schriftstellerin Marguerite Taos Amrouche, war ein uneheliches Kind, das um die Jahrhundertwende von den französischen Lokalbehörden in eine christliche Schule geschickt wurde. Nach ihrer Rückkehr konnte sie sich nicht mehr an das Dorfleben gewöhnen und ging ins Exil, nach Tunesien und später nach Frankreich. Als Konvertitin zum Christentum, die Französisch lesen und schreiben konnte, nicht aber Arabisch, von der ihre französischen Lehrer jedoch erwarteten, daß sie das französische Eindringen in eine moslemische Gesellschaft förderte, ist sie ein gutes Beispiel für die schädliche Wirkung einer kulturellen Anpassung, ob man diese nun ›Arabisierung‹ oder *mission civilisatrice* nennt. Die französischen Bestrebungen führten meistens nur dazu, daß zwischen verschiedene ethnische Gruppen ein Keil getrieben wurde. Djebars dritter Film verspricht noch kontroverser zu werden als *Nouba*, sind hier doch all ihre Lieblingsthemen vereint: das Problem der Sprache, eine Frau als Spielball zwischen zwei um die Vorherrschaft kämpfenden Kulturen, die schmerzhafte Konfrontation der Stämme mit der modernen Welt, die Rolle von Exil und Erinnerung. Und dem Leser, der Assia Djebars besondere Aufmerksamkeit für Namen kennt, wird unwillkürlich auffallen, daß Amrouches Vorname Fadhma die kabylische Variante von Fatima ist, der Lieblingstochter des Propheten, die zu Medina nein sagt (um eine Kapitelüberschrift von *Loin de Médine* zu zitieren). Zufällig ist es auch Djebars eigener Vorname.

Da es die Frauen waren, die das Alte bewahrt und weitergegeben haben, könnte es durchaus sein, daß sie auch die Kraft haben werden, eine Gesellschaft zu heilen, die infolge zahlreicher Eroberungen stark zersplittert ist: eine Gesellschaft, die nach Westen geblickt hat (die Erinnerungen an das maurische Imperium), dann nach Osten (die Ausbreitung des islamischen Glaubens); eine Gesellschaft, die unter der türkischen Okkupation, der französischen Kolonisation und dem anschließenden Unabhängigkeitskrieg gelitten hat und jetzt alle Auseinandersetzungen infolge des panarabischen Versagens zu spüren bekommt, nicht zuletzt den raschen Aufschwung des islamischen Fundamentalismus. Wenn eine solche Gesellschaft, die ihre Vergangenheit verdrängt, die Isolation und Unterdrückung der Frauen wieder einführt, betreibt sie eine geradezu tödliche Form der Amnesie, die bei Djebar zu zeitweiligem Verstummen und zu einer »Enttäuschung... die von Verzweiflung nicht allzuweit entfernt war«, führte.

Der obsessive Drang, aus kultureller Beengung auszubrechen, war schon in ihren beiden ersten Romanen vorhanden, in denen sie impulsive junge Mädchen porträtierte, die sich in eine radikal andere Welt stürzten, in eine von Frankreich beeinflußte Welt mit ganz anderen kulturellen Werten und Verhaltensregeln. Diese Werke wurden als mittelmäßig beziehungsweise unbedeutend eingestuft, wobei die räumliche Semiotik völlig übersehen wurde. Kritiker bezeichneten die frühen Romane als gesellschaftliche Dokumente, die den für koloniale Literatur typischen Konflikt mit der modernen Welt zum Inhalt hatten. Diese soziologische Interpretation mag korrekt sein, aber ich persönlich vertrete die Ansicht, daß sie keineswegs erschöpfend ist[25]. Die dunkle Unterseite des

Konflikts ist nicht der Wunsch, in eine patriarchale Gesellschaft integriert zu werden – so stark das junge Mädchen diese Unvermeidbarkeit auch empfinden mag –, sondern die Angst vor der Trennung von einem ursprünglich weiblichen Zusammenhalt, der Zeit und Geschichte aufhebt und schwerer wiegt als politische Bindungen. Diese Romane sind Djebars erster – zugegebenermaßen noch gedämpfter – Versuch einer oppositionellen Haltung, die sich mehr mit Problemen der Geschlechter als mit Problemen von Nation und ethnischen Gruppen beschäftigt. In ihren späteren Werken rückten Bilder eines geschlechtsspezifischen Raums immer mehr in den Mittelpunkt: Der Raum bedingt bei ihren weiblichen Figuren die Art der Wahrnehmung des eigenen Körpers, und umgekehrt wirkt sich der bewußte Umgang mit dem eigenen Körper auf die Art der Bewegung im Raum aus. Das wird auch an den Unterschieden zwischen Delacroix' und Picassos Gemälde der *Frauen von Algier* deutlich.

Die Beziehungen zwischen Frauen, erotisch, aber asexuell (ich nenne es homoerotisch), untergraben in allen Romanen Assia Djebars die patriarchale Luststruktur. Die Analphabetin in *Les enfants du nouveau monde* sagt über diese engen Bande zwischen Frauen, sie seien »dikker als Blut«, und diese Loyalität läßt sie sogar unter Lebensgefahr den Befehlen ihres Mannes zuwiderhandeln. Die Entdeckung weiblicher Lust steht auch im Mittelpunkt von *Alouettes*, wo die alte Großmutter als Beschützerin auftritt. Und schließlich werden in *Frauen von Algier* Beziehungen geschildert, die im Grunde auf jede Sprache verzichten können – ob nun Französisch oder Arabisch –, weil Sprache ein männliches Reservat darstellt.

Der anspruchsvollste Roman vor 1980, *Alouettes*, entwickelt die Intuition der Unvereinbarkeit männlicher und weiblicher Welten weiter, die schon in den frühen Romanen anklingt, und deutet die problematische Integration der revolutionären Frau ins Nachkriegsalgerien an, wo sie weder Hure noch pflichtbewußte Matrone sein will: »Die ›weiblichen Kämpfer‹, wie sie von Leuten genannt werden, denen diese neue Spezies unheimlich ist... Abgesehen von den Prostituierten, abgesehen von den respektablen Harems eingeschlossener Frauen – wohin mit ihnen, und, noch wichtiger, wie soll man sie behandeln?« heißt es in *Alouettes*. Das unabhängige Algerien bestätigte diese düsteren Vorahnungen. Frauen, die sich nicht mit ihrem alten Platz begnügen wollten, wurden einfach weggestoßen, und die neue Kultur wurde mit den brutalen Methoden männlicher Machtpolitik durchgesetzt.

Der algerische Konflikt dauerte acht lange Jahre, obwohl es schon vor dem November 1954 viele kleinere Rebellionen gegeben hatte. Djebars beiläufige Erwähnung des 8. Mai 1945 (beispielsweise in ›Die Toten sprechen‹) bezieht sich auf friedliche Märsche moslemischer Zivilisten in mehreren Städten des Hinterlands, die zu einem mehrtägigen Blutbad ausarteten. Niemand weiß, wer den ersten Schuß abgegeben hat. Als alles vorbei war, waren über hundert Europäer tot, und militante Gruppen hatten blinde Rache geübt und zwischen sechstausend und fünfundvierzigtausend Algerier umgebracht. Diese Repressionen bescherten den Franzosen zehn Jahre Frieden, aber sie überzeugten zugleich die Algerier, daß es früher oder später zum Befreiungskrieg kommen mußte. Dieser Unabhängigkeitskrieg forderte einen enorm hohen Blutzoll: Über eine Million Algerier kam ums Leben, das heißt mehr als zehn Prozent der Bevölkerung. Die Franzosen setzten Napalm ein, zerstörten ganze Dörfer und bedienten sich des *regroupement*, des Zusammenpferchens der Bevölkerung in erbärmlichen Flüchtlingslagern, die beschönigend ›Befriedungsdörfer‹ genannt wurden – eine Taktik, die später auch Amerika im Vietnamkrieg anwenden würde. Schließlich wandten die französischen Offiziere – von denen viele zuvor in Vietnam gedient und die dortige Niederlage nicht verkraftet hatten und die überdies frustriert waren, weil der Algerienkrieg sich so in die Länge zog – auch die Folter an. Was aber noch schlimmer war – die Regierung drückte beide Augen zu[26].

Die Erzählung ›Frauen von Algier‹ beginnt mit einer Folterszene. Dabei stehen weder die Brutalität der Franzosen noch die ihrer Kollaborateure im Brennpunkt, wie das in den vorangegangenen Kriegsromanen der Fall gewesen war, sondern ausschließlich die Algerier selbst. Diese Geschichten waren von einer Algerierin für und über Algerier geschrieben worden – deshalb auch die anhaltende Verwunderung der Autorin über ihre Wirkung außerhalb Algeriens. Die einzige Französin, Anne, spielt thematisch und ideologisch eine Nebenrolle, die die veränderten Machtverhältnisse zwischen Metropole und früherer Kolonie einerseits und zwischen islamischen Frauen und ihren europäischen Schwestern andererseits unterstreichen soll. Sarah beschließt, Anne nicht zu erzählen, daß ihre ›Brandwunden‹ von der Folter herrühren, ein indirekter Hinweis auf die gefährliche Ignoranz der Französin. Die Einstellung ist aber nicht mehr strikt oppositionell, Paris kontra Algier, Ost gegen West. Mit dieser ideologischen Umorientierung tritt Djebars Werk in eine postkoloniale Phase ein. In einer Hinsicht bleibt es allerdings oppositionell: was die Beziehung der Geschlechter zueinander betrifft. In der Folterszene sind nun einmal Männer die Täter, und eine Frau ist das Opfer.

Das Thema des Kampfes zwischen den Geschlechtern, dessen Emblem die Folterszene ist, ist eine Weiterführung des vorangegangenen Romans, *Alouettes*, obwohl die beiden Werke durch ein zehnjähriges Schweigen getrennt sind. Der Kampf findet nun nicht mehr auf dem ahistorischen Schauplatz erotischer Erforschung statt; er durchdringt jetzt alle Aspekte des Lebens, die individuellen ebenso wie die kollektiven, die privaten ebenso wie die öffentlichen. Die erste Geschichte greift die Frage der ›Kämpferinnen‹ auf, der ›weiblichen Kämpfer‹, wie die verwirrend neue, untraditionelle Spezies von Frauen in *Alouettes* genannt wird. Leila, die Heroin verwendet, weil die Kriegsverletzungen, von denen einige auf Folterungen zurückzuführen sind, ihr unerträgliche Schmerzen bereiten, Leila, die einstige Heldin, wird von den Ärzten des neuen, aggressiv modernen Krankenhauses unter arabischer Leitung in einem Einzelzimmer isoliert, wodurch man sie der Gefahr aussetzt, den Verstand zu verlieren. Das ist die neue, wissenschaftliche Version des jahrhundertealten Serails: Isolierung und Tod für die Nonkonformistinnen. Auf symbolischer Ebene sind diese Ärzte nur eine Transposition der Folterknechte zu Beginn der Erzählung. Leila wird vorübergehend aus dem Gefängnis ihres Krankenhauszimmers befreit, von einem Künstler, der homosexuell ist und selbst einmal drogensüchtig war. Assia Djebar reiß alle Masken herunter, prangert die selbstgerechte Heuchelei der neuen Gesellschaftsordnung an. In der ersten Geschichte mit kräftigen Strichen skizziert, wird die allegorische Landschaft allmählich ausgeweitet: diese neue Spezies, die postrevolutionäre Frau, hat die Wahl zwischen Tod durch völlige Unterwerfung unter den Willen eines Herrn und Gebieters (die Rückkehr zu einer traditionellen Ehe, demütig – und hoffnungslos – erhofft in ›Die Toten sprechen‹, aber abgelehnt in ›Es gibt kein Exil‹) oder Tod durch Wahnsinn. Leilas Ablehnung einer Behandlung ist eine Verwerfung der Definitionen ihrer revolutionären Brüder: gesund oder ungesund, akzeptabel oder inakzeptabel.

Die Kämpferinnen sind auch deshalb eine Peinlichkeit, weil ihr weiblicher Körper einfach nicht verschwinden will, weil sie das mächtigste Tabu im Islam – die Entschleierung oder Entblößung der Frau – nicht nur brechen, sondern dabei auch noch öffentliches Aufsehen erregen. Die Bilder des Eingeschlossenseins und die Sprache des gemarterten Körpers sind in *Frauen von Algier* miteinander verflochten. Männliche Begierde sieht im weiblichen Körper nur ein schweigendes Objekt, das von außen betrachtet wird; er ist das Ziel des ›verbotenen Blickes‹ eines französischen Malers, ebenso wie der auf dem Foltertisch ausgestreckte Frauenkörper von Männerblicken verschlungen wird, während der Frau die Augen verbunden sind, so daß ihr jeder Blick verwehrt ist. In *Frauen von Algier* muß jede menschliche Erfahrung, sogar die gesellschaftliche, durch den Körper erforscht werden. Es gibt einfach keine andere Möglichkeit für Frauen, denen die Gesellschaft Bescheidenheit und Sittsamkeit sowie Schweigen aufgezwungen hat; ihnen wurde der Zugang zu jeder anderen Sprache als der des Körpers verboten. Der weibliche Körper hat seine eigenen Energien, als gelebte Realität und als transzendentales Symbol. Er dient als Metapher für jenes andere, nicht unterjochte weibliche Ich, zu dem die Sprache – diese Reservation der Männer – keinen Zugang hat. Leilas von Narben gezeichneter Körper ist ein hieroglyphischer Hilfeschrei, ebenso wie Sarahs. Und Sarah, die »mit Worten schon immer Probleme hatte«, kann nur auf eine einzige Weise reagieren: indem sie sich schweigend auszieht.

Die leidenschaftliche Begegnung zwischen Sarah und Leila stellt ein Gegengewicht zur Begegnung des Mannes mit dem weiblichen Körper dar, wie sie in der Folterszene zutage tritt, die Sarahs Mann jede Nacht träumt. In dieser alptraumhaften Szene ist ›Mann‹ der Regisseur eines Films, dessen Ton ›abgerissen‹ ist. Obwohl es in der ersten Geschichte keinen Angeklagten gibt, erinnert uns das Nachwort daran, daß es Männer sind, die absichtlich die Wahrheit ausgelöscht, den Ton der Frauenstimme abgeschnitten und ihr physisches Äquivalent, den Frauen-körper, isoliert haben. Dieser abgeschnittene Ton symbo-lisiert die Weigerung des Mannes, die physische Eigenart der Kämpferinnen, die Bedeutung ihrer verstümmelten nackten Körper zur Kenntnis zu nehmen und zu akzep-tieren, eine Akzeptanz, die diese Frauen in die neue Ge-sellschaftsordnung integrieren würde. Die Folterungen, denen Frauen ausgesetzt waren, sind ausgezeichnet do-kumentiert; dazu gehörten vielfach gräßliche Verstüm-melungen der Genitalien, wie im publik gewordenen Fall der Djamila Bouhired, einer realen ›Feuerträgerin‹ und Tochter von Djebars imaginärer ›Wasserträgerin‹, auf die in der Geschichte von Messaouda im Nachwort deutlich angespielt wird. So wie die Dinge in *Frauen von Algier* je-doch stehen, werden die physischen Erinnerungen an die Greuel des Krieges auf dem weiblichen Körper als ›uneh-renhaft‹ angesehen. Der Frauenkörper ist das Emblem ei-ner Schuld, der die Brüder nur entrinnen können, indem sie seine Sprache leugnen. »Sie schämen sich meiner!« schreit Leila[27]. Im Grunde schämen sie sich, weil sie unfä-hig waren, das alte patriarchale Gebot zu halten: ihre Frauen unversehrt zu bewahren, indem man sie ein-sperrt. Als stillschweigender und doch schreiender Hin-weis auf ihr privates Versagen inmitten eines öffentlichen Sieges taucht in den Erzählungen immer wieder mißhan-deltes weibliches Fleisch auf, im zerschlagenen Gesicht der ›Weinenden Frau‹ ebenso wie bei ihren Doubles, der verstoßenen Aïcha mit der eingefallenen Brust oder der Wasserträgerin mit dem gebrochenen Körper und Geist.

Und doch ist man in dieser Welt, die sich Assia Djebar, wie sie im Interview zugibt, ›ohne Männer‹ gewünscht hätte, erstaunt über das Mitgefühl, das sie ihren männli-chen Figuren entgegenbringt, auch wenn sie selbst – wie das Interview zeigt – damit nicht ganz einverstanden ist. Beispielsweise wird der ›Kleine‹ in ›Die Toten sprechen‹

sehr kritisch geschildert, dieser Kriegsheld, der die Welt der Vorfahren nicht mehr versteht, eine Welt, die für ihn endgültig der Vergangenheit angehört. Auf wirkungsvolle Weise wird hier der langen traditionellen Begräbniszeremonie zu Ehren von Yemma Hadda das schnelle Einbuddeln der oft namenlosen Leichen von Guerillakämpfern gegenübergestellt. Durch die Kriegserfahrungen verhärtet, durch die physischen Schrecken unempfindlich gegen den seelischen Schmerz anderer (seiner Großmutter, die bei seiner Rückkehr kaum noch lebt, ihres Pächters, ihrer verstoßenen Nichte), steht Hassan am Ende der Geschichte auf einem Platz und feiert die Geburtsstunde der Unabhängigkeit mit der üblichen politischen Rede über Helden, während die modischen weißen Schleier von Verehrerinnen in der Sommerbrise flattern. Es ist der siebte Tag nach der Beerdigung der Großmutter, und dieses Detail muß für einen frommen Moslem schockierend sein. Dies sollte ein Tag ritueller Trauer sein, an dem am frischen Grab gebetet wird. Nur Aïcha ist auf dem Friedhof, gedenkt der Ahne. Diese beiden Frauen sind die einzigen selbstaufopfernden Heldinnen einer egoistischen neuen Ordnung.

Aber die Geschichte zeigt den rückkehrenden Enkel, der plötzlich zwischen zwei unvereinbaren Welten steht, in einem Augenblick, da er von Zweifeln gequält wird. Dieser Augenblick des Triumphs läßt ihn sowohl an sich selbst als auch an der ›Revolution‹ zweifeln. Hassan kann kein Mitgefühl mehr aufbringen, aber wir haben mit ihm ebenso Mitgefühl wie mit dem Pächter und wie mit einem anderen Kriegshelden, Ali, dem Chirurgen in ›Frauen von Algier‹, den der Krieg ebenfalls so mitgenommen hat, daß er weder auf seine Frau noch auf seinen Sohn eingehen kann. Doch obwohl ihre Ehe ein Fehlschlag ist, verteidigt Sarah sie gegenüber seinem Sohn, der wütend ist, weil er keinen Helden zum Vater hat. Dies ist Assia

Djebars Antwort auf die Anklagen der Schriftsteller gegen ihre Väter: diese Weigerung, die Vergangenheit zu glorifizieren, dieser Versuch, sie realistisch zu sehen, könnte eine andere, reinere Form des Heroismus sein. In jeder Geschichte streckt die Tragödie der Kommunikationslosigkeit, das Drama der durch Krieg bewirkten Entmenschlichung nur die Männer nieder; denn die Frauen haben einander, wenngleich oft in sehr unvollkommener Weise. Sie haben eine Geschichte, die sie verbindet, weil – die Urgroßmutter in ›Nostalgie der Horde‹ macht das deutlich – diese Geschichte Jahrhundert mündlicher Tradition überdauert hat: eine Kette von Frauen, miteinander verbunden durch eine Kette von Geschichten, mit deren Hilfe sie sowohl der Amnesie der Brüder als auch der Brutalität der Eroberer widerstehen können, durch die jahrhundertealte Macht ihrer eigenen Stimmen aus dem ›Untergrund‹, wie es in der Ouvertüre heißt, denn »das Gedächtnis einer Frau umspannt Jahrhunderte«. *Frauen von Algier* ist jedoch weit davon entfernt, den Triumph der Frauen zu feiern. ›Nostalgie der Horde‹ ist eine durchaus ambivalente Geschichte, denn die soziale Integration der Urgroßmutter ging auf Kosten ihrer Autonomie: ihre Botschaft ist die einer Unterwerfung. Sollen die Urenkelinnen die verängstigte Kindbraut nachahmen, oder sollen sie sich dem Vater widersetzen? Freiheit von Schmerzen, die Offenbarung einer physischen und geistigen Selbstfindung kommt nur ganz kurz in ›Frauen von Algier‹ vor, im körperlichen Kontakt zwischen Sarah und Leila. Ewig dauert diese Befreiung nur in den Bewegungen von Picassos Tänzerinnen, das heißt sie bleibt eine imaginäre Projektion der Lust in einer idealen weiblichen Welt.

Picassos Tänzerinnen werfen Fragen auf, die wir nicht beantworten können. »Reden sie denn wirklich und wahrhaftig?« heißt es in Djebars Ouvertüre (die Betonung liegt auf ›vraiment‹, wobei das französische Wort beides bedeutet: ›wirklich‹ im Sinne von ›tatsächlich‹ und ›wahrhaftig‹ im Sinne von ›freimütig‹ und ›ehrlich‹). Geht dieser Freudentanz wirklich in der realen Welt vonstatten? Die Kurzgeschichten demonstrieren nachdrücklich: nein – noch nicht. Die Gesellschaft will die Wahrheiten der Frauen noch immer nicht hören, und wie sollen sie freimütig reden, wenn sie sich ständig des ›spionierenden Auges‹ bewußt sind, das uns sowohl an die aufmerksame Dienerin von Delacroix' Gemälde als auch an ein Guckloch in der Tür eines der Sonne verschlossenen Serails erinnert. Letztlich ist das ›spionierende Auge‹ auch eine Metonymie für den Maler selbst.

Picassos Gemälde hingegen fordert die Frauen auf auszubrechen, eine Wiedergeburt zu erleben, indem sie die Sprache des Körpers wieder lernen. Denn der Tanz hat seine eigene visuelle Sprache und braucht keine Worte unter Schleiern. Auf Picassos Gemälde sind die Frauen nackt, ihre Sprache ›unverhüllt‹, und es gibt kein ›spionierendes Auge‹ mehr.

Doch Picasso hatte nur eine Vision, während Delacroix seinerzeit ›lebendige‹ algerische Frauen malte, die jedoch regungslos und schweigend dasaßen, ihrer Blicke und Stimmen beraubt. ›Verbotener Blick‹, weil es moslemischen Frauen verboten ist, einem Mann in die Augen zu blicken, um so mehr einem Ungläubigen. ›Verboten‹ aber auch in der Gegenrichtung, denn der Maler dürfte nicht hier sein, und zwei Jahre zuvor hätte er – wie Assia Djebar uns in Erinnerung ruft – mit diesem Besuch im Harem noch sein Leben aufs Spiel gesetzt.

Andere Frauen, die man der Blicke und Stimmen beraubt hat, fallen uns mit Schrecken ein: die anonyme Frau von Alis Alptraum, der man die Augen verbunden hat, ein Opferlamm auf dem Altar der Revolution; oder der zusammengefallene Körper von Yemma Hadda, die ebenfalls geopfert wurde, von einem revolutionären Enkel, der die alten Sitten und die Bedeutung von ›Yemma‹ vergessen hat – den respektvollen Titel für ältere Frauen und das arabische Wort für ›Mutter‹. Man könnte sagen, daß sich in den hundertfünfzig Jahren seit jenem ersten fremden Blick auf den Harem nichts verändert hat. Wirklich und wahrhaftig nicht.

Aber dieser erste westliche Blick, Delacroix' Blick, sieht nur prächtig gekleidete und mit Schmuck behängte Objekte, die er ausnahmsweise betrachten darf, ›posierende‹ Statuen, an denen sein Blick abprallt. Füreinander, unter sich sind diese Frauen jedoch durchaus Subjekte, wie der Blick zwischen den beiden im Vordergrund deutlich macht, und für sie ist der eingedrungene Maler ein Objekt. Dieser komplizenhafte Blick, den die beiden Frauen tauschen, regt hundertvierzig Jahre später ihre Enkelin zum Schreiben an.

Diese ›Welt ohne Männer‹ steht Männern nicht unbedingt feindselig gegenüber, aber sie hat keine Verwendung für sie, solange diese darauf bestehen, das Leben von Frauen einzuschränken. Djebar predigt aber auch nicht eine gegenseitige Befruchtung zwischen westlichen und nicht-westlichen Werten. Die Nachkriegspolitik ihres Landes hat sie ihrer Illusionen beraubt. Viel bescheidener – und vielleicht mutiger – setzt sie sich für eine persönliche Freiheit ein, die sowohl Frauen als auch Männer von den Fesseln der Tradition befreien würde, sofern diese Tradition ihr geistiges und körperliches Wohlbefinden beeinträchtigt. Und damit spricht sie für uns alle.

Clarisse Zimra
Southern Illinois University

1 Bis heute wird sogar in wissenschaftlichen Artikeln immer dieses falsche Geburtsdatum genannt, der 4. August. Sie hat es, wie sie sagt, gewählt, weil es der Hochzeitstag ihrer Eltern war – vielleicht keine besonders gute Idee, wenn sie nicht erkannt werden wollte. Später erfuhr sie, daß ihr idealistischer Vater, der sich selbst als Sozialist bezeichnete und die Französische Revolution bewunderte, an diesem Tag geheiratet hatte, weil er »eine Ehe zwischen wirklich gleichberechtigten Partnern« wollte. In der französischen Geschichte wurden am 4. August 1789 die Standesprivilegien abgeschafft. Djebars richtiges Geburtsdatum ist der 30. Juni 1936, und sie weist gern darauf hin, daß der 30. Juni auch der Vorabend der algerischen Unabhängigkeit war, die formell am 1. Juli 1962 in Kraft trat, und daß sie nach achtjährigem Exil an diesem Tag frohgemut in ihre Heimat zurückkehrte.

Diese Details stammen ebenso wie viele weitere Zitate aus meinen Interviews mit Assia Djebar, tauchen im Interview dieses Essays aber nicht auf. Solches Material wird im folgenden als ›unveröffentlicht‹ (unv.) gekennzeichnet. Alle Zitate, die nicht derart gekennzeichnet sind, stammen aus o. e. Interview.

2 So hat Trinh T. Minh-ha die Sonderausgabe von *Discourse 8* (Herbst/Winter 1986–87) betitelt: »She, the Inappropriate/d Other« (Sie, die ungeeignete bzw. ungeeignet gemachte andere).

3 Ivan Hill, »A Love-Hate Affair«, in: Times Literary Supplement, 13.–19. April 1990, S. 404;
Jacques Berque, »La Langue de l'envahisseur«, in: Le nouvel observateur 1086 (30. 8. – 5. 9. 1985).

4 Ein anderer Schriftsteller, der sich mit diesen Fragen beschäftigt, ist natürlich der 1989 verstorbene Kateb Yacine, zweifellos einer von Djebars literarischen Vätern, genauer gesagt, der literarische Vater *aller* nordafrikanischen Schriftsteller.

5 Editions des femmes; die Verwendung von Kleinbuchstaben sollte den Entschluß des Verlagsteams zum Ausdruck bringen, mit patriarchalen, autoritären Produktionsmethoden zu brechen.

6 Ursprünglich für das algerische Fernsehen produziert, wurde der Film später in ausverkauften Kinos gespielt und sorgte zu einer Zeit für lebhafte Debatten, als die offizielle Kampagne, das traditionelle Bild der Frau aufzupolieren, ihren Schwung verlor. Offenbar hatten die Zensoren nicht die Absicht, noch einmal in èine peinliche Lage zu geraten.

7 Hédi Abdeljouad, Rezension von *Femmes d'Alger*, in: World Literature Today, Frühjahr 1981, S. 362.

8 *Ferdaous* wurde 1981 bei *des femmes* veröffentlicht. Saadawy hat allen Repressalien zum Trotz furchtlos weitergeschrieben. Ihre Frauengesellschaft wurde 1991 für illegal erklärt, alle Dokumente vernichtet, der Besitz konfisziert. Djebars Einleitung zu Saadawys Roman sollte der Ägypterin international Gehör verschaffen.

9 Einen ausgezeichneten Überblick über dieses Thema, speziell über das Ausmaß an sozialer und wirtschaftlicher Autonomie von Frauen in Stammesverbänden, einschließlich polygamer Gewohnheiten, bietet Leila Ahmeds Arbeit: Women and the Advent of Islam, Signs 2 (1986), S. 665–690.

10 Djebar zerpflückt ihr Verhältnis zur Sprache in Marguerite Le Clézios Interview *Ecrire dans la langue adverse*, in: Contemporary French Civilisation 10 (Dez. 1986), S. 230–244. In Anbetracht von Djebars Mißtrauen ist es ein Tribut an die ungewöhnliche Geduld der Interviewerin, und es bleibt der wichtigste Beitrag über diesen Aspekt von Djebars Poetik.

11 Rivière, der 1925 starb, war Romancier und Herausgeber der bekannten Zeitschrift *La nouvelle revue française*. Eng verbunden mit Proust, Gide, Claudel und Valéry, später auch mit Sartre, beherrschte die NRF die literarische Szene zwischen den beiden Weltkriegen, wobei sie den Neoklassizismus förderte. Rivières Schwester Isabelle heiratete Alain Fournier, der den einzigen wirklich einflußreichen symbolistischen Roman der französischen Literatur schrieb: *Le grand Meaulnes*. Fourniers und Rivières Drängen auf einen strengen und klassischen Stil hat bei Djebar offenbar Spuren hinterlassen.

12 Als Historikerin war Djebar von Pathé-Gaumont, einer Filmgesellschaft, gebeten worden, einige alte, in einem Speicher gelagerte Filmspulen zu sichten. Es handelte sich um nicht verwendetes Nachrichtenmaterial über die Kolonien. Aus diesen kolonialen Abfällen, diesen ›Blicken‹, die der Kolonisator nicht zur Kenntnis nehmen wollte, webte sie den Film *La zerda et les chants de l'oubli* (Zerda und die Lieder des Vergessens, 1982). *Zerda* ist ein einheimisches Wort für Lustbarkeit, für ein Volksfest. Der Film *Zerda* feiert die Auffindung solcher Stücke der kollektiven Vergangenheit, von denen Assia Djebar geglaubt hatte, sie wären für das kollektive Gedächtnis für immer verloren.

13 Jean Campbell Jones, Rezension von *The Mischief* (La soif), in: New York Times, 12. Oktober 1958, S. 52.

14 A. Nataf, Rezension von *La soif*, in: Présence africaine, Nr. 16 (Okt./Nov. 1958), S. 120.

15 Marie-Blanche Tahon, Rezension von *Femmes d'Alger*, in: Ecriture française dans le monde; La tribune des Francophones 5 (1981).

16 Assia Djebar, *Les alouettes naives*, Paris, Julliard, 1967, S. 423.

17 In Wirklichkeit hieß sie Dihya und war eine Frau aus dem Stamme der Djarawa im Aurès-Gebirge, ethnisch eine Berberin und Jüdin, die die arabischen Invasoren Ende des siebten Jahrhunderts bis zur libyschen Grenze zurückwarf und fünf Jahre aufhielt, bis sie im Kampf getötet wurde. Diese *femme sauvage* (wilde Frau), wie Kateb Yacine sie nennt, ist eine Konstante in seinem Gesamtwerk; sie ist für ihn eine Metapher für die Nation als solche, die Urmutter des Stammes. Ihre Erinnerung wird im algerischen Volksglauben hochgehalten: Eine tiefe Schlucht in den hügeligen Randgebieten von Algier ist nach ihr benannt (Schlucht der wilden Frau). Der Unterschied zwischen Kateb und Djebar besteht darin, daß sie Frauen aus Fleisch und Blut einsetzt, um die mythischen Dimensionen eines Volksglaubens zu erforschen, der in echten Erinnerungen fest verwurzelt ist, während Kateb sich damit begnügt, die mythische Gestalt einzufangen, die immer mehr zu entschwinden droht.

18 Die binäre Innen/Außen-Struktur wurde von Djebar selbst in den meisten Interviews entgegenkommender-

weise als ideologische Topographie dieses dritten Romans genannt. Kritiker brauchten das nur aufzugreifen, zuletzt Mildred Mortimer in: Journeys through the African Novel (Portsmouth, N. H.: Heinemann, 1990).

19 Eine kurze, aber exakte Darstellung des maghrebinischen Problems findet sich in: *The Ambiguous Compromise* von Jacqueline Kaye und Abdelhamid Zoubir (London: Routledge, 1990).

20 Farah Ziane, *Assia Djebar ou la littérature marginale*, in: El Djazairia 33 (1973).

21 Vereinfacht ausgedrückt: Französisch, klassisches Arabisch, auf dem die Standard-Schriftsprache basiert, volkstümliches algerisches Arabisch, Kabylisch; ferner verschiedene Stammesdialekte. Durch die Medien gelangen heutzutage auch andere Formen des Arabischen nach Algerien, beispielsweise aus Ägypten und aus dem Mittleren Osten.

22 Assia Djebar, *Du français comme butin*, in: Quinzaine littéraire 436 (16.–31. März 1985).

23 Berque, a. a. O.

24 Basierend auf F. A. M. Amrouches Autobiographie *Histoire de ma vie* (Paris: Maspéro, 1969); dt. Übersetzung: Geschichte meines Lebens (Verlag Donata Kinzelbach, 1989).

25 Clarisse Zimra, »In Her Own Write: The Circular Structures of Linguistic Alienation in Assia Djebar's Early Novels«, in: Research in African Literatures 11 (Sommer 1980), S. 206–223.

26 Die am gründlichsten recherchierte Quelle (und zugleich eine spannende Lektüre) ist immer noch Alistair Hornes umfangreiches Werk *A Savage War of Peace: Algeria, 1954–62* (London: Macmillan, 1977).

27 Ein Schrei, dessen Echo in einem Wort von Kateb gespenstisch widerhallt: »Wir Algerier haben Schuldgefühle gegenüber Frauen, weil wir wissen, wie sehr wir sie unterdrücken.« (Geäußert während eines Symposiums an der Temple University im März 1988, zitiert in Bernard Aresus Einleitung zu *Nedjma*, Charlottesville, 1991).

Glossar

Barberousse	Beiname des berüchtigten algerischen Korsaren Chaireddin im 16. Jahrhundert; auch Name des berüchtigtsten Gefängnisses im kolonialen Algerien
chaouch	Gerichtsdiener; auch eine Art ›Mann für alles‹ bei wichtigen Persönlichkeiten
Couscous	algerisches Universalgericht aus Weizengrieß mit Fleisch, Gemüse, Milch usw.
douar	Beduinendorf
fantasia	arab. Reiterspiel, Reiterturnier
Fatma	Eigenname, wurde von den Franzosen auch abfällig für alle arabischen Frauen, speziell aber für Dienstmädchen benutzt
gandoura	hemdartiges weites Überkleid mit Ärmeln für Männer
Hadja	Titel für eine Frau, die die Pilgerfahrt nach Mekka gemacht hat
haoufi (oder *hawfi*)	populäre Frauendichtung
hamam	maurisches (türkisches) Bad
hazab	Koranleser
Imam	Vorbeter

kanoun	kleiner dreibeiniger Topf, mit Kohle gefüllt
Kasbah	Altstadt
Nargileh	Wasserpfeife
Odaliske	weiße türkische Haremssklavin
ouali	heiliger Mann, auch: Rechtsvertreter
Pythia	Weissagerin, griech. Priesterin in Delphi
Ramadan	neunter Monat des moslemischen Mondjahres, an dem von Morgengrauen bis Sonnenuntergang Essen, Trinken und Rauchen verboten sind. Nachts sind religiöse Andachten, aber auch Familienfeste üblich. In der Nacht zum 27. kam der Koran zur Erde herab.
taimoum	Stein, der in den meisten Gebieten mit wenig Wasser für die rituellen Waschungen benutzt wird
taleb	Student der Koranwissenschaft
tarawih	Gebet im Ramadan
Tlemcen	berühmte alte Stadt im Nordwesten Algeriens
tolbas	Plural von *taleb*
ulema	moslemische Theologen, Juristen, Gelehrte; auch: religiöse oder politische Führer während der Kolonialzeit

willaya	im algerischen Unabhängigkeitskrieg gab es sechs kämpfende *willaya*, die nicht nur gegen die Franzosen, sondern auch gegeneinander kämpften
Yemma	respektvoller Titel für ältere Frauen, arab.: Mutter

Inhalt

Jehan Sadat

»Jehan Sadat ist eine reichbegabte Frau: Sie ist intelligent, couragiert und zutiefst menschlich. Ihr Leben lang – durch Triumphe und Tragödien – ließ sie andere Menschen an diesen Gaben teilhaben.« Henry Kissinger

01/8196

Wilhelm Heyne Verlag
München

Frau und Gesellschaft

Bücher, die brisante Themen aufgreifen, sachlich und zugleich engagiert geschrieben - nicht nur für Frauen...

19/20

Außerdem erschienen:

Gunnar Heinsohn/Otto Steiger
Die Vernichtung der weisen Frauen
19/18

Jehan Sadat
Ich bin eine Frau aus Ägypten
01/8196

Claudia Schmölders (Hrsg.)
Die wilde Frau
19/240

Kaari Utrio
Evas Töchter - Die weibliche Seite der Geschichte
19/147

Cheryl Benard/Edit Schlaffer
Ohne uns seid ihr nichts
19/281

Wilhelm Heyne Verlag
München